ВѢЧНАЯ ПАМЯТЬ БОРЦАМЪ, ПАВШИМЪ ЗА СВОБОДУ.

**"PELA ETERNA MEMÓRIA
DOS QUE CAÍRAM LUTANDO
PELA LIBERDADE."**

(ESCRITO ANTES DA REFORMA
ORTOGRÁFICA RUSSA DE 1918)

OUTUBRO

Tradução
Heci Regina Candiani

Traduzido do original em inglês *October: the Story of the Russian Revolution*
(Londres/ Nova York, Verso, 2017)

Direção editorial Ivana Jinkings
Edição Bibiana Leme
Assistência editorial Carolina Yassui e Thaisa Burani
Tradução Heci Regina Candiani
Transliteração de palavras e nomes russos Paula Vaz de Almeida
Preparação Mariana Echalar
Revisão Thaís Nicoleti
Coordenação de produção Livia Campos
Capa, iniciais e aberturas Ronaldo Alves
sobre pintura que retrata a tomada do Palácio de Inverno, em 1917, de autoria desconhecida, s/d (frente); fotografia de Trótski e Lênin, s/d (quarta capa); detalhe de pintura de Lênin falando aos trabalhadores da fábrica Putilov em maio de 1917, de Isaak Brodsky, 1929 (segunda e terceira capas); capa da edição de 23 de março de 1917 do *Rabótchaia Gazieta* (guardas)
Diagramação Antonio Kehl

Equipe de apoio: Allan Jones / Ana Yumi Kajiki / André Albert / Artur Renzo / Camilla Rillo / Eduardo Marques / Elaine Ramos / Frederico Indiani / Heleni Andrade / Isabella Barboza / Isabella Marcatti / Ivam Oliveira / Kim Doria / Marlene Baptista / Maurício Barbosa / Renato Soares / Thaís Barros / Tulio Candiotto

CIP-BRASIL. CATALOGAÇÃO NA PUBLICAÇÃO
SINDICATO NACIONAL DOS EDITORES DE LIVROS, RJ

M575o
Miéville, China, 1972-
Outubro : história da Revolução Russa / China Miéville ; tradução Heci Regina Candiani. - 1. ed. - São Paulo : Boitempo, 2017.
: il.

Tradução de: October : The Story of the Russian Revolution
Mapas
ISBN 978-85-7559-575-6

1. União Soviética - História - Revolução, 1917-1921. I. Candiani, Heci Regina. II. Título.

17-44635 CDD: 947.0841
CDU: 94(47)"1917/1921"

1ª edição: setembro de 2017;
1ª reimpressão: abril de 2018; 2ª reimpressão: novembro de 2019;
3ª reimpressão: janeiro de 2023

BOITEMPO
Jinkings Editores Associados Ltda.
Rua Pereira Leite, 373
05442-000 São Paulo SP
Tel.: (11) 3875-7250 / 3875-7285
editor@boitempoeditorial.com.br
boitempoeditorial.com.br | blogdaboitempo.com.br
facebook.com/boitempo | twitter.com/editoraboitempo
youtube.com/tvboitempo | instagram.com/boitempo

PARA GURRU

"..................................
.................................."

Nikolai Tchernichevski,
Que fazer?

SUMÁRIO

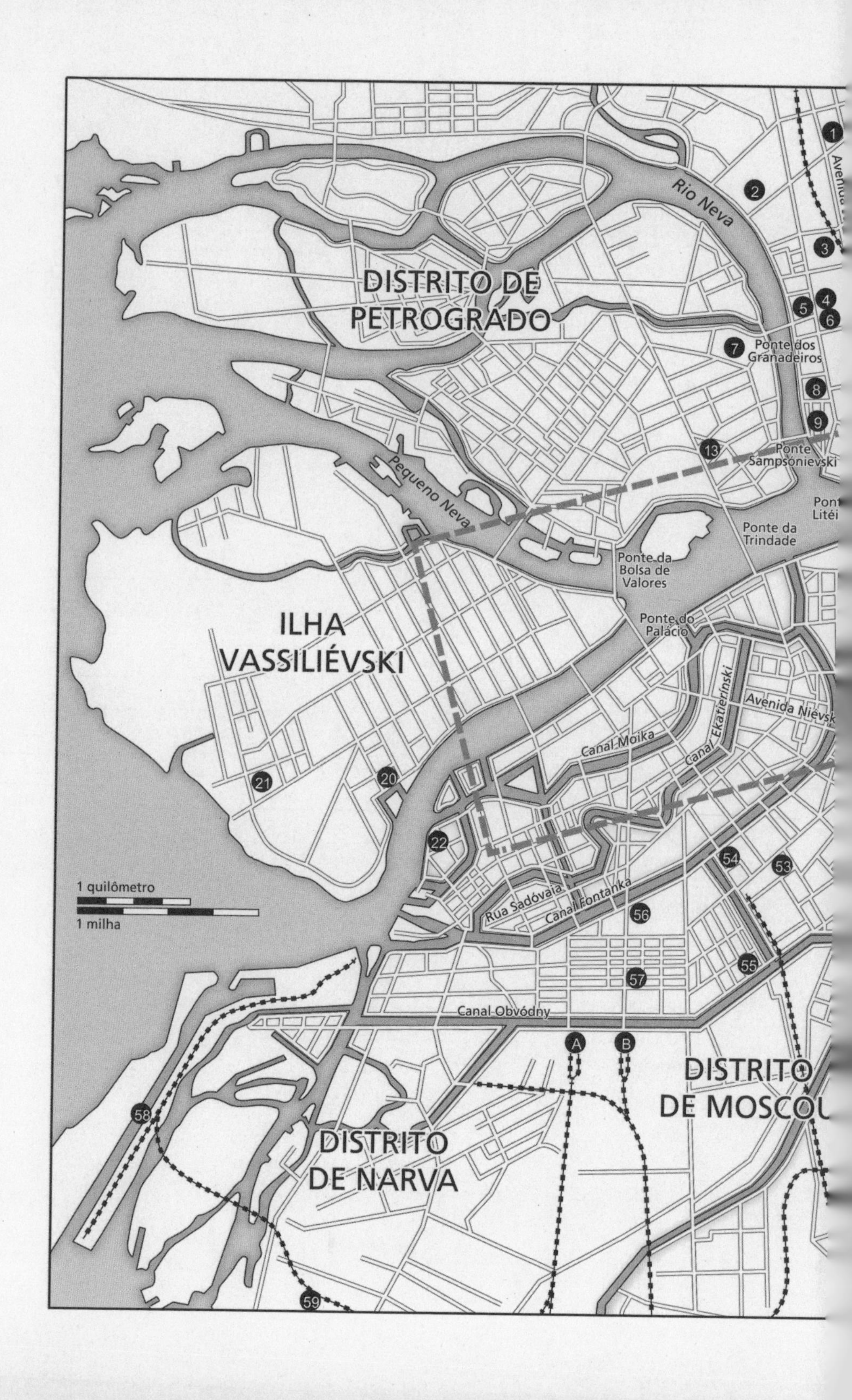
DISTRITO DE PETROGRADO
Rio Neva
Ponte dos Granadeiros
Ponte Sampsonievski
Pequeno Neva
Ponte da Trindade
Ponte da Bolsa de Valores
Ponte do Palácio
ILHA VASSILIÉVSKI
Avenida Niévsk
Canal Ekatierínski
Canal Moika
Rua Sadóvaia
Canal Fontanka
Canal Obvódny
1 quilômetro
1 milha
DISTRITO DE MOSCOU
DISTRITO DE NARVA
1
2
3
4
5
6
7
8
9
13
20
21
22
53
54
55
56
57
58
59
A
B

PETROGRADO, 1917
1 Fábrica do Russki Reno
2 Fábrica da Novyi Lessner
3 Regimento Moskóvski
4 Local da realização do VI Congresso
5 Fábrica da Erikson
6 1º Regimento de Metralhadoras
7 Regimento de Granadeiros
8 QG Bolchevique, distrito de Vyborg
9 Gráfica Trud
10 Escola de Artilharia Mikháilovski
11 Prisão de Kresty
12 Fábrica Metalúrgica
13 Circo Moderno
14 Mansão Kchessínskaia
15 Arsenal de Kronwerk
16 Fortaleza de Pedro e Paulo
17 Bolsa de Valores
18 Universidade de Petersburgo
19 Aurora
20 Regimento Finlandês
21 180º Regimento de Infantaria
22 Estaleiro Franco-Russo
23 Segundo Destacamento da Frota do Báltico
24 Regimento Keksgólmski
25 Central de Telégrafos
26 Agência de Telégrafos de Petrogrado
27 Correios
28 Ministério da Guerra
29 Almirantado
30 Praça do Palácio
31 Catedral de Santo Isaac
32 Sede do Estado-Maior Geral
33 Central Telefônica de Petrogrado
34 Palácio de Inverno
35 Redação e gráfica do *Pravda*
36 Regimento Pávlovski
37 Campo Memorial de Guerra
38 Catedral de Kazan
39 Duma Municipal
40 Banco do Estado
41 Palácio Mariínski
42 Editora Priboi
43 Regimento Litovski
44 14º Regimento Cossaco
45 Regimento Preobrajiénski
46 6º Batalhão de Engenharia
47 Regimento Volynski
48 Palácio de Táurida
49 Smolni
50 1º Regimento de Reserva da Infantaria
51 Praça Známenski
52 1º e 4º Regimentos Cossacos
53 Regimento Semenóvski
54 Estação Elétrica de Petrogrado
55 Regimento Eguiérski
56 Regimento Petrográdski
57 Regimento Izmáilovski da Guarda Imperial
58 Canal do Porto
59 Fábrica Putilov
A Estação do Báltico
B Estação Varsóvia
C Estação Nikolaiévski
D Estação Finlândia
DISTRITO DE VYBORG
DISTRITO DE MALÁIA ÓKHTA
Rua Chpaliérnaia
Rio Neva
Ponte da Bolsa de Valores
Ponte da Trindade
Ponte Litéini
Ponte do Palácio

RÚSSIA EUROPEIA, 1917
0 200 400 600 quilômetros
0 100 200 300 400 milhas
SUÉCIA
Golfo de Bótnia
FINLÂNDIA
Mar Branco
Arcangel
ARCANGEL
Duína do Norte
OLÓNIETS
Lago Onega
Lago Ladoga
Helsingfors
Golfo da Finlândia
Reval
ESTÔNIA
Petrogrado
PETROGRADO
VÓLOGDA
NÓVGOROD
LETÔNIA
Riga
CURLÂNDIA
IAROSLÁVL
KOSTROMÁ
VIÁTKA
Volga
PSKOV
TVER
CAUNAS
VÍTSIEBSK
Níjni Nóvgorod
NÍJNI NÓVGOROD
VLADÍMIR
Moscou
MOSCOU
KAZAN
SUWALKI
Vilna
VILNA
SMOLENSK
Smolensk
Minsk
MAHILOU
KALUGA
Tula
RIAZAN
SIMBIRSK
HRODNA
Brest-Litovski
MINSK
TULA
PENZA
Samara
Orel
OREL
TAMBOV
SARÁTOV
Sarátov
SAMARA
Kursk
TCHERNÍGOV
VOLYNSKI
KURSK
Kiev
VORÓNEJ
POLTAVA
Dnieper
Cracóvia
KIEV
URAL
PODÓLIA
CRACÓVIA
Don
Ekaterinoslav
BESSARÁBIA
DON
Tsarítsyn
KHERSON
EKATERINOSLAV
ROMÊNIA
ASTRACÃ
Odessa
Rostov
TÁURIDA
Astracã
Danúbio
Krasnodar
STÁVROPOL
Sebastopol
KUBAN
Mar Cáspio
BULGÁRIA
Mar Negro
TIÉREK
Constantinopla
TBILISI
Tbilisi
IMPÉRIO OTOMANO
Trebizonda

INTRODUÇÃO

Em plena Primeira Guerra Mundial, enquanto a Europa estremecia e sangrava, um editor estadunidense lançou o aclamado livro de Aleksandr Kornílov, *Modern Russian History* [História da Rússia Moderna]. Intelectual e político russo, o liberal Kornílov concluiu sua narrativa em 1890, mas para essa edição de 1917 em língua inglesa, o tradutor Aleksandr Kaun atualizou a história. O último parágrafo de Kaun se inicia com palavras ameaçadoras: "Não é preciso ser profeta para prever que a ordem presente das coisas deverá desaparecer".

Surpreendentemente, essa ordem desapareceu assim que apareceram tais palavras. No decorrer daquele ano violento e incomparável, a Rússia foi abalada e destruída não apenas por uma mas por duas insurreições, duas sublevações confusas e libertadoras, duas reconfigurações. A primeira, em fevereiro, depôs de forma vertiginosa meio milênio de governo autocrático. A segunda, em outubro, foi muito mais abrangente, polêmica, trágica e inspiradora.

De fevereiro a outubro, houve um processo de contínuo atropelo, de torção da história. Até hoje, o que aconteceu e o significado do que aconteceu são controversos. Fevereiro e, sobretudo, outubro são há muito tempo os prismas pelos quais a política da liberdade é analisada.

Já se tornou um ritual na escrita histórica rejeitar qualquer "objetividade" quimérica, uma insignificância a que nenhum autor pode ou deve querer se prender. Apresento aqui, devidamente, a seguinte ressalva: embora eu não seja, espero, dogmático ou acrítico, sou partidário. Na história que se segue, tenho meus vilões e meus heróis. Mas, apesar de não ter a intenção de ser neutro, eu me esforcei para ser justo, e espero que leitores de vários matizes políticos encontrem valor neste relato.

Há muitas obras sobre a Revolução Russa, e um grande número delas é excelente. Embora parta de uma pesquisa cuidadosa – todo acontecimento ou discurso descritos aqui se encontram nos registros históricos –, este livro não tenta ser exaustivo, acadêmico ou especializado. Ao contrário, trata-se de uma breve introdução para aqueles que têm curiosidade a respeito dessa história incrível, aqueles que estão ávidos por ser capturados pelos ritmos da revolução. Pois aqui tentei precisamente contá-la como uma *história*. O ano de 1917 foi uma epopeia, uma concatenação de aventuras, esperanças, traições, coincidências improváveis, guerra e intriga, de bravura, covardia, loucura, farsa, ousadia e tragédia, de ambições monumentais e mudanças, de luzes resplandecentes, aço, sombras, de trilhos e trens.

Há algo de embriagante na "russianidade" da Rússia. Muitas vezes, os debates sobre a história do país, em particular entre os não russos, mas também entre os próprios russos, se desviam para um essencialismo romantizado, para evocações de um espírito russo inefável, supostamente irredutível, em cujo cerne há algo como uma caixa-preta. Esse espírito é não apenas singularmente triste, mas também singularmente inescrutável, que escapa à explicação: *mnogostradálnaia*, a Rússia resignada, a "mãezinha Rússia". A Rússia onde, como escreve Virginia Woolf em *Orlando*, seu livro mais onírico, "os entardeceres são mais longos, as alvoradas menos repentinas e as frases ficam inacabadas diante da dúvida de como é melhor terminá-las".

Isso não pode continuar. O fato de que há peculiaridades russas nessa história nem sequer está em dúvida; mas que elas expliquem a revolução e, sobretudo, a justifiquem está. A história deve respeitar tais particularidades sem perder de vista o geral: as causas históricas mundiais e as ramificações da sublevação.

Em um poema conhecido por vários títulos, uma famosa homenagem ao primeiro aniversário do início da Revolução de 1917, o poeta Óssip Mandelstam fala da "tênue luz da liberdade". A palavra que ele usa, *súmerki*, normalmente anuncia o crepúsculo, mas também pode se referir à escuridão que antecede o amanhecer. O tradutor Boris Dralyuk se pergunta: ele honra "a luz da liberdade que desaparece pouco a pouco ou seus tênues raios iniciais?".

Talvez o brilho no horizonte não seja nem o de um entardecer mais longo nem o de um alvorecer menos repentino, mas sim o de uma ambiguidade constitutiva e duradoura. Todos conhecemos essa crepuscularidade, e voltaremos a conhecê-la. Essa luz estranha não ilumina apenas a Rússia.

Essa revolução foi da Rússia, mas pertenceu e pertence a outros. Poderia ser nossa. Se suas frases não foram concluídas, cabe a nós concluí-las.

Nota sobre as datas

Para o estudioso da Revolução Russa, o tempo está literalmente fora da ordem. Até 1918, a Rússia utilizou o calendário juliano, que tem treze dias de atraso em relação ao calendário gregoriano*. Como esta é a história de atores imersos em seu tempo, ela segue o calendário juliano, o mesmo usado na época. Em parte da literatura, o Palácio de Inverno foi atacado em 5 de novembro de 1917, mas os que o atacaram estavam em 26 de outubro, e o outubro dessas pessoas, mais do que um simples mês, soa como um clarim. Não importa o que diz o calendário gregoriano, este livro foi escrito à sombra de outubro.

* O calendário gregoriano, promulgado em 1582 pelo papa Gregório XIII, não foi adotado pela Igreja Ortodoxa Russa. Após a revolução, os antigos vínculos entre Igreja e Estado se desfizeram e a Rússia adotou oficialmente o calendário gregoriano. A Igreja Ortodoxa Russa mantém o uso do calendário juliano. (N. T.)

1

A PRÉ-HISTÓRIA DE 1917

De pé, em uma ilha castigada pelo vento, um homem olha para o céu. Ele é extremamente forte e alto; sob a ventania de maio, suas roupas elegantes o fustigam. Ele ignora as águas turbulentas do rio Neva que o circundam, o mato e as folhagens do extenso litoral pantanoso. Com a espingarda balançando na mão, olha fixamente, admirado. Sobre sua cabeça, plana uma grande águia.

Imóvel, Pedro, o Grande, o todo-poderoso monarca da Rússia, observa longamente a ave. Ela também o observa.

Por fim, o homem se vira bruscamente e finca a baioneta na terra encharcada. Com força, empurra a lâmina contra a lama e as raízes, cortando primeiro uma e depois duas longas faixas de turfa. Ele as arranca e puxa para o ponto exato sobre o qual paira a águia, sujando-se todo. Ali ele as estende no chão, formando uma cruz. "Que haja aqui uma cidade!", brada. E assim, em 1703, na Ilha Záiatchi, no golfo da Finlândia, nas terras disputadas com o Império Sueco na Grande Guerra do Norte, o tsar ordena a fundação da grande cidade que recebe o nome de seu santo padroeiro – São Petersburgo.

Nada disso aconteceu. Pedro não estava lá.

Essa história é um mito persistente daquilo que Dostoiévski chamou de "a cidade mais abstrata e premeditada de todo o mundo". Mas, embora Pedro não esteja presente no dia da fundação, São Petersburgo é construída de acordo com seu sonho, contra todas as probabilidades e toda a sensatez, na planície inundável do estuário báltico, infestada de mosquitos e castigada por ventos cruéis e invernos rigorosos.

Primeiro, o tsar comanda a construção da Fortaleza de Pedro e Paulo, um conjunto de prédios em forma de estrela que ocupa toda a pequena ilha, pronto para receber o contra-ataque sueco que nunca vem. Em seguida, ordena que em volta das muralhas seja construído um grande porto, de acordo com os moldes mais recentes. Essa será sua "janela para a Europa".

Pedro é um visionário, do tipo brutal. É um modernizador, desdenha o "atraso eslavo" da Igreja russa. A antiga cidade de Moscou é pitoresca, sem planejamento, um emaranhado de ruas quase bizantinas: Pedro ordena que a nova cidade seja concebida com um projeto racional, de linhas retas e curvas elegantes em escala monumental, com vistas amplas, canais entrecruzando avenidas, palácios grandiosos ao estilo palladiano, seu barroco sóbrio rompendo com as tradições e as cúpulas em formato de cebola. Nesse novo solo, Pedro pretende construir uma nova Rússia.

Contrata arquitetos estrangeiros, estipula que seja seguida a moda europeia, insiste em construções de pedra. Povoa a cidade por decreto, ordenando que mercadores e nobres se mudem para a metrópole embrionária. Nos primeiros anos, lobos perambulam à noite pelas ruas inacabadas.

É o trabalho forçado que constrói as ruas, drena os pântanos e ergue colunas no lamaçal. Dezenas de milhares de servos e detentos são forçados a trabalhar naquela vastidão de terras. Vão e cavam fundações no lodo, muitos morrem. Cem mil cadáveres repousam sob a cidade. São Petersburgo ficará conhecida como a "cidade erguida sobre ossos".

Em 1712, num movimento decisivo contra o passado moscovita que tanto despreza, o tsar Pedro faz de São Petersburgo a capital da Rússia. Nos dois séculos seguintes, será aqui que a política acontecerá mais rapidamente. Moscou, Riga, Ekaterimburgo e todas as outras incontáveis vilas, cidades e regiões espalhadas pelo império são vitais, suas histórias não podem ser negligenciadas, mas São Petersburgo será o cadinho das revoluções. A história de 1917 – nascida de uma longa pré-história – é acima de tudo a história de suas ruas.

★

A Rússia, uma confluência de tradições eslavas orientais e europeias, é gestada por um longo tempo entre escombros. De acordo com um importante protagonista de 1917, Leon Trótski, ela foi construída pelos "bárbaros ocidentais instalados nas ruínas da cultura romana". Por séculos, uma sucessão de reis – tsares – negocia e guerreia com os nômades das estepes orientais, com tártaros, com bizantinos. No século XVI, o tsar Ivan IV, a quem a história chama de "o Terrível", promove massacres a caminho dos territórios do leste e do norte até se tornar o "tsar de todas as Rússias", governante de um império colossal e multifacetado. Ele consolida o Estado moscovita sob uma autocracia feroz. No entanto, apesar de tamanha ferocidade, irrompem rebeliões, como sempre acontece. Algumas, como o levante dos camponeses cossacos, liderado por Pugatchov no século XVIII, são contestações vindas de baixo, insurreições sangrentas subjugadas com sangue.

Depois de Ivan sucedem-se vários outros, numa sequência dinástica, até que a nobreza e o clero ortodoxo elegem Miguel I tsar em 1613, dando início à dinastia Románov – que ficará no poder até 1917. No século XVII, a condição do camponês russo, o mujique, é firmemente enraizada num rígido sistema de servidão feudal. Os servos são vinculados a terras específicas, cujos proprietários exercem um poder que se estende a "seus" camponeses. Os servos podem ser transferidos para outras terras, mas seus bens pessoais – e sua família – ficam retidos pelo proprietário das terras de origem.

A instituição é fria e resistente. Na Rússia, a servidão perdura até a década de 1880, gerações depois de abolida na Europa. Não faltam histórias de abusos grotescos cometidos pelos proprietários de terras contra os camponeses. Os "modernizadores" enxergam a servidão como um escandaloso freio ao progresso; seus opositores "eslavófilos" afirmam que ela não passa de invenção do Ocidente. Quanto ao fato de que deva acabar, os dois grupos estão de acordo.

Por fim, em 1861, Alexandre II, o "tsar libertador", exime os servos de suas obrigações para com os proprietários de terras e de sua condição de propriedade. Apesar da longa agonia dos reformadores diante do cruel destino dos servos, não é a brandura de seu coração que conduz a essa mudança. São as inquietações diante da onda de motins e revoltas de camponeses e as exigências do desenvolvimento.

A agricultura e a indústria do país estão estagnadas. A Guerra da Crimeia (1853-1855), contra a Inglaterra e a França, deixou a velha ordem exposta: a Rússia foi humilhada. Parece óbvio que a modernização – a liberalização – é necessária. Nascem assim as "grandes reformas" de Alexandre, a reformulação do Exército, das escolas e do sistema judiciário, a atenuação da censura, a concessão de poderes às assembleias locais e, sobretudo, a abolição da servidão.

A emancipação é cuidadosamente controlada. Os servos se tornam camponeses, mas não recebem toda a terra que cultivaram, e pelas terras que recebem têm de pagar a dívida de "compensação". Os lotes são muito pequenos para garantir a subsistência – a fome é recorrente – e encolhem à medida que a população cresce. Os camponeses continuam legalmente obrigados, agora à comunidade da aldeia – a comuna, o *mir* –, mas a pobreza os leva ao trabalho sazonal na construção, na mineração, na indústria e no comércio legal e ilegal. Eles se misturam assim à pequena, mas crescente, classe trabalhadora do país.

Não são apenas os tsares que sonham com reinos. Como todas as pessoas exaustas, os camponeses russos imaginam lugares utópicos de repouso. Belovódie das Águas Brancas, o reino de Opona nos confins do mundo, a subterrânea Terra de Chud, as Ilhas Douradas, Dária, Ignat, Nutland, a cidade submersa de Kítej, eternamente sob as águas do lago Svetloiar. Por vezes, exploradores desorientados se dirigem fisicamente a um ou outro desses territórios mágicos, mas em geral os camponeses tentam alcançá-los de outra forma: no fim do século XIX ocorre uma onda de revoltas campesinas.

Influenciada por dissidentes, escritores como Aleksandr Herzen, Mikhail Bakúnin e o afiado Nikolai Tchernichévski, essa é a tradição dos *naródniki*, ativistas a favor do *narod*, o povo. Reunidos em grupos como o Zemliá i Vólia (Terra e Liberdade), os *naródniki* são integrantes de uma nova camada, os quase messiânicos e autodenominados provedores da cultura, do Esclarecimento – uma *intelligentsia* que engloba uma porção cada vez maior de plebeus.

"Na Rússia", diz Aleksandr Herzen no início da década de 1850, "o homem do futuro é o camponês." Como o desenvolvimento é lento e não há nenhum movimento liberal significativo à vista, os *naródniki* olham além das cidades, para a revolução rural. Na comuna camponesa russa, o *mir*, eles enxergam uma centelha, uma base para um socialismo agrário. Sonhando com lugares utópicos, milhares de jovens radicais "vão ao povo" para despertar a consciência de uma classe camponesa desconfiada.

Ironia amarga e constrangedora: eles são presos em massa, quase sempre a pedido desses mesmos camponeses.

Conclusão de Andrei Jeliábov, um dos ativistas: "A história é muito lenta". A fim de apressá-la, alguns *naródniki* recorrem a métodos mais violentos.

Em 1878, Vera Zassúlitch, estudante radical oriunda da baixa nobreza, saca um revólver e fere gravemente Fiódor Triépov, chefe de polícia de São

Petersburgo, um homem odiado por intelectuais e ativistas por mandar açoitar um preso indisciplinado. Em uma surpreendente reprovação ao regime, o júri absolve Zassúlitch. Ela foge para a Suíça.

No ano seguinte, após um racha no Zemliá i Vólia, surge um novo grupo, o Naródnaia Vólia (Vontade do Povo), mais militante. Suas células acreditam na necessidade da violência revolucionária e estão dispostas a agir de acordo com essa convicção. Em 1881, após várias tentativas frustradas, conquistam o prêmio que mais cobiçavam.

No primeiro domingo de março, o tsar Alexandre II vai à academia de equitação de São Petersburgo. Do meio da multidão, o jovem ativista Nikolai Riasov, do Naródnaia Vólia, atira uma bomba embrulhada em um lenço contra a carruagem à prova de balas. A explosão incendeia o ar. Em meio aos gritos dos espectadores feridos, o veículo para com um solavanco. Alexandre desce cambaleante em pleno caos. Quando ele oscila, um camarada de Riasov, Ignáti Grinievítski, dá um passo à frente. Ele joga uma segunda bomba. "É cedo demais para agradecer a Deus!", grita.

Outra explosão poderosa. "Entre neve, destroços e sangue", recorda um dos membros da comitiva do tsar, "viam-se fragmentos de roupas, dragonas, sabres e pedaços de carne humana ensanguentada." O "tsar libertador" é dilacerado.

Para os radicais, é uma vitória pírrica. O novo tsar, Alexandre III, mais conservador e não menos autoritário do que o pai, dá início a uma repressão violenta. Dizima o Vontade do Povo em uma onda de execuções. Reorganiza a polícia política, a cruel e famigerada Okhrana. Nesse clima de reação, ocorre uma série de massacres organizados – conhecidos como *pogroms* – contra os judeus, minoria cruelmente oprimida na Rússia. Eles enfrentam fortes restrições legais; só podem estabelecer residência na região conhecida como Zona de Assentamento Judeu: Ucrânia, Polônia, oeste da Rússia e outros países (embora pemissões indiquem a presença de judeus fora dessa região); e há muito tempo servem de bode expiatório em períodos de crise nacional (na verdade, em qualquer período). Nesse momento, muitos dos que anseiam culpar os judeus por alguma coisa os culpam pela morte do tsar.

Os *naródniki* sitiados planejam novos ataques. Em março de 1887, a polícia de São Petersburgo desbarata uma conspiração contra a vida do novo tsar. Cinco líderes estudantis são enforcados, entre os quais o filho de um inspetor escolar da região do Volga, um jovem brilhante e engajado chamado Aleksandr Uliánov.

Em 1901, sete anos depois da morte do bruto e cruel Alexandre III – de causas naturais – e da subida ao trono de seu filho submisso, Nicolau II, vários grupos de *naródniki* se unem sob um programa socialista agrário não marxista (embora alguns integrantes se considerem marxistas) centrado nas particularidades do desenvolvimento da Rússia e de seu campesinato. Autodenominados Partido Socialista Revolucionário, doravante conhecidos como SRs, continuam defendendo a resistência violenta. Por algum tempo, a ala militar dos SRs, sua "Organização de Combate", não recua diante de uma campanha que até mesmo seus defensores chamam de "terrorismo": o assassinato de personalidades do governo.

Dado tamanho engajamento, vem a ironia. Uma década depois, em um duro golpe para a organização, um dos líderes do partido, o extraordinário Evno Azef, que liderou a própria Organização de Combate por alguns anos, é desmascarado e apontado como leal agente da Okhrana. E, alguns anos depois, nos momentos cruciais do revolucionário 1917, dois outros integrantes do grupo, Catarina Brechko-Brechkóvskaia e Víktor Tchernov, principal teórico dos SRs, se tornarão proeminentes e zelosos partidários da ordem.

Nos últimos anos do século XIX, o Estado injeta recursos na indústria e na infraestrutura, inclusive num amplo programa de construção de ferrovias. Grandes equipes arrastam estradas de ferro pelo país, martelando dormentes e costurando os limites do império. É a ferrovia Transiberiana. "Desde a Muralha da China, o mundo não via um empreendimento de semelhante magnitude", suspira *sir* Henry Norman, um observador britânico. Para Nicolau, a construção dessa rota entre a Europa e a Ásia oriental é um "dever sagrado".

A população urbana dispara. O capital estrangeiro flui. Surgem grandes indústrias ao redor de São Petersburgo, de Moscou e da região de Donbas, na Ucrânia. À medida que milhares de trabalhadores se esforçam para ganhar a vida no ambiente sufocante das fábricas, em condições desesperadoras e submetidos ao paternalismo desdenhoso dos chefes, o movimento operário avança a passos incertos. Em 1882, o jovem Gueórgui Plekhánov, que mais tarde será o principal teórico socialista russo, une-se à lendária Vera Zassúlitch, a assassina fracassada de Triépov, para fundar o Osvobojdénie Truda (Emancipação do Trabalho), o primeiro grupo marxista russo.

Em seu rastro surgem mais círculos de leitura, células de agitadores, reuniões de pessoas de opiniões semelhantes, horrorizadas com um mundo em que o capital é implacável, explorador, e as necessidades se subordinam ao lucro. O futuro pelo qual os marxistas anseiam, o comunismo, é tão absurdo para seus detratores quanto qualquer Belovódie imaginada pelos camponeses. Isso é raramente dito, mas eles sabem que o comunismo aponta para além da propriedade privada e de sua violência, para além da exploração e da alienação, para um mundo em que a tecnologia reduz o trabalho, o melhor para a prosperidade humana. O "verdadeiro reino da liberdade", segundo Marx, é "o desenvolvimento das capacidades humanas, considerado como um fim em si mesmo". É isso o que eles querem.

Os marxistas são um bando de refugiados, depravados, acadêmicos e trabalhadores, unidos por relações familiares, intelectuais e de amizade, ação política e controvérsia. Eles se embolam em discussões acaloradas. Todo o mundo conhece todo o mundo.

Em 1895, forma-se em Moscou, Kiev, Ekaterinoslav, Ivánovo-Voznessiénsk e São Petersburgo uma Associação de Luta pela Libertação da Classe Trabalhadora. Na capital, os fundadores da associação são dois jovens ativistas fervorosos: Iúli Tserderbaum e seu amigo Vladímir Uliánov, irmão de Aleksandr Uliánov, o jovem *naródnik* executado oito anos antes. O uso de *noms de politique* é regra: Tserderbaum, o mais novo dos dois, uma figura magricela de barba rala que vê o mundo através de *pince-nez*, denomina-se Martov. Vladímir Uliánov, um jovem impressionante, de olhos estreitos e prematuramente calvo, é conhecido como Lênin.

Martov, judeu russo nascido em Constantinopla, tem 22 anos. Nas palavras de um colega de luta, é "antes de mais nada um boêmio encantador [...] com predileção por cafés, indiferente ao conforto, sempre envolvido em debates e um pouco excêntrico". Fraco e bronquítico, temperamental e falante – mas orador lastimável e não muito melhor como organizador –, Martov se veste nesses primeiros dias como um trabalhador e, em todos os aspectos, é um intelectual distraído. Mas é um intelectual famoso. E, embora não esteja acima das maquinações sectárias das incubadoras políticas, é reconhecido por sua integridade e sinceridade, mesmo entre os adversários. É amplamente respeitado. E até amado.

Quanto a Lênin, quem o conhece fica hipnotizado. E, aparentemente, na maioria das vezes se sente impelido a escrever sobre ele: há bibliotecas repletas desses livros. Lênin é o tipo de homem que é facilmente mitologizado, idolatrado, demonizado. Para os inimigos, é um homem frio, um assassino de massas; para seus adoradores, um gênio divino; para seus camaradas e amigos, uma pessoa tímida, de riso fácil, que gosta de crianças e gatos. Ocasionalmente, é capaz de palavras afiadas e metáforas pesadas, mas prima mais pela clareza do que pelo brilhantismo. Ainda assim, tanto na escrita como em discursos, sua intensidade e seu foco convencem, e até petrificam. Durante toda a sua vida, amigos e inimigos o condenam pela brutalidade de seus ataques verbais, pela dureza e crueldade. É consenso que ele é de uma determinação extraordinária. Incomum até mesmo entre aqueles que vivem e morrem pela política, o sangue e a medula de Lênin não são nada mais do que isso.

O que o diferencia em particular é sua percepção do momento político, das rupturas e dos avanços. Para seu camarada Lunatchárski, ele "eleva o oportunismo ao nível da genialidade, e com isso quero dizer o tipo de oportunismo que consegue se apropriar do momento certo e sempre sabe como explorá-lo a favor do objetivo invariável da revolução".

Não que Lênin não cometa erros, mas ele tem uma percepção aguda de onde e quando pressionar, de como fazer isso e com que intensidade.

Em 1898, um ano depois de Lênin ser banido para a Sibéria por suas atividades, os marxistas se organizam no Rossískaia Sotsial-Demokratítcheskaia Rabótchaia Pártiia, ou Partido Operário Social-Democrata Russo (POSDR). Por muitos anos, apesar desses períodos de exílio, Martov e Lênin continuam a ser colaboradores e amigos próximos. Com personalidades tão diferentes, são inevitáveis os momentos de exasperação, mas eles se completam e estimam um ao outro, como uma dupla de *Wunderkinder* marxistas.

Quaisquer que sejam suas discordâncias em relação a outros pontos, os filósofos do POSDR tomam de Marx uma visão de que a história avança necessariamente por estágios históricos. Essas concepções "estagistas" podem diferir totalmente em termos de detalhe, grau e rigor – o próprio Marx se opôs a extrapolar seu "esboço histórico" do capitalismo para a teoria de um caminho inevitável para todas as sociedades, pois isso "tanto me honra quanto me envergonha demais". Ainda assim, no fim do século XIX, é incontestável para grande parte dos marxistas que o socialismo – fase inicial de superação do capitalismo rumo ao comunismo – só pode emergir do capitalismo burguês, com uma política específica de liberdades e uma classe trabalhadora capaz de assumir o controle. Segue-se daí que a Rússia autocrática, com uma enorme massa rural e uma pequena classe trabalhadora (composta essencialmente de semicamponeses), com propriedades privadas e um tsar onipotente, ainda não está madura para o socialismo. Como diz Plekhánov, ainda não há fermento proletário suficiente na massa do campesinato russo para fazer um bolo socialista.

A servidão é uma memória viva. A poucos quilômetros de distância das cidades, os camponeses ainda vivem em uma miséria medieval. No inverno, dividem as casas com animais de criação e brigam por espaço ao redor do fogão a lenha. Fedem a suor, tabaco e fumaça de lamparina. As melhorias, sejam quais forem, demoram a chegar, muitos aldeões ainda andam descalços por ruas enlameadas, sem pavimentação, e as latrinas são buracos a céu aberto. As decisões sobre o uso das terras comuns são tomadas em um sistema pouco rigoroso de competição entre os que gritam mais alto nas caóticas assembleias de aldeia. Quem transgride os costumes é submetido à chamada "música desafinada"*, rituais cacofônicos de humilhação pública e, às vezes, de violência assassina.

Mas há coisa pior.

De acordo com a retórica enlevada de Marx e Engels no *Manifesto Comunista*, a burguesia "desempenhou na História um papel eminentemente revolucionário [...] destruiu as relações feudais, patriarcais e idílicas. Rasgou todos os complexos e variados laços que prendiam o homem feudal a seus 'superiores naturais'". Desse modo, pela concentração da classe trabalhadora no centro do poder produtivo, criou "seus próprios coveiros". Mas a burguesia na Rússia não é nem impiedosa nem revolucionária. Não destrói nada. Como diz o manifesto do POSDR: "Quanto mais se vai para o leste da Europa, mais desprezível, fraca

* No original, *rough music*. Música desafinada, charivari e assuada são alguns dos nomes dados a rituais semelhantes praticados em comunidades rurais tradicionais. Trata-se de uma espécie de serenata barulhenta e zombeteira, em que as comunidades demonstram sua desaprovação ao comportamento, principalmente sexual, de seus integrantes, com o intuito de reforçar suas normas. (N. T.)

e covarde parece ser a burguesia e mais gigantescas são as tarefas culturais e políticas a cargo do proletariado".

O autor dessas palavras, Piotr Struve, dará logo depois uma guinada à direita. Na Rússia, os marxistas "legais" encontram frequentemente em seu marxismo um caminho indireto para o liberalismo, desviando o foco das preocupações dos trabalhadores para a necessidade de "modernização" capitalista que a covarde burguesia russa não consegue levar adiante. Uma heresia contrária ou complementar da esquerda é o "economicismo", segundo o qual os trabalhadores devem se concentrar na atividade sindical, deixando a política para os combativos liberais. Apesar de ridicularizados pelos mais ortodoxos por subestimar a luta socialista, e de fato bastante ineficazes com suas soluções apáticas, os hereges "legais" e "economicistas" se concentram nas questões principais. Eles têm de enfrentar uma questão espinhosa da cartilha de esquerda: como um movimento pode ser socialista em um país imaturo, com um capitalismo débil e marginal, um campesinato amplo e "retrógrado", e uma monarquia que não teve a decência de se submeter à sua revolução burguesa?

O fim do século XIX assiste a uma enxurrada de maquinações imperiais, lealdades e deslealdades sob uma constante ânsia por expansão. Internamente, o impulso colonial significa defender a língua e a cultura das elites dominantes à custa das minorias. Os nacionalistas e a esquerda recrutam partidários em povos e nações subordinados: lituanos, poloneses, finlandeses, georgianos, armênios, judeus. O movimento socialista no império é sempre multiétnico, compreendendo desproporcionalmente grupos e nações minoritários.

Quem governa essa colcha de retalhos desde 1894 é Nicolau Románov. Na juventude, Nicolau II se submeteu estoicamente à intimidação de seu pai. Como tsar, distingue-se pela cortesia, pelo senso de dever e nada mais. "Seu rosto", relata um alto funcionário com certa hesitação, "é inexpressivo". A ausência o define: ausência de expressividade, imaginação, inteligência, inspiração, garra, determinação, *élan*. As descrições, algumas confusas, giram em torno do "alheamento" de um homem à deriva na história. É um nada bem-educado, preenchido com os preconceitos de certo meio social – inclusive a defesa dos *pogroms* antissemitas que têm como alvo principalmente os revolucionários *jidy*, os "*yids*"*. Avesso a qualquer tipo de mudança, dedica-se incondicionalmente à autocracia. Ao pronunciar a palavra "*intelligentsia*", faz a mesma expressão de desgosto de quando fala "sífilis".

Sua esposa, Aleksandra Fiodorovna, neta da rainha Vitória, é imensamente impopular. Em parte devido ao jingoísmo – afinal de contas, ela é alemã e a época é de tensão crescente –, mas também pelo desvario de suas intrigas e pelo seu patente desprezo pelas massas. O embaixador francês Maurice Paléologue a descreve concisamente: "Inquietação moral, tristeza constante, desejo vago, alternância entre excitação e exaustão, constantemente dedicada a pensar sobre o invisível e o sobrenatural, credulidade, superstição".

Os Románov têm quatro filhas e um filho, Aleksis, que é hemofílico. Formam uma família unida, amorosa e, graças à miopia obstinada do tsar e da tsarina, predestinada à ruína.

De 1890 a 1914, o movimento da classe trabalhadora cresce em tamanho e confiança. O Estado adota estratégias desastradas contra ele; nas cidades, tenta conter o descontentamento popular com "sindicatos policiais", associações de trabalhadores organizadas e vigiadas pelas próprias autoridades. Mas, para ter alguma aceitação, devem representar preocupações reais, e os organizadores devem ser o que o historiador marxista Mikhail Pokróvski chama de "imitações toscas dos agitadores revolucionários". As demandas feitas por eles são um mero eco dos apelos dos trabalhadores – mas as palavras ainda podem ser ouvidas nesses ecos, com consequências imprevistas.

Em 1902, a greve de um sindicato policial toma a cidade de Odessa. Protestos em massa semelhantes se espalham por todo o sul da Rússia no ano seguinte, nem todos sob a égide dos fantoches das autoridades. Uma greve no campo petrolífero de Baku se alastra por todo o Cáucaso. Fagulhas de revolta irrompem em Kiev, novamente em Odessa e em outros lugares. A essa altura, as demandas dos grevistas são tanto políticas quanto econômicas.

---

* As duas palavras são termos depreciativos para "judeus". *Yid* (abreviação de *yiddish*, iídiche) é um termo ofensivo utilizado em inglês desde o século XIX. *Jidy* é uma palavra ofensiva utilizada na época pelos russos. (N. T.)

Em 1903, durante esse período de lenta aceleração, 51 dos nomes mais importantes do marxismo russo transferem um encontro crucial que se realizaria em Bruxelas, num depósito de farinha infestado de insetos, para Londres. Ali, após três semanas de discussões em salas secretas e cafés, ou sob as vistas de troféus de um clube de pesca, o POSDR realiza seu II Congresso.

Na 22ª sessão do encontro, abre-se um abismo entre os delegados, uma cisão digna de nota não apenas pela profundidade mas também pela aparente banalidade de seu catalisador. A questão é se o membro do partido é aquele que "reconhece e apoia o programa do partido com recursos materiais e com sua afiliação pessoal regular *sob a direção* de uma das organizações do partido", ou "*participando pessoalmente* de uma das organizações do partido". Martov reivindica a primeira. Lênin aposta tudo na segunda.

As relações entre eles vêm esfriando há algum tempo. Agora, depois de um intenso e vigoroso debate, Martov vence por 28 votos a 23. Mas outras questões desencadeiam vários ataques de raiva e indignação, justamente no momento em que a liderança do partido ia ser escolhida. O grupo socialista judeu Bund e os marxistas economicistas se retiram em sinal de protesto, o que significa que Martov perde oito votos. Lênin consegue a aprovação de seus escolhidos para o Comitê Central. Minoria em russo é *menchinstvó*, maioria é *bolchinstvó*: dessas palavras sai o nome das duas grandes alas do marxismo russo: os mencheviques de Martov e os bolcheviques de Lênin.

No fundo, essa cisão não é consequência apenas da discussão sobre as condições de afiliação ao partido. Durante a conferência, Lênin já se refere a seus apoiadores como "duros" e a seus adversários como "moles", e essa distinção continuará a ser apresentada nesses termos: os bolcheviques são considerados esquerdistas duros, e os mencheviques mais moderados – embora não se negue a enorme variedade e a evolução das opiniões de cada lado. O que está por trás da disputa em torno da qualidade de membro do partido – de forma sinuosa, indireta e pouco clara, mesmo para Lênin – são fundamentalmente as abordagens divergentes da consciência política, da campanha, da composição da classe trabalhadora e da ação, em última análise da história e do próprio capitalismo russo. Isso aparecerá mais nitidamente quatorze anos depois, quando virão à tona questões relativas à centralidade da classe trabalhadora organizada.

Por ora, o contra-ataque de Martov é rápido: as decisões tomadas em Londres são anuladas, e Lênin renuncia ao conselho do jornal do partido, o *Iskra*, no fim de 1903. Em campo, no entanto, e à medida que são informados, muitos ativistas do POSDR consideram a cisão absurda. Alguns simplesmente a ignoram. "Não sei", escreve um trabalhador a Lênin, "essa questão é realmente tão importante?" Os anos passam, enquanto mencheviques e bolcheviques se aproximam e se afastam da unidade parcial. A maior parte dos membros do partido se considera simplesmente "social-democrata" até 1917. E, mesmo nesse momento, Lênin leva algum tempo para se convencer de que não há como voltar atrás.

A Rússia olha para o leste, avançando sobre a Ásia, tentando dominar o Turquestão e o Pamir, até a Coreia: dando continuidade à Transiberiana, com a colaboração da China, entra em colisão com um Japão igualmente expansionista. "Precisamos", diz o primeiro-ministro von Plehve, "de uma guerrinha vitoriosa para conter a maré da revolução." E que melhor contraste para uma epopeia jingoísta do que uma "raça menor" como a dos japoneses, a quem o tsar Nicolau chama de "macacos"?

Em 1904 começa a Guerra Russo-Japonesa.

Das profundezas de seu delírio, o regime prevê uma vitória fácil. Suas forças, no entanto, são lideradas sem nenhuma competência, equipadas e treinadas de forma inadequada. A derrota é catastrófica: Liaoyang em agosto de 1904, Port Arthur em janeiro de 1905, Mukden em fevereiro de 1905, Tsushima em maio de 1905. No outono de 1904, até mesmo a oposição liberal mais temerosa levanta a voz. Depois da derrota em Liaoyang, o jornal *Osvobojdénie*, que seis meses antes berrou "Viva o Exército!", denuncia o expansionismo por trás da guerra. Por meio de assembleias regionais de autogoverno, os *zemstvos*, os liberais organizam a "campanha do banquete", jantares opulentos que culminam com brindes contra a reforma. É o ativismo político por meio de jantares passivo-agressivos. Um ano depois, a oposição ao regime é tamanha que, mesmo contrariado, Nicolau se sente obrigado a fazer concessões. Mas a onda de revolta vai além dos liberais e se espalha pelo campesinato e pela descontente classe trabalhadora.

Em São Petersburgo, um sindicato "policial socialista", a Assembleia de Trabalhadores de Fábricas e Oficinas, é dirigido por um incomum ex-capelão de penitenciária chamado Guеórgui Gapon. Um homem de aparência cruel que, segundo Nadiéjda Krúpskaia, militante bolchevique com quem Lênin se casou, é "por natureza não um revolucionário, mas um padre astucioso [...]

pronto a aceitar qualquer acordo". O padre Gapon, no entanto, influenciado pela preocupação quase mística de Tolstói com os pobres, dirige obras sociais. Sua teologia – ao mesmo tempo devota, ética, quietista e reformista – é confusa, mas sincera.

No fim de 1904, quatro trabalhadores da colossal Putilov, indústria de metalurgia e maquinário que emprega mais de 12 mil pessoas, são demitidos. Em reuniões de solidariedade organizadas por seus colegas de trabalho, Gapon vê, estarrecido, folhetos com apelos à derrubada do tsar. Ele os rasga em pedaços: isso está muito além de sua missão. Mas à petição dos trabalhadores pela reincorporação dos colegas demitidos ele acrescenta demandas de aumento salarial, melhoria das condições sanitárias e jornada diária de oito horas. Radicais à sua esquerda acrescentam outras reivindicações, repercutindo interesses que vão muito além daqueles do grupo: liberdade de assembleia e de imprensa, separação entre Igreja e Estado, fim da Guerra Russo-Japonesa, uma Assembleia Constituinte.

Em 3 de janeiro de 1905, uma greve é declarada em toda a cidade. Em pouco tempo, de 100 mil a 150 mil pessoas estão nas ruas.

Domingo, 9 de janeiro: os manifestantes se reúnem na escuridão gelada de antes do amanhecer. Um grupo numeroso de trabalhadores do distrito de Vyborg segue para a suntuosa residência do monarca, o Palácio de Inverno, de cujas janelas se vê a confluência dos dois Nevas, a catedral da Fortaleza de Pedro e Paulo, as colunas rostrais na ponta da Ilha Vassiliévski, no coração da cidade.

Águas profundas, congeladas. Da margem ao norte, os manifestantes descem até o gelo do Neva. Dezenas de milhares de trabalhadores com suas famílias, tremendo de frio sob as roupas esfarrapadas, começam a se arrastar. Empunham ícones e cruzes. Entoam hinos. À frente, paramentado, o padre Gapon leva uma solicitação ao tsar. "Senhor", diz a súplica em uma refinada combinação de lisonja e radicalismo. E implora ao "paizinho" Nicolau que conceda "verdade e proteção" contra os "exploradores capitalistas".

Uma oposição assim poderia ser facilmente apaziguada. Mas as autoridades são tão cruéis quanto estúpidas. Milhares de soldados esperam em fila, no gelo.

A manhã já está na metade quando os manifestantes se aproximam. Os cossacos sacam os sabres e avançam a galope contra eles. A multidão se espalha na confusão. As forças do tsar a confrontam. As pessoas não se dispersam. Os soldados erguem as armas e começam o ataque. Os cossacos agitam os *nagaicas*, seus odiosos chicotes. O sangue derramado se mistura ao gelo. Desesperadas, as pessoas gritam, escorregam e caem.

Quando a carnificina chega ao fim, nada menos que 1.500 pessoas mortas jazem na neve. É o Domingo Sangrento.

O impacto é incalculável. E desencadeia uma mudança radical nas atitudes do povo. Naquela noite, Gapon, com sua visão de mundo destruída e "vermelho de raiva", como recorda Krúpskaia, é "tomado pelo espírito da revolução" e troveja diante da multidão de sobreviventes: "Nós não temos tsar!".

★

Aquele dia apressa a revolução. A notícia se espalha e se propaga pelas linhas férreas, percorrendo todo o território na companhia dos trens e levando consigo a fúria.

Greves assolam o império. Grupos de iniciantes nesse tipo de ação – balconistas, camareiras, taxistas – aderem ao movimento. Ocorrem novos confrontos e mais mortes – quinhentas em Lodz, noventa em Varsóvia. Em maio, um motim provocado por carne estragada agita o encouraçado *Kniáz Potemkin*. Mais revoltas acontecem em novembro em Kronstadt e Sebastopol.

O regime está desesperado. Experimenta combinar concessão e repressão. E a revolução provoca não apenas represálias oficiais sangrentas mas também o tradicional sadismo da ultradireita, semissancionado pelo Estado.

Apenas dois anos antes, a cidade de Chisinau, na Bessarábia, foi palco do primeiro *pogrom* do século XX. Durante 36 horas, sem intervenção policial e com a bênção dos bispos ortodoxos, bandos de saqueadores fizeram uma carnificina. Judeus, adultos e crianças, foram torturados, estuprados, mutilados e assassinados. A língua de um bebê foi arrancada. Os assassinos estriparam as suas vítimas e encheram o corpo delas de penas. Quarenta e uma pessoas morreram, quase quinhentas ficaram feridas e, segundo um jornalista, os gentios não demonstraram "nem pesar nem remorso".

Em meio ao sofrimento, muitos declararam que os judeus de Chisinau não haviam resistido o suficiente. Essa suposta "vergonha da passividade" levou a um profundo exame de consciência entre os judeus radicais. Assim, em abril de 1905, quando os judeus ucranianos de Jitomir tomam conhecimento de um ataque iminente, a resposta é desafiadora: "Vamos mostrar que Jitomir não é

Chisinau". E, de fato, quando lutam contra os assassinos, limitando os danos e as mortes, os defensores de Jitomir inspiram o Bund a declarar que "a época de Chisinau acabou para sempre!".

Quase imediatamente, eles têm a prova de que estão terrivelmente enganados. Tiveram papel de destaque no ataque de Jitomir os Centúrias Negras, nome genérico dado aos membros de várias células protofascistas ultrarreacionárias que emergiram da indignação autoritária contra a revolução de 1905. Eles têm propensão a misturar reivindicações populares, como a redistribuição de terras, ao fervor por um tsar autocrático – Nicolau II é um membro honorário – e ao rancor assassino contra os não russos, em particular contra os judeus. Eles têm gangues de lutadores de rua e muitos amigos em postos elevados, como os deputados parlamentares Aleksandr Dubróvin e Vladímir Purichkevitch. Dubróvin é líder da União do Povo Russo (UPR), um defensor da violência racista extrema e um médico que abandonou a medicina para combater o lento avanço do liberalismo. Purichkevitch é vice-presidente da UPR. Extravagante, destemido e excêntrico ao nível do desequilíbrio, foi descrito pelo escritor Sholem Aleichem como um "vilão execrável", "um pavão empertigado". É um fiel devoto da autocracia teocrática. Na verdade, alguns Centúrias Negras – como a facção conhecida como Joanita – misturam ódio racial com certa religiosidade extática (direcionando o entusiasmo da ortodoxia contra os "assassinos de Cristo"), delírios febris de judeus bebedores de sangue, ícones, escatologia e misticismo a serviço da perversão.

Em outubro, os Centúrias Negras cometem um assassinato em massa na grande Odessa, matando mais de quatrocentos judeus. Na cidade siberiana de Tomsk, bloqueiam todas as saídas de um prédio onde está sendo realizada uma reunião, ateiam fogo no local e jubilosamente queimam vivas suas vítimas. Jogam gasolina nas chamas. Um adolescente de nome Naum Gabo escapa a tempo de testemunhar a devastação. Anos depois, já idoso e, a essa altura, um escultor consagrado, ele escreve: "Não sei se posso traduzir em palavras o horror que me afligiu e tomou a minha alma".

Esse foi o carnaval dos Centúrias Negras, mas eles continuaram em atividade por muitos anos.

Embora a reação siga em marcha violenta, o tsar hesita, tateia o terreno em busca de um acordo. Em agosto de 1905, anuncia a criação de um Parlamento consultivo, a Duma. Mas seu complexo sistema de representação privilegia os ricos: as massas continuam insatisfeitas. O Tratado de Portsmouth põe fim à Guerra

Russo-Japonesa e, dadas as circunstâncias, é generoso com a Rússia. No entanto, a autoridade governamental foi subjugada dentro e fora do país, entre todas as classes.

Os gatilhos da insurgência são estranhos. Em Moscou, em outubro de 1905, uma questão de pontuação dá início ao último ato do ano revolucionário.

Os tipógrafos de Moscou são remunerados por letra. Nesse momento, os tipógrafos da editora Sytin reivindicam pagamento também por pontuação. Eclode uma obscura revolta ortográfica, que desperta uma onda de solidariedade. Padeiros e ferroviários aderem, assim como alguns bancários. Os bailarinos do Balé Imperial se recusam a se apresentar. Fábricas e lojas fecham, bondes não saem das garagens, advogados recusam casos e jurados se negam a ouvi-los. Os vagões e as locomotivas estão estacionados nas ferrovias, os nervos de aço do país estão paralisados. Um milhão de soldados ficam presos na Manchúria. Os grevistas reivindicam pensões, salário decente e eleições livres, anistia para os presos políticos e, mais uma vez, um órgão representativo: uma Assembleia Constituinte.

Em 13 de outubro, por instigação dos mencheviques, cerca de quarenta representantes de trabalhadores mencheviques, bolcheviques e SRs se reúnem no Instituto Tecnológico de São Petersburgo. Os trabalhadores votam neles, um para cada quinhentos trabalhadores. A assembleia formada por eles é batizada com a palavra russa para "conselho": *sóviet*.

Durante três meses, antes que as detenções em massa acabassem com ele, o Soviete de Petersburgo estende sua influência, atrai grupos com interesses mais amplos, começa a ganhar autoridade. É ele que define as datas das greves, controla os telégrafos, analisa as petições públicas, faz circular as convocações. É liderado por Liev Bronstein, renomado jovem revolucionário que entrou para a história como Leon Trótski.

É difícil amar Trótski, mas é impossível não admirá-lo. Ele é, a um só tempo, carismático e rude, brilhante e persuasivo, desagregador e difícil. Consegue ser cativante e frio, até mesmo cruel. Liev Davídovitch Bronstein era o quinto dos oito filhos de uma família judaica não praticante, modesta, mas que vivia sem dificuldades financeiras numa aldeia da atual Ucrânia. Revolucionário já aos dezessete anos, flertou brevemente com os *naródniki*, o que o levou ao marxismo e a sucessivas prisões. O nome Trótski foi emprestado de um carcereiro de Odessa, em 1902. Considerado no passado a "clava de Lênin", tomou partido dos mencheviques no controvertido congresso de 1903, apesar de logo depois romper com eles. Durante esses seus anos "não sectários", ele e Lênin travam polêmicas mal-humoradas sobre os temas mais variados.

Os marxistas, quase todos da opinião de que o país não está pronto para o socialismo, concordam que uma Revolução Russa só pode ser, ou deve ser, democrática e capitalista – mas, sobretudo, que pode ser o catalisador de uma revolução *socialista* em uma Europa mais desenvolvida. Em sua maioria, os mencheviques lutam por uma liderança mais ativa da burguesia, na medida em que isso beneficiaria a revolução liberal: até o fiasco de 1905, entretanto, eles se negam a participar de qualquer governo organizado às pressas por uma revolução. Os bolcheviques, em contrapartida, sustentam que, no contexto de um liberalismo pusilânime, é a própria classe trabalhadora que deve liderar a revolução, aliando-se não aos liberais mas ao campesinato para tomar o poder, naquilo que Lênin chamou de "ditadura democrática revolucionária do proletariado e do campesinato".

Trótski, por sua vez, já conhecido como um pensador excepcional e provocador, desenvolverá uma visão muito diferente, lançando-se de várias formas diferentes sobre tais questões, formulando teorias que definirão seu controvertido legado. No momento, ele está profundamente envolvido, como participante e como testemunha, nas atividades do soviete, esse tipo singular e duramente criticado de governança.

No campo, a revolução se manifesta primeiro – e sobretudo – em ações locais ilegais e *ad hoc*, como o desmatamento de terras estatais ou privadas e as greves de trabalhadores rurais. Mas, no fim de julho, revolucionários e representantes dos camponeses se reúnem em Moscou e se declaram a Assembleia Constitucional de Todos os Sindicatos Camponeses da Rússia. Exigem a abolição da propriedade privada e a reinstituição da "propriedade comum" das terras.

Em 17 de outubro, o tsar, ainda desnorteado com as sublevações, relutantemente proclama o "Manifesto de Outubro", indicando o conde Witte, um hábil conservador, para premiê. A fim de estimular o liberalismo russo, Nicolau concede os princípios dos poderes legislativos à Duma e o sufrágio limitado aos homens trabalhadores das áreas urbanas. O mês assiste ainda ao congresso de fundação do Partido Constitucional Democrata, conhecido como Kadet.

O Kadet é um partido liberal, defende os direitos civis, o sufrágio masculino universal, certo grau de autonomia para as minorias nacionais e reforma agrária e trabalhista moderada. Suas raízes incluem certos traços de liberalismo radical (ou quase), embora estes desapareçam rapidamente à medida que a revolução recua. No fim de 1906, o ambíguo republicanismo do partido havia se transformado em apoio à monarquia constitucional. Os 100 mil membros do Kadet são principalmente profissionais de classe média: o presidente do partido, Pável Miliúkov, é um eminente historiador. Outro partido novo, o Partido Outubrista, com cerca de um quinto do tamanho do Kadet, é formado em apoio ao Manifesto de Outubro do tsar, atrai liberais conservadores e é composto principalmente por proprietários de terras, comerciantes cautelosos e pessoas endinheiradas. Eles apoiam reformas moderadas, mas são contra o sufrágio universal por considerá-lo uma ameaça à monarquia e a eles mesmos.

A discordância ganha impulso: um segundo congresso campesino, mais radical, acontece no início de novembro. Nas províncias centrais de Tambov, Kursk e Vorónej, no Volga, em Samara, Simbirsk e Sarátov, perto de Kiev, e em Tchernígov e Podólia, massas camponesas atacam, saqueiam propriedades e muitas vezes incendeiam casas senhoriais. As ideias revolucionárias se propagam como eletricidade pelas estradas e ferrovias. São criados sovietes em Moscou, Sarátov, Samara, Kostromá, Odessa, Baku e Krasnoiársk. Em dezembro, o Soviete de Novorossísk depõe o governador e, por um curto período, governa a cidade.

Em 7 de dezembro, uma greve geral em Moscou se transforma em insurreição urbana, respaldada pelos SRs e pelos bolcheviques – neste último caso, trata-se de uma solidariedade angustiada, e não de uma grande fé na possibilidade de sucesso. Durante dias, o entorno da cidade fica nas mãos dos revolucionários. Moscou é destruída pela guerrilha.

A notícia de que os legalistas do Regimento Semiónov estão vindo de São Petersburgo dá alento aos voluntários contrarrevolucionários. Com artilharia, eles bombardeiam os tecelões insurgentes no distrito de Prisnia. Nesses momentos finais de agonia da insurreição, 250 radicais são mortos. A revolução morre com eles.

Janeiro de 1906, nas arrepiantes palavras de Victor Serge, é "um mês de pelotões de fuzilamento". Uma onda de *pogroms* orquestrados sacode o país. O Comitê Judaico dos Estados Unidos reúne evidências de um crescimento descomunal da violência racista, que tirou talvez 4 mil vidas.

A resistência persiste, inclusive com assassinatos. Em fevereiro de 1906, na estação ferroviária de Borisoglebsk, uma socialista-revolucionária chamada Maria Spiridónova, de 22 anos, mata a tiros o chefe de segurança da cidade, um homem conhecido pela repressão violenta aos camponeses. Ela é condenada à pena de morte, depois comutada por trabalhos forçados na Sibéria. Em cada parada da viagem até a colônia penal, Spiridónova aparece para saudar as massas de simpatizantes. Até mesmo a imprensa liberal, que nunca foi muito fã dos SRs, publica suas cartas. Spiridónova relata que foi torturada por seus captores. Os maus-tratos sofridos por ela se tornam uma causa célebre.

Mas as ações punitivas do Estado se espalham para fora das cidades, reafirmando sua autoridade, e a resiliência dos radicais esmorece. Quando a revolta finalmente é dominada, há 15 mil mortos – em sua maioria revolucionários – e 79 mil presos ou exilados. Piotr Stolypin, governador de Sarátov, torna-se infame por recorrer aos enforcamentos. O nó de forca passa a ser conhecido como "gravata de Stolypin".

Um dos lemas dos trabalhadores diz que "é melhor ser derrubado numa pilha de ossos do que viver como escravo".

Os escombros da derrota de 1905 e a repressão subsequente puseram termo a qualquer ingenuidade quanto à boa vontade do regime, a qualquer fé remanescente no tsar e, para os radicais, a qualquer esperança de colaboração com a "sociedade censitária", como são conhecidas as classes proprietárias e a *intelligentsia* liberal. Para a maior parte dessa camada, o Manifesto de Outubro é o suficiente para justificar a capitulação, e os trabalhadores compreendem que estão sozinhos.

Entre os mais "conscientes", o pequeno grupo de intelectuais da classe trabalhadora, autodidatas e ativistas, tal compreensão aviva um implacável orgulho de classe, um agudo sentido de cultura, disciplina, consciência e de total impossibilidade de reconciliação com a burguesia. A partir daí, emergem crescentes protestos não apenas por avanços econômicos mas também por dignidade. Uma canção indignada, muito popular entre os soldados, é bastante clara a respeito dessas prioridades:

> É claro que queremos chá,
> Mas tragam junto com o chá
> Um pouco de cortesia e respeito
> E, por favor, que os oficiais
> Não estapeiem nosso rosto*.

* No original: "*Sure we'd like some tea/ But give us with our tea/ Some polite respect/ And please have officers/ Not slap us in the face*". (N. T.)

Soldados e trabalhadores exigem ser tratados "respeitosamente", na segunda pessoa do plural (*vy*), e não na do singular (*ty*), que é empregado quando se está em posição de autoridade.

Nessa tensa e volúvel cultura política, o orgulho e a vergonha dos oprimidos são inseparáveis. Por um lado, um trabalhador da Putilov repreende furiosamente o filho porque "permitiu" ser espancado por militares depois de elogiar os bolcheviques. "Um trabalhador não deve aceitar uma bofetada de um burguês", ele grita. "Você? Bater em mim? – Pois tome essa." Por outro lado, a repulsa de um ativista, Chapovalov, diante do impulso de se esconder para evitar o olhar de seu chefe. "Era como se houvesse dois homens dentro de mim: um que, em nome de um futuro melhor para os trabalhadores, não tinha medo de ser mandado para a [prisão da] Fortaleza de Pedro e Paulo e o exílio na Sibéria; e outro que não conseguiu se libertar totalmente do sentimento de dependência e até mesmo de medo".

Em reação a esses "sentimentos servis", ele alimenta uma honra colérica. "Passei a odiar o capitalismo e meu chefe [...] de modo ainda mais intenso".

Em março de 1906, a prometida Duma se reúne. Agora, entretanto, o governo do tsar se sente forte o bastante para cortar as asas já fracas do Parlamento. Juntos, os kadets, os sociais-democratas (como são conhecidos os marxistas) e os *naródniki* socialistas revolucionários têm a maioria: como resultado, o programa de reforma agrária condena o regime, que, consequentemente, dissolve a Duma em 21 de julho de 1906.

Os ataques radicais contra os membros do governo continuam, mas agora a maré vem com uma contramaré. Os camponeses são julgados pela lei militar, que permite a pena de morte. O tsar substitui o hábil Witte pelo implacável Stolypin, aquele das "gravatas", que espalha mais ossos. Em junho de 1907, Stolypin dissolve peremptoriamente a Segunda Duma, prende os deputados social-democratas, restringe o direito de voto (favorecendo os donos de propriedades e a nobreza) e reduz o número de representantes não russos. É pelo sistema de representação remanescente que são eleitas a Terceira Duma em 1907 e a Quarta Duma em 1912.

A fim de modernizar a agricultura, o regime pretende acabar com o *mir*, a comuna, e criar uma camada de pequenos proprietários. Stolypin dá aos camponeses o direito de comprar pequenos pedaços de terra. O progresso é lento. Mesmo assim, em 1914 – três anos depois do assassinato do próprio Stolypin –, cerca de 40% das famílias de camponeses terão abandonado o *mir*. Apenas alguns poucos chegarão um dia a minifundiários. Os mais pobres ainda são obrigados a vender suas minúsculas propriedades, tornando-se trabalhadores rurais ou migrando para as cidades. Stolypin reprime brutalmente o movimento camponês, levando os SRs a, de certa forma, se concentrar no trabalho nas cidades.

Estas, no entanto, não são um campo fértil. Por volta de 1907-1908, surge uma nova configuração política. A incidência de greves diminui. Os revolucionários amargam um exílio miserável e fracassado. Em 1910, o número de membros do POSDR despenca de 100 mil para poucos milhares. Lênin – em Genebra e depois em Paris – se apega a um otimismo patético e interpreta qualquer coisa – uma depressão econômica aqui, um aumento no número de publicações radicais ali – como um "divisor de águas". Mas até mesmo ele desanima. "Nosso segundo período de êxodo", diz Krúpskaia, "foi ainda mais difícil do que o primeiro."

Os bolcheviques estão repletos de delatores. Seu número de integrantes despenca. Ficam desfalcados. Os refugiados insurgentes precisam encontrar qualquer tipo de trabalho para sobreviver. "Um camarada", dirá Krúpskaia, "tentou trabalhar como envernizador." A palavra "tentou" é comovente. Na diáspora da esquerda, o desespero, os transtornos mentais e o suicídio não são incomuns. Em Paris, em 1910, Prigara, um veterano das barricadas de Moscou, faminto e transtornado, visita Lênin e Krúpskaia. Seus olhos estão vidrados, sua voz é estridente. Ele "começa a falar de modo frenético e incoerente sobre carroças cheias de espigas de milho e belas garotas". É como se pudesse ver uma daquelas Arcádias dos camponeses, como se quase pudesse tocar Nutland, Dária, Opona.

Mas ele está mais próximo da submersa Kítej. Prigara escapa da proteção dos camaradas, amarra pedras aos pés e ao pescoço e caminha rumo às águas do Sena.

O século XX se inicia com uma força imensa, vagarosa e contraditória. O Império Russo se estende do Ártico ao Mar Negro, da Polônia ao Pacífico. Uma população de 126 milhões de eslavos, turcos, quirguizes, tártaros, turcomanos e inúmeros outros reúne-se em formas de governo extremamente diversas sob o tsar. Cidades ocupadas por indústrias modernas, trazidas da Europa, destacam-se numa vastidão em que quatro quintos da população são camponeses presos ao solo, numa abjeção quase feudal. Em obras de artistas visionários como Velimir Khlébnikov – que se denominava Rei do Tempo –, Natália Gontcharova,

Vladímir Maiakóvski e Olga Rózanova, uma estranha beleza modernista ilumina um território em que a grande maioria não sabe ler. Há judeus, muçulmanos, animistas, budistas e livres-pensadores em abundância, mas no coração do império a Igreja Ortodoxa espalha um moralismo lúgubre e rebuscado – contra o qual se inflamam seitas divergentes, minorias, radicais e dissidentes sexuais das áreas remotas das cidades.

Em seus livros *1905* e *Balanço e perspectivas*, escritos pouco depois da revolução fracassada, e ao longo de toda sua vida desde então, Trótski desenvolve uma concepção particular da história como "uma junção dos diferentes estágios da jornada, uma combinação de passos isolados, um amálgama de formas arcaicas com outras mais contemporâneas". O capitalismo é um sistema internacional e, nessa inter-relação de culturas e formas de governo, a história não limpa a sujeira que sobra atrás de si.

"Um país atrasado assimila a conquista material e intelectual dos países avançados", escreve Trótski. "Embora obrigado a seguir os países avançados, um país atrasado não realiza as coisas na mesma ordem." Ele é obrigado a

> adotar tudo [o] que estiver feito antes de qualquer data específica, saltando uma série de estágios intermediários [...] embora [...] não raro desvalorize as realizações emprestadas de fora no processo de adaptá-las à sua própria cultura, mais primitiva [...] Da lei universal do desenvolvimento desigual, portanto, deriva outra lei que [...] podemos chamar de lei do *desenvolvimento combinado*.

Essa teoria do "desenvolvimento desigual e combinado" sugere a possibilidade de um "salto", de uma transposição daqueles "estágios" – talvez a ordem autocrática possa ser rompida sem a mediação do governo burguês. Reconfigurando um termo usado por Marx e Engels, Trótski evoca a "revolução permanente". Ele não é o único esquerdista a usar o termo – e se baseia em um marxista não ortodoxo bielorrusso, Aleksandr Gelfand ("Párvus"), e em outros que desenvolvem conceitos similares –, mas será o mais célebre a fazer isso, desenvolvendo-o de modo particularmente importante.

Em um país "atrasado" como a Rússia, diz Trótski, a burguesia é fraca e não haverá revolução burguesa, o que deixa a tarefa para a classe trabalhadora. Mas como essa classe trabalhadora poderia protelar as próprias reivindicações? Seu triunfo será guiado por seus interesses, corroendo a propriedade capitalista e indo além dos lucros "burgueses". A essa altura, ele não é o único marxista a sustentar que, se a classe trabalhadora estiver no comando dessa revolução "permanente", ela sobreviverá ao capitalismo, mas, em vez de enxergar isso como um potencial ou provável desastre, como muitos, ele é o mais entusiasmado com essa possibilidade. Ainda assim, tanto para Trótski como para a maioria dos marxistas russos, a dimensão internacional é um elemento-chave. "Sem o apoio estatal direto do proletariado europeu", escreve imediatamente após 1905, "a classe trabalhadora russa não pode permanecer no poder e converter o domínio temporário em uma duradoura ditadura socialista".

Nesses desoladores dias pós-1905, alguns mencheviques consideram a possível necessidade de o partido integrar o governo, "contra a sua vontade" e sem otimismos quanto a suas perspectivas, caso não surja nenhum agente histórico adequado. Continuam a sustentar que a classe trabalhadora deveria se aliar à burguesia liberal, que ainda veem como crucial, e procurar os burgueses radicais, que, mesmo sendo "subjetivamente" antirrevolucionários, diz Martynov, contribuem com a revolução "objetivamente, sem desejar fazê-lo". Mais à esquerda, os bolcheviques defendem o contrário, uma "ditadura democrática de trabalhadores e camponeses". Os dois lados enxergam uma revolução democrático-burguesa "progressista" como desejável, uma aspiração dentro dos limites do possível e do sustentável. Para a maioria, a "revolução permanente" de Trótski é uma escandalosa excentricidade.

É maio de 1912 em Irkutsk, na Sibéria. Os trabalhadores de um imenso campo aurífero britânico, alojados em condições insalubres, análogas à dos servos, entram em greve. Eles querem o aumento dos salários, a demissão dos odiados supervisores e – mais uma vez, aquela que é uma conjunção de demandas econômicas e políticas – a jornada de oito horas de trabalho. Os soldados se posicionam. A companhia dá a ordem. Os soldados abrem fogo. O número de mortos, naquilo que ficou conhecido como o Massacre do Lena, é de 270 grevistas.

Em solidariedade, uma enorme e furiosa onda de greves sacode São Petersburgo. A ação sindical volta a se intensificar. Em 1914, uma greve geral na capital é suficientemente séria para suscitar preocupações com a mobilização para a guerra, que todos sabem que está chegando, semeada pelos conflitos predatórios das grandes potências.

Dentro do regime, alguns compreendem que é impossível sustentar um conflito ou sobreviver às suas inevitáveis consequências. Em fevereiro de 1914, em um memorando presciente, o estadista conservador Piotr Durnovó alerta o tsar de que, se a guerra fracassar, haverá revolução. Ele é ignorado. No interior das elites, as facções favoráveis e contrárias aos alemães rivalizam, mas os interesses da Rússia no leste, sua aliança e seus laços econômicos com a França necessariamente colocam o país contra a Alemanha. Imediatamente após o início das hostilidades europeias, em 15 de julho de 1914, com certa relutância – e após uma troca de telegramas urgentes e bem-educados entre "Nico" e "Gui", Nicolau II e Guilherme II da Alemanha, em que um desencoraja o ímpeto militar do outro – Nicolau declara a Rússia em guerra.

O que se segue, então, é uma usual onda de patriotismo e devoção que anima os crédulos, os desesperados e aqueles que estão politicamente falidos. "Todos", escreve a poeta Zinaída Guíppius, "perderam a cabeça." Manifestantes atacam lojas alemãs. Em São Petersburgo, uma multidão sobe no telhado da Embaixada da Alemanha e derruba suas duas enormes esculturas de cavalos. Elas aterrissam retorcidas e quebradas, com macabras lesões no bronze. Os russos amaldiçoados com nomes alemães correm para trocá-los. Em agosto de 1914, o próprio nome da cidade é trocado para a forma mais eslava, Petrogrado: em uma rebelião semiótica contra tamanha idiotice, os bolcheviques continuam a se denominar "Comitê de Petersburgo".

Em 26 de julho de 1914, a nordeste do centro da cidade, sob a cúpula do grande Palácio de Táurida, os deputados da Duma votam a favor dos créditos de guerra, o empréstimo ao Estado para financiar a carnificina. Os liberais se comprometem novamente com o regime esclerosado cuja modernização é sua *raison d'être* imaginária. "Não reivindicamos nada", diz Miliúkov, com um sorriso forçado, "e não impomos nenhuma condição."

Não é apenas a direita que se alinha à guerra. O populista camponês Trudovique, partido moderado de esquerda associado aos SRs, ordena por meio de seu porta-voz, um advogado extravagante chamado Aleksandr Keriénski, que os camponeses e os trabalhadores "defendam e libertem o nosso país". O próprio príncipe Kropótkin, célebre anarquista, apoia o combate. Os SRs estão rachados: embora muitos militantes se oponham à matança, entre os quais Tchernov, um grande número de líderes da *intelligentsia* do partido apoia o esforço de guerra – como a quase lendária *bábuchka*, e integrante decorativa do SR, a "avó da Revolução", Catarina Brechko-Brechkóvskaia. A esquerda marxista não fica atrás. Grotescamente, o respeitável Plekhánov diz a Angelica

Balabanoff, do Partido Socialista Italiano: "Eu me juntaria ao Exército, se não estivesse velho e doente. Enfiar a baioneta em seus camaradas alemães me daria imenso prazer".

Por toda a Europa, os partidos marxistas envolvidos na organização de grupos socialistas e operários conhecidos como Segunda Internacional Socialista rompem acordos anteriores e se unem aos esforços de guerra de seus governos. A atitude choca e devasta os poucos adeptos do internacionalismo. Ao saber do voto do poderoso Partido Social-Democrata Alemão a favor da guerra, Lênin se apega desesperadamente, pelo curto período em que isso é possível, à crença de que tais notícias são falsas. A grande revolucionária polono-alemã Rosa Luxemburgo pensa em suicídio.

Na Duma, apenas os bolcheviques e os mencheviques protestam contra a guerra. Por essa demonstração de princípios, muitos deputados são exilados na Sibéria. Quando Plekhánov visita Lausane para discutir a defesa militar da Rússia, um personagem pálido, furioso e familiar o confronta. Lênin não o chama de camarada, não aperta a sua mão. Amaldiçoa seu antigo colaborador com palavras frias e implacáveis.

A Rússia se mobiliza mais rápido do que esperam os alemães e invade a Prússia oriental em agosto de 1914, colaborando nas primeiras batalhas da França. Mas as Forças Armadas do país, apesar de relativamente modernizadas desde 1904, ainda estão em uma situação arriscada. E o alto-comando russo está totalmente despreparado para uma guerra moderna. Seu engajamento com métodos do século XIX em uma época de guerra com armas de fogo leva a uma carnificina aterradora. Quando os problemas com abastecimento, com uma liderança incompetente, com as punições físicas e com a natureza infernal do combate começam a cobrar seu preço, o esforço de guerra é minado por ondas de capitulações, insubordinações e deserções.

A ofensiva alemã ocorre na primavera de 1915. Sob bombardeio, a Rússia perde trechos significativos de território, quase 1 milhão de soldados são capturados e mais de 1,4 milhão deles são mortos. A escalada do cataclismo é vertiginosa. Ao todo, a guerra custará à Rússia entre 2 e 3 milhões de vidas – talvez mais.

Em setembro, a pequena aldeia suíça de Zimmerwald sedia uma conferência de socialistas europeus antibelicistas. O patético número de 38 delegados, incluindo bolcheviques, mencheviques internacionalistas e SRs.

Enquanto estão reunidos, os mencheviques de direita e os SRs em Paris colaboram com a primeira edição do jornal *Prizyv*, a favor da guerra. "Uma revolução está em processo de fermentação na Rússia", escreve nas páginas do jornal o SR de extrema direita Iliá Fondamínski, mas "ela será nacional e não internacional, democrática e favorável à guerra, não pacifista." Intelectuais SR de direita se afastam da visão *naródnik* de revolução para um socialismo agrário, entre o liberalismo e o coletivismo, e adotam uma versão jingoísta da revolução burguesa antecipada por seus colaboradores da direita menchevique.

Em Zimmerwald, unidos na oposição ao "patriotismo social" de seus companheiros de outrora (e, em alguns casos, do presente), os delegados se dividem quanto à severidade de seu rompimento com eles. Oito delegados, entre os quais Lênin e seu colaborador e ajudante de campo, o enérgico e colérico Grigóri Zinóviev, querem deixar a corrompida Segunda Internacional. A maioria, inclusive os mencheviques, não concorda.

A maior parte dos delegados se opõe aos apelos de Lênin por uma mobilização revolucionária do proletariado contra a guerra, acreditando tratar-se de uma tentativa de rachar a Internacional – o que já aconteceu. Além do mais, alguns dos presentes consideram que, dado o patriotismo popular, o apelo de Lênin põe em perigo qualquer um que o atender. Mas os delegados chegam a um acordo e produzem uma declaração de vagos sentimentos antibelicistas. Em nome da unidade, Lênin e seus apoiadores a assinam, mas sem entusiasmo ou satisfação.

Em um livro curto de 1916, *Imperialismo: fase superior do capitalismo*, Lênin descreve esta como a época do capitalismo monopolista misturado ao Estado, de parasitismo do capital nas colônias. Enxergando a guerra como sistêmica, opõe-se a qualquer concessão à moderação antibelicista. Lênin é contra o pacifismo moralista, e mais ainda contra o "defensismo", segundo o qual, apesar da oposição ao expansionismo, a "defesa" do Estado natal é legítima. Ele defende, ao contrário, o "derrotismo revolucionário" – a defesa socialista da derrota de seu próprio "lado" em uma guerra imperialista.

Por essa fórmula, até mesmo o radical Trótski é alienado. Ele diz que não pode "concordar com a opinião [...] de que a derrota da Rússia seria um 'mal menor'". Considera isso uma "conivência" com o patriotismo em apoio ao "inimigo".

Um dos motivos pelos quais o apelo de Lênin causa tanta consternação é que ele raramente é claro quanto a tratar-se de uma derrota do Estado nas mãos de *outro poder* ou de *todos* os poderes imperialistas nas mãos dos trabalhadores. Embora a segunda possibilidade – a insurreição internacional – seja claramente a sua preferida, bem como o *télos* de seu argumento, ele às vezes parece insinuar que a primeira seria suficiente. Há um elemento performático nessa ambiguidade. Ao insistir nesse "derrotismo", sua intenção é reforçar a crescente percepção de que os bolcheviques, mais do que qualquer outra corrente, se opõem à guerra de forma absoluta e sem trégua.

A mobilização de guerra retira os trabalhadores da terra e da indústria. Munição, equipamentos e alimentos começam a escassear. A inflação sobe, causando um impacto brutal sobre os trabalhadores e as classes médias urbanas. O ânimo da população começa a mudar. No verão de 1915, greves e motins por comida sacodem Kostromá, Ivánovo-Voznessiénsk e Moscou. A oposição liberal organiza um *soi-disant* "Bloco Progressista", reivindicando direitos para as minorias, anistia para os presos políticos, garantias sindicais e assim por diante. O bloco está furioso com a incompetência vinda de cima e é absolutamente contrário ao poder vindo de baixo.

A maré grevista baixa, sobe e avança, e com ela vêm os extremos do desespero social. Em meio ao caos da fuga dos refugiados, das cidades invadidas e dos soldados capturados ou mortos, milhares de *besprizórniki* – crianças abandonadas, perdidas ou órfãs – rumam para as grandes cidades e se agrupam em famílias temporárias, sobrevivendo nas ruas graças ao roubo, à mendicância, à prostituição ou ao que for possível. O número de crianças nas ruas explode nos anos seguintes. Emerge um mundo subterrâneo de especulações, desespero, decadência, embriaguez, "cocainomania" boêmia. Sintomas febris do colapso. Moscou se rende à nova mania, o tango, que passa por sombrias mutações: mímicas de assassinato, referências despudoradas à carnificina. Uma dupla de dançarinos profissionais fica famosa por seu "Tango da morte", representado em trajes tradicionais de noite, o rosto e a cabeça do homem pintados como uma caveira.

Uma década antes da guerra, quando o tsar e a tsarina buscavam ajuda para seu filho gravemente doente, eles conheceram um siberiano maltrapilho, desgrenhado, mal-educado e egocêntrico, um homem que se denominava santo e que, por uma combinação qualquer de encanto, conhecimento popular e sorte, parecia capaz de aliviar o sofrimento do jovem Aleksis. Assim, Raspútin, o chamado monge louco que não é nem monge nem louco, conseguiu se instalar no coração da corte – onde permanece.

É um homem de carisma rude, mas substancial. Possivelmente faz parte da Khlysty [Flagelantes], uma das muitas seitas ilegais da Rússia, e com certeza emana uma intensidade profética remanescente de suas práticas. Personifica tanto a voz da antiga Rússia, simples e monarquista, quanto o vidente, o profeta, o curandeiro. Nicolau o tolera; Aleksandra o adora.

Circulam rumores sobre os excessos de Raspútin. Ele é ébrio e fanfarrão, não há dúvida, e, sejam ou não verdadeiras as muitas histórias que circulam sobre suas conquistas sexuais, goza de uma liberdade espantosa entre a nobreza, tratando seus ricos patronos, em especial as mulheres, com erótica descortesia. Ele aprecia o poder e, durante a guerra, seu poder aumenta. Com o apoio de Aleksandra, influencia o patrocínio governamental segundo os seus caprichos.

Nos círculos da corte, mesmo aqueles anteriormente tolerantes, cresce o ressentimento contra esse mujique arrivista. Os mascates vendem caricaturas pornográficas de falsos *stáriets* (homens santos) extravagantemente barbados em situações indecentes com a tsarina. O tsar não tolera críticas ao "nosso amigo", como a tsarina se refere a Raspútin. Ela transmite seus conselhos ao marido e o encoraja a tomar decisões militares baseadas nas "visões" de Raspútin. Antes de reuniões com ministros, ela faz o tsar se pentear com a escova de Raspútin, para que este o guie com sua sabedoria. O tsar obedece. Ela lhe manda migalhas do pão de Raspútin. Ele as come.

Nicolau já exige demais da paciência dos modernizadores ao virar as costas para o tímido programa de reformas dos liberais. Em agosto de 1915, ele insiste em assumir o controle total do Exército. Embora as verdadeiras decisões sejam tomadas pelo competente general Mikhail Alekséiev, qualquer ausência do tsar deixa um poder considerável nas mãos da odiada tsarina – o que também significa nas mãos de Raspútin.

Com a cumplicidade de Nicolau, Aleksandra começa o que o deputado ultradireitista Vladímir Purichkevitch chama de "pula-carniça ministerial". O método dos Románov é indicar para os altos postos do Estado um aventureiro depois de um incompetente depois de uma nulidade. Os liberais e a direita mais engenhosa ficam cada vez mais enfurecidos.

Entre a alta sociedade, à medida que o ódio a Raspútin cresce, o respeito por Nicolau declina.

É nesse contexto que, no Palácio de Táurida, Miliúkov faz uma histórica intervenção na Duma. Quebrando todas as regras de etiqueta e discrição, em uma litania dos fiascos governamentais, ele difama nominalmente a tsarina e Boris Stürmer, o último primeiro-ministro indicado por ela. Miliúkov pontua seu discurso com a repetição de uma pergunta: "Isso é estupidez ou traição?".

Suas palavras reverberam em toda a Rússia. Ele não disse nada que já não se soubesse, mas foi *ele* quem disse.

Não é mais novidade para ninguém que "a presente ordem das coisas deverá desaparecer". Em janeiro de 1917, o general Aleksandr Krymov, de licença do *front*, reúne-se com deputados da Duma na casa do excêntrico político conservador Mikhail Rodzianko – outubrista e monarquista convicto, mas implacável inimigo de Raspútin – para discutir o descontentamento de todos. O Exército, diz ele, aceitaria e até mesmo acolheria favoravelmente uma mudança no regime, a substituição do tsar.

Nicolau recebe notícias e mais notícias, todas desesperadoras, de que deve mudar os rumos se quer sobreviver. O embaixador britânico rompe o protocolo a fim de alertá-lo de que ele está à beira "da revolução e do desastre".

Por trás dos plácidos olhos do tsar, nada parece se abalar.

Em dezembro de 1916, um mês antes da alvorada do ano revolucionário, várias conspirações da indignada aristocria em prol da renovação nacional estão em curso: no dia 16, uma delas se concretiza. Com aliados das mais altas fileiras da corte, entre os quais o temível racista Purichkevitch, o príncipe Félix Iussúpov convence Raspútin a visitá-lo em seu palácio às margens do rio, com o pretexto de apresentá-lo a sua esposa. Enquanto o "Yankee Doodle"* é repetidamente tocado no gramofone, Raspútin, vestido com suas roupas mais elegantes, relaxa a meia-luz em um salão abobadado, comendo os chocolates recheados com cianeto e bebendo o vinho Madeira envenenado oferecidos por seu anfitrião.

As substâncias tóxicas não têm efeito perceptível. Os conspiradores deliberam em sussurros frenéticos. Iussúpov está em pânico. Ele volta a se juntar ao seu

---

* Canção estadunidense de significado patriótico que tem diversas versões. Suas origens estão ligadas à Guerra dos Sete Anos e à Guerra da Independência dos Estados Unidos. (N. T.)

convidado e, como se buscasse a circunstância mais absurda possível para o assassinato, convida Raspútin a examinar um antigo crucifixo italiano, de cristal e prata, que está apoiado sobre uma cômoda. Quando Raspútin se curva, em reverência, para olhá-lo, fazendo o sinal da cruz, Iussúpov saca uma pistola e atira.

A lendária cena de morte se desenrola. Raspútin se levanta e agarra o aterrorizado assassino. Iussúpov se afasta, gritando por seu cúmplice, Purichkevitch. Quando os dois homens voltam ao salão, Raspútin desapareceu. Atordoados com a agitação, eles correm para fora e veem Raspútin cambaleando na grossa camada de neve, sob a noite de Petersburgo, resmungando o nome de Iussúpov.

"Contarei à imperatriz!", arqueja Raspútin, vacilando em direção à rua. Purichkevitch pega a arma de Iussúpov e atira várias vezes. A imponente figura oscila e cai. Purichkevitch corre até o homem que se contorce na neve e chuta sua cabeça. Iussúpov se junta a ele, batendo furiosamente no corpo com um cassetete. A neve abafa os golpes. Iussúpov grita o próprio nome, fazendo eco à fúria da vítima agonizante.

Com o coração martelando, eles prendem o corpo de Raspútin com correntes e, na escuridão, o levam ao canal Maláia Moika. Eles patinham até a borda com o fardo e deixam que a água escura o leve.

Mas eles perdem uma das botas de Raspútin na ponte, onde a polícia a encontra. Três dias depois, quando os policiais retiram o corpo retorcido de Raspútin da água, logo se espalha a notícia de que a parte inferior do gelo recém-formado estava arranhada onde, com a força frenética de um santo, Raspútin lutou para voltar à tona.

As pessoas se aglomeram no local onde o monge louco morreu. Engarrafam a água do rio, como se fosse um elixir.

A tsarina sofre piedosamente. A direita se entusiasma, na esperança de que agora a tsarina se recolha a um sanatório e de que Nicolau ganhe magicamente a determinação que nunca teve. Mas Raspútin, por mais excêntrico que fosse, era apenas um mórbido sintoma. Seu assassinato não é um golpe palaciano. Não é nem sequer um golpe.

O que porá fim ao regime russo não será a morte horripilante daquela figura de pantomima, bizarra demais para ter sido inventada, nem a irritabilidade monumental dos liberais russos, nem mesmo a indignação dos monarquistas com um monarca inadequado.

O que porá fim ao regime vem de baixo.

2

FEVEREIRO: LÁGRIMAS DE ALEGRIA

Primeiras horas do terceiro ano de guerra, escuridão total: o inverno é violentamente gelado. Em Petrogrado, assim como em várias outras cidades russas, as pessoas se reuniram nas ruas antes do amanhecer, tentando se manter aquecidas, desesperadas por pão e sem nenhuma certeza de que o receberiam. Há racionamento, mas a falta de combustível significava que os padeiros não conseguiam atender a demanda, mesmo que tivessem os ingredientes. Pessoas famintas esperavam por horas, formando filas que se transformavam em assembleias lentas, confusas, resmungonas, cadinhos de discórdia. A espera muitas vezes era em vão: grupos furiosos e famintos vagavam pelas ruas, arremessando pedras contra vitrines, batendo de porta em porta em busca de comida.

As pessoas discutiam política em iídiche, polonês, letão, finlandês, alemão (ainda) e em muitas outras línguas, além do russo: Petrogrado era uma cidade cosmopolita. Em volta da riqueza do centro, havia uma cidade de trabalhadores, inchada pela guerra, com quase 400 mil pessoas, das quais uma proporção fora do comum era de gente relativamente instruída. E era uma cidade de soldados: 160 mil estavam baseados ali, na reserva; o moral era sofrível e só piorava. Em janeiro, o governo do tsar ordenou ao general Serguei Khabálov, comandante do distrito militar, que reprimisse qualquer desordem em Petrogrado. Ele havia destacado 12 mil soldados, policiais e cossacos, para essa finalidade. Tinha metralhadoras em locais estratégicos para o caso de haver motins. Os agentes da Okhrana intensificaram a espionagem, inclusive sobre a esquerda, desmoralizada com tantos líderes exilados.

Apesar da repressão, em 9 de janeiro, no 12º aniversário do Domingo Sangrento, 150 mil trabalhadores de Petrogrado saíram às ruas e marcharam naquilo que, para muitos, foi a primeira greve desde a revolta que estava sendo comemorada. Em um presságio ao qual não se deu a devida atenção, a polícia descreveu que os soldados em guarda saudaram as bandeiras vermelhas dos trabalhadores. Depois daquele dia, a classe trabalhadora de Petrogrado fez greves e mais greves.

Todo momento de confronto político produz mitos e seu *kitsch*. Mas não é sentimentalismo insistir que a cultura dos trabalhadores, que cresceu desde 1905, estava se fortalecendo. Desigualmente, aquelas greves foram regidas pela fúria econômica, pela oposição à guerra e também por uma minoria ativista, em prol da honra de classe.

Embora a maioria das greves tenha sido declarada ali, elas não se restringiam à capital. Mais de 30 mil trabalhadores cruzaram os braços em Moscou, uma cidade menos radical do que Petrogrado, mais dominada pelas classes médias liberais e com uma classe trabalhadora mais dispersa. As greves continuaram, esporadicamente, até fevereiro, pondo os ativistas em constante risco de prisão. Em Petrogrado, em 26 de janeiro, onze representantes operários do Comitê Central dos Assuntos de Guerra – criado pelos industriais em resposta à total falta de coordenação do governo – foram detidos por "atividade revolucionária".

Krúpskaia e Lênin mofavam em seu exílio suíço. Em um discurso aos jovens na Casa do Povo, em Zurique, Lênin teimava em dizer que a revolução na Rússia poderia ser o estopim, "o prólogo da futura revolução europeia", e que, apesar da "atual imobilidade sepulcral", o continente estava "gestando a revolução". "Nós, da geração mais velha", acrescentou em tom melancólico, "poderemos não estar vivos para testemunhar as batalhas decisivas dessa futura revolução" europeia, socialista.

Em 14 de fevereiro, mais de 100 mil trabalhadores de 60 fábricas ainda estavam em greve em Petrogrado. No Palácio de Táurida, sob o esplendor típico do século XVII, a Quarta Duma "consultiva" se iniciou e imediatamente atacou o governo do tsar devido à escassez de alimentos. Centenas de estudantes, movidos por ideias radicais, desacataram a polícia marchando pela Avenida Niévski, a grandiosa e moderna avenida comercial no coração da cidade. Os jovens manifestantes gritavam canções revolucionárias em meio ao ar gelado.

Quatro dias depois, os trabalhadores da metalúrgica Putilov iniciaram uma greve sentada, reivindicando aumento de 50% em seus salários miseráveis. Depois de três dias, foram demitidos. Mas a punição não deteve seus companheiros: ao contrário, os protestos se espalharam pela imensa planta.

No dia 22, o tsar deixou a capital rumo a Mahilou, uma cidadezinha sem graça, 320 quilômetros ao leste, que sediava o Stavka, o quartel-general das Forças Armadas. Naquele dia, os dirigentes da Putilov decidiram demonstrar sua força e declararam greve patronal. Fecharam as portas da fábrica e colocaram 30 mil trabalhadores nas ruas – o que veio a ser a antecipação de uma recente inovação da esquerda: o Dia Internacional da Mulher.

Por todo o império, comemorações e eventos marcaram o 23 de fevereiro com reivindicações de direitos para as mulheres e de reconhecimento de suas contribuições. Nas fábricas de Petrogrado, radicais fizeram discursos sobre a condição das mulheres, a iniquidade da guerra e o insuportável custo de vida. Mas nem mesmo eles esperavam o que aconteceu a seguir.

Ao fim dessas reuniões, as mulheres saíram em massa pelas ruas, bradando por pão. Elas marcharam pelos distritos mais combativos da cidade – Vyborg, Litéini, Rojdiéstvenski – gritando para as pessoas aglomeradas nas esquinas, ocupando as largas avenidas em número cada vez maior, correndo para as fábricas e chamando os homens para se juntarem a elas. Um espião da Okhrana relatou:

> Por volta da uma hora da tarde, homens da classe trabalhadora do distrito de Vyborg, marchando em massa pelas ruas e gritando "Queremos pão!", começaram [...] a criar desordem [...] atraindo camaradas que estavam no trabalho e interceptando os bondes [...]. Os grevistas, que foram resolutamente perseguidos pela polícia e pelos soldados [...] se dispersavam em um ponto, mas rapidamente se juntavam em outros.

Em resumo, resmungou a polícia, eles eram "extraordinariamente obstinados".

"Quanto tempo vamos continuar aguentando isso, vez ou outra descarregando a nossa raiva nos pequenos proprietários de lojas?", perguntava um panfleto publicado por um minúsculo grupo revolucionário, o Mejraióntsy (Comitê Interdistrital). "Afinal de contas, não são eles os culpados pelo sofrimento do povo, eles mesmos estão sendo conduzidos à ruína. A culpa é do governo!"

De repente, sem nenhum planejamento, quase 90 mil mulheres e homens saíram gritando pelas ruas de Petrogrado. E não gritavam apenas por pão, mas pelo fim da guerra. Pelo fim da vilipendiada monarquia.

A noite não trouxe a calma. No dia seguinte, houve uma onda de dissidência. Quase metade da força de trabalho da cidade saiu às ruas. Marchavam sob bandeiras vermelhas e cantavam a nova palavra de ordem: "Para a Niévski!".

A geografia da capital de Pedro foi meticulosamente planejada. A parte sul da Ilha Vassiliévski e a margem esquerda do Neva até seu braço, o Fontanka, eram suntuosas; ali ficavam o teatro Mariínski, as espetaculares catedrais de Kazan e Isaac, os palácios da nobreza e os enormes blocos de apartamentos dos profissionais liberais, além da própria Avenida Niévski. No entorno ficavam os distritos mais recentes, erguidos pela migração: as partes mais distantes da Ilha Vassiliévski, Vyborg e Ókhta, na margem direita do Neva; e à sua esquerda, os bairros Aleksandr Niévski, Moscou e Narva. Ali, os trabalhadores – muitos vindos da terra preta do interior – moravam em seus próprios blocos, em casinhas instáveis de alvenaria, ou em esquálidos barracos de madeira entre fábricas barulhentas.

Essa segregação significava que, para fazer com que seus protestos fossem ouvidos, a população urbana pobre tinha de invadir o centro da cidade. Eles já haviam feito isso em 1905. Agora tentavam de novo.

A polícia de Petrogrado bloqueou as pontes. Mas os deuses do clima mostraram sua solidariedade enviando um inverno cruel. As ruas estavam forradas por uma grossa camada de neve e mesmo o grande Neva estava congelado. Os manifestantes desceram aos milhares pelas margens, alcançando o gelo. Eles caminharam sobre a água.

Em um telegrama enviado a seu país, o embaixador britânico George Buchanan despreocupadamente subestimou a confusão, considerando que não era "nada sério". Quase ninguém tinha ainda a percepção do que estava se iniciando.

Subindo pelas margens do rio até o lado mais elegante da cidade, os manifestantes prosseguiram pelas ruas palacianas até a região central. A polícia observava apreensiva. Os ânimos ficaram tensos.

A zombaria, hesitante no início, restrita a poucos, cresceu em número e confiança; algumas pessoas começaram a arremessar paus, pedras e lâminas de gelo contra os detestáveis policiais, que na gíria local eram chamados de "faraós".

Em compensação, os manifestantes eram conciliadores com os soldados rasos. Aglomeraram-se em massa em torno das barracas e hospitais militares e ali começaram a conversar com os soldados, que estavam curiosos e foram amigáveis.

A maioria dos soldados de Petrogrado eram recrutas em treinamento ou reservistas indisciplinados, desmoralizados, amargos e entediados. Entre eles havia feridos e doentes enviados do *front*.

A. F. Ilin-Jeniévski já era um bolchevique convicto quando foi asfixiado por gás, e o trauma abalou sua memória temporariamente. De sua cama no hospital, ele testemunhou o despertar político dos feridos, "a rápida revolução do Exército" sob aquela tutela desesperada. "Depois de todos os horrores da guerra, as pessoas que se encontravam na paz silenciosa do hospital começaram involuntariamente a refletir sobre a causa de todo aquele sacrifício e derramamento de sangue." Ele testemunhou o momento em que a reflexão se transformou em "ódio e fúria". Não admira que os feridos de guerra tenham ficado conhecidos pela hostilidade à vida militar.

E quanto aos 12 mil "leais" soldados nos quais os governantes da cidade depositavam suas esperanças?

E quanto aos implacáveis cossacos? As comunidades cossacas falavam línguas eslavas, eram principalmente da região ucraniana do Don e da própria Rússia e não haviam conhecido a servidão. Gabavam-se de uma longa tradição de autogoverno democrático e militarista, ainda que rudimentar. No século XIX, os cossacos começaram a ser retratados como um mito: eram descritos e frequentemente se consideravam singularmente nobres, orgulhosos e honrados, uma cavalaria quase estamental, quase étnica, um povo que por si constituía uma classe. Símbolos vivos da Rússia e agentes tradicionais da repressão tsarista, seus sabres e açoites derramaram muito sangue na neve doze anos antes.

Mas os cossacos nunca formaram um grupo monolítico. Eles também se dividiam em classes. E muitos estavam fartos da guerra e do modo como estavam sendo usados.

Na Avenida Niévski, uma multidão de grevistas parou diante dos cossacos montados a cavalo, as lanças brilhando ao sol. Uma hesitação cheia de medo. Por um longo instante, algo ficou suspenso no ar gelado da cidade. De repente, os oficiais deram meia-volta e se afastaram, fazendo os atônitos manifestantes aplaudirem em espantada alegria.

Na Praça Známenskaia, outros grevistas saudaram outros cossacos montados, sendo que dessa vez os cavaleiros sorriram de volta para os manifestantes e ostensivamente não os dispersaram. Perturbada, a polícia relatou que, quando foram aplaudidos pela multidão, os cossacos fizeram uma reverência.

Durante horas, os deputados da Duma nacional continuaram a discursar contra o regime no Palácio de Táurida. O que reivindicavam era pertinente: que o tsar estabelecesse um ministério responsável perante a própria Duma. À esquerda, Aleksandr Keriénski, conhecido trudovique de sólida reputação graças aos seus escritos sobre o massacre das minas de ouro do Lena, discursou contra o governo em termos tão grandiloquentes e espetaculares que a tsarina, quando soube, escreveu furiosa ao marido exigindo que ele fosse enforcado.

Quando amanheceu, o ar se tornou ainda mais gelado. Nas ruas agitadas ressoavam canções revolucionárias. Vendo trabalhadores da fábrica Promet marchando atrás de uma mulher, um oficial cossaco fez troça, dizendo que estavam seguindo uma *baba*, uma bruxa. Arichina Kruglova, a bolchevique em questão, gritou de volta que ela era uma mulher trabalhadora e independente, esposa e irmã de soldados do *front*. Diante da resposta, os soldados baixaram as armas.

Dois mil e quinhentos moageiros de Vyborg desciam por uma rua estreita até a Avenida Sampsónievski quando pararam bruscamente, apavorados, ao deparar com uma tropa de cossacos. Os oficiais fizeram caretas, agarraram as rédeas e esporearam os cavalos. Com as armas para o alto, gritaram que os soldados os seguissem. Dessa vez, para terror ainda maior da multidão, os cossacos obedeceram.

Mas eles seguiram o comando ao pé da letra. Como se fossem adestradores, fizeram as montarias marchar com elegância, elevando as patas na neve semiderretida. Avançaram lentamente, formando uma fila perfeita. Piscaram para a multidão atônita quando passaram e não dispersaram absolutamente ninguém.

Existe um velho termo escocês para a técnica específica de resistência operária, como a operação tartaruga ou a greve de zelo, que faz com que o sentido literal da regra solape seu espírito: *ca'canny*. Naquela tarde gelada, os cossacos não desobedeceram às ordens: eles conduziram a cavalaria ao modo *ca'canny*.

Os oficiais, furiosos, ordenaram que eles bloqueassem a rua. Uma vez mais, os homens cumpriram as ordens à risca. Com suas lendárias habilidades equestres, alinharam os cavalos numa barreira viva que expirava névoa. Novamente, a discordância estava na extrema obediência. À ordem de permanecerem parados, parados eles permaneceram. Os cossacos não se moveram nem quando os manifestantes mais corajosos se aproximaram. Não se moveram quando os grevistas, arregalando os olhos, finalmente compreenderam o convite implícito na imobilidade sobrenatural dos homens e dos cavalos, baixaram a cabeça, passaram por baixo da barriga dos animais estáticos e continuaram a marcha.

Raramente habilidades aplicadas pela reação foram tão primorosamente mobilizadas contra ela.

No dia seguinte, 25 de fevereiro, 240 mil pessoas entraram em greve, exigindo pão, o fim da guerra e a abdicação do tsar. Os bondes não circularam, os jornais não foram publicados. O comércio permaneceu fechado: não faltava solidariedade no estoque dos comerciantes, fartos da incompetência do governo. Trajes elegantes já podiam ser vistos no meio da multidão, em meio aos casacos dos trabalhadores.

De ambos os lados, os ânimos se acirravam. O monumento a Alexandre III é um bloco de bronze pesado e feio: um cavalo robusto arqueia a cabeça, como se tivesse vergonha do déspota que carrega. Naquele dia, sob sua proteção, a polícia montada abriu fogo contra as massas que se aproximavam. Mas, dessa vez, impressionando tanto os manifestantes quanto a polícia montada, a guarda cossaca também abriu fogo – contra a polícia.

Na Praça Známenskaia, a polícia chicoteou violentamente os grevistas. Os manifestantes se dispersaram, fugindo do assovio do açoite. Cambalearam, correram para perto dali, onde tropas de cossacos esperavam montadas em cavalos imóveis, observando tudo com apreensiva neutralidade. As massas suplicavam por ajuda.

Hesitação. Os cossacos avançaram.

Houve um minuto de indecisão. Então ouviu-se um suspiro e um jato de sangue. A multidão gritou em êxtase, erguendo um dos cavaleiros no ar. Ele havia desembainhado o sabre e matado um tenente da polícia.

Outras pessoas morreram naquele dia. Em Gostiny Dvor, soldados atiraram, matando três manifestantes e ferindo dez. As massas correram para as delegacias da cidade, lançaram uma chuva de pedras contra elas, destruindo tudo pelo caminho e se armando com o que conseguiam encontrar. Os policias fugiam da violência cada vez maior dos ataques, tirando o uniforme para escapar.

Havia um desassossego, um desenrolar nos corredores do governo e, finalmente, a compreensão de que algo muito sério estava em curso.

O primeiro reflexo do regime foi repressivo. Quando a noite caiu em rajadas de neve, o tsar enviou ordens ao general Khabálov. "Ordeno que, a partir de amanhã, você reprima qualquer desordem na capital, que é inadmissível em um momento em que a pátria trava uma dura guerra com a Alemanha." Como se ele considerasse a desordem admissível em qualquer outro momento. Naquele dia, quando os soldados abriram fogo contra a multidão, foi por pânico, raiva, vingança ou brutalidade não autorizada: dali em diante, tais ataques seriam a regra, se as massas não se dispersassem.

E a guerra, a gloriosa guerra nacional, foi usada como uma ameaça a mais: quem não retornasse ao trabalho dentro de três dias, anunciou Khabálov, seria obrigado a se juntar à carnificina do *front*. Naquela noite, pelotões policiais saíram à caça. Prenderam cerca de cem suspeitos de serem lideranças, inclusive cinco membros do Comitê Bolchevique de Petersburgo. Mas não foram os revolucionários que iniciaram a insurreição. Naquele momento, eles se esforçavam para acompanhar o ritmo. Prendê-los certamente não iria interrompê-la.

"A cidade está calma", telegrafou a tsarina ao marido, com um otimismo tenso, no domingo, 26 de fevereiro. Mas, à medida que a luz do dia iluminava o longo trecho de rio, cintilando no gelo entre as margens, os trabalhadores já o percorriam novamente, regressando. Dessa vez, porém, eles encontraram as ruas cheias de policiais.

Dessa vez, quando imploraram aos soldados que não atirassem, o apelo nem sempre foi ouvido.

Foi um dia sangrento. O estrondo de metralhadoras e rifles sendo descarregados ecoou pelo horizonte, misturando-se aos gritos das massas em pânico. As pessoas correram e se dispersaram, evitando os ataques violentos, deixando para trás as catedrais e os palácios. Naquele domingo, repetidas vezes, os soldados obedeceram às ordens dos oficiais para atirar – embora alguns ataques tenham sido solapados pelo "mau funcionamento" das armas, hesitação ou erros deliberados. A cada gesto de furtiva solidariedade, surgiam rumores de muitos outros.

Nem tudo se passou como queria o regime. No início da tarde, os trabalhadores se reuniram em frente ao quartel do Regimento Pávlovski. Imploraram desesperadamente por ajuda, gritando para os homens que estavam lá dentro que o pelotão de treinamento do regimento estava atirando nos manifestantes. A reação dos soldados não foi sair para as ruas. Não de imediato. O respeito às ordens os fez hesitar. Eles se fecharam em uma longa assembleia geral. Homens gritavam uns com os outros, contra o barulho dos tiros e dos confrontos na cidade. Aturdidos e assustados, debatiam o que fazer. Às seis horas, a quarta companhia do Regimento Pávlovski finalmente se dirigiu à Avenida Niévski, decidida a trazer de volta seus camaradas em desgraça. Encontraram um destacamento da polícia montada, mas estavam nervosos e com vergonha de sua hesitação inicial. Não recuaram, apenas atiraram. Um homem foi morto. Quando retornaram ao quartel, os líderes foram presos e levados através do rio para a famigerada prisão de Pedro e Paulo, atrás dos muros baixos da fortaleza, sob a torre pontiaguda.

Quarenta pessoas morreram naquele domingo. A matança arrasou o moral dos manifestantes. Mesmo ao norte, no combativo distrito de Vyborg, os bolcheviques cogitaram abrandar a greve. Enquanto isso, a autocracia suspendeu as apáticas negociações com o presidente da Duma, Rodzianko, e com igual desprezo dissolveu o Parlamento sob seu controle.

Rodzianko telegrafou para o tsar.

"A situação é séria." O aviso percorreu rapidamente os cabos ao longo das linhas férreas, cruzando a amplidão inóspita do interior até Mahilou. "A anarquia tomou a capital. O governo está paralisado. É necessário nomear imediatamente uma pessoa que tenha a confiança do país para a formação de um novo governo. Qualquer demora será equivalente à morte. Rezo a Deus que neste momento a responsabilidade não recaia sobre o soberano."

Nicolau não respondeu.

Na manhã seguinte, Rodzianko tentou mais uma vez. "A situação está piorando. Medidas devem ser tomadas imediatamente, porque amanhã será tarde demais. É chegada a hora final, em que o destino da pátria e da dinastia será decidido."

No quartel-general do Alto-Comando, o conde Vladímir Frederiks, ministro da Casa Imperial, aguardava pacientemente enquanto seu senhor lia a mensagem que saía da máquina. "Aquele gordo do Rodzianko me escreveu uma bobagem", disse o tsar, por fim, "nem vou me dar ao trabalho de responder."

Na capital, os assassinatos do dia anterior pesavam sobre alguns dos que haviam recebido ordens de cometê-lo. Assim como o Regimento Pávlovski, o destacamento de treinamento do Regimento Volynski havia atirado nos manifestantes e passou a noite reunido no quartel, em uma longa sessão de autorrecriminação. Então, os homens confrontaram o capitão, Lachkiévitch, e declararam um motim expiatório. Eles não atirariam mais, disseram.

Peremptoriamente, Lachkiévitch leu em voz alta a determinação do tsar para que a ordem fosse restaurada. Alguns dias antes, isso talvez os persuadisse a obedecer. Naquele momento, soou como uma provocação. Houve briga, gritos, tumulto. Na multidão de soldados, alguém levantou uma arma. Ou talvez, como se chegou a especular, Lachkiévitch, em pânico, ergueu a própria arma e a apontou contra si mesmo. De onde quer que tenha vindo, um tiro súbito foi ouvido. Os soldados viram quando o capitão caiu.

Algo morreu com ele. A hesitação.

Os soldados do Volynski despertaram os quartéis dos regimentos Litovski e Preobrajiénski, ali nas proximidades. Oficiais do Regimento de Moscou tentaram restabelecer o comando. Foram derrotados. Os soldados se dirigiram ao distrito de Vyborg. Dessa vez foram eles que procuraram confraternizar com os trabalhadores.

Sob o cinza-chumbo do céu, as ruas de Petrogrado começaram a se insurgir.

Um atônito general Khabálov tentou mobilizar seis companhias leais ao governo. Alguns oficiais e soldados, individualmente ou em grupos improvisados, permaneceram leais e até impuseram resistência armada contra a insurreição que se intensificava. Mas, por convicção ou covardia, esgotamento ou equívoco, ou por qualquer outro motivo, a maioria dos soldados se recusou a se reunir. Os que não se juntaram aos trabalhadores ou lutaram ao lado deles, sob líderes nomeados às pressas pela meritocracia rudimentar do momento, simplesmente desapareceram. Nas descrições de testemunhas, uma frase se repete: até mesmo as unidades supostamente leais "sumiram".

Massas de trabalhadores e soldados arrombaram prédios do governo e saquearam os arsenais da polícia, levaram as armas que encontraram e perseguiram os policiais, matando-os onde quer que fosse. Incendiaram delegacias, transformando em fumaça os registros, atiravam em qualquer "faraó" que vissem, inclusive nos franco-atiradores da polícia que se espalhavam pelos telhados e às vezes se inclinavam para ajustar a pontaria. Rebeldes reviraram igrejas em busca de armas. Soldados e trabalhadores faziam a busca juntos, em um silêncio constrangido e reverencial. Invadiram as prisões, arrancaram as portas e libertaram os detidos perplexos. Puseram fogo no tribunal do distrito e ficaram observando a fogueira, como se fosse um novo festival de inverno. Na ausência de qualquer força de oposição, de modo entusiasmado e caótico, os golpistas deram o golpe.

Seu clamor se espalhou para além de Petrogrado. Em Moscou, em particular, os oficiais tentaram abafar as notícias sobre a intensificação dos tumultos e falharam. A informação sobre o que estava acontecendo alcançou a segunda maior cidade da Rússia. Os trabalhadores moscovitas começaram a deixar seu posto, alguns foram para casa, outros se dirigiram ao centro da cidade em busca de notícias e orientação.

Na tarde do dia 27, imperturbável, o tsar continuava ocupado com futilidades militares no Stavka. Sua tranquilidade não era exclusiva: Bieliáev, ministro da Guerra, telegrafou para avisar, com uma complacência surreal, que alguns poucos tumultos de menor importância estavam acontecendo em algumas poucas unidades militares de Petrogrado e já estavam sendo resolvidos. Em breve tudo voltaria à calma.

Nos bulevares da cidade insurgente, revolucionários socialistas, liberais raivosos e pessoas de todos os matizes se atropelavam, e não estavam calmos. O que todos compartilhavam era a certeza de que a mudança, a revolução, era necessária, inelutável. Era uma cidade nova, em erupção, em plena Segunda-Feira Vermelha. A velha lei estava morrendo, a nova ainda não fora decidida.

Sob o céu do anoitecer, ao som de vidros quebrados e à luz trêmula das fogueiras, homens e mulheres perambulavam juntos e separados, trabalhadores, criminosos libertados, agitadores radicais, soldados, baderneiros solitários, espiões e bêbados. Armavam-se com o que encontravam. Aqui, um vulto encasacado agitava um sabre policial e um revólver descarregado. Ali, um adolescente empunhava uma faca de cozinha. Um estudante com munição de metralhadora amarrada na cintura e um rifle em cada mão. Um homem segurava uma vara usada para limpar as linhas do bonde como se fosse uma lança.

Aos milhares, as massas subiram a Rua Chpaliérnaia, reunindo-se sob as asas de pedra do Palácio de Táurida, sede da Duma, que, por mais ineficaz, dividida e obtusa que fosse, ainda era vista por um grande número de cidadãos como um governo alternativo. O mais lamentável era que, àquela altura, a própria Duma relutava em se rebelar contra o tsar – e contra a ordem de se dissolver.

Conforme fora determinado, por lealdade covarde ou covardia leal, os membros da Duma interromperam a reunião oficial. Obedecendo à ordem do tsar, deixaram o plenário. Caminharam lentamente pelos corredores do edifício e se reuniram em outra sala, tecnicamente para um encontro particular. Tentando chegar a uma solução, o que restou da Duma se comprometeu a permanecer em Petrogrado e estabelecer algum controle. Os membros autorizaram a eleição de um Comitê Provisório entre representantes de todos os partidos da Duma, exceto os de extrema direita e os bolcheviques.

Antes de eleger o comitê, Rodzianko, dessa vez acompanhado do irmão do próprio Nicolau, o grão-duque Miguel, ainda fez mais um esforço para penetrar a placidez bovina do tsar. Ele tinha certeza de que apenas uma monarquia constitucional conseguiria apaziguar o país e, a princípio, Miguel havia concordado em assumir o poder dentro desse modelo.

Mais uma vez, tentaram fazer o tsar compreender a seriedade apocalíptica da situação. E, é preciso reconhecer, ninguém se surpreendeu quando Nicolau respondeu, com fria delicadeza, que ele era perfeitamente capaz de cuidar dos seus interesses.

Havia algo quase hercúleo na habilidade do tsar de negar a realidade enquanto a capital do império era incendiada, a polícia fugia, os soldados se rebelavam e os oficiais e seu próprio irmão imploravam-lhe que fizesse alguma coisa, qualquer coisa. Pouco tempo depois, foi a vez de seu consternado premiê telegrafar, implorando que o liberasse de suas funções. Com dureza, Nicolau informou ao príncipe Golitzin que não haveria mudanças no gabinete e reiterou a exigência de que fossem tomadas "medidas vigorosas" para conter os tumultos.

O tsar remava, altivo e correto, com os olhos fixos no horizonte, enquanto a correnteza o arrastava para uma catarata.

★

Com doze pessoas, e logo em seguida treze, o Comitê Provisório da Duma – ou, para o chamarmos por seu absurdo nome completo, o Comitê Provisório dos Membros da Duma do Estado para a Restauração da Ordem na Capital e o

Restabelecimento de Relações com as Organizações e Instituições Públicas – foi declarado inaugurado às cinco horas da tarde. Era controlado por políticos do Kadet e da Coligação Progressista. O comitê se atribuiu vagamente, mas com urgência, a missão de restaurar a ordem em Petrogrado e estabelecer relações com as organizações e instituições públicas. No entanto, eles tinham clareza dos limites de sua voz e de seu alcance naquele momento de insurreição em massa. Para fazer-se ouvir pelos manifestantes, chamaram mais dois deputados de esquerda, além da Coligação Progressista: N. S. Tchkheidze, líder dos mencheviques, e Aleksandr Keriénski, o temperamental advogado dos trudoviques que havia enfurecido a tsarina.

Sete horas da noite. O deputado Ichas, do Kadet, convocou uma reunião com 150 colegas para criar comissões que, acima de tudo, tratariam da questão militar. Em pouco tempo, o 1º Regimento de Reserva da Infantaria, com 12 mil soldados e 200 oficiais, em formação integral, pôs-se em marcha pela cidade, em meio à sublevação, rumo ao Palácio de Táurida. Lá, jurou lealdade à Duma – ou, mais exatamente, ao Comitê Provisório. Em um dos momentos de inspiração de que ainda era capaz naqueles dias, Keriénski ordenou a várias unidades militares que assumissem o controle de locais estratégicos – o quartel-general da Okhrana, a sede da força policial, as principais estações ferroviárias.

Enquanto isso, emergiu das ruas outro tipo de controle. Alguns insurgentes se recordavam dos conselhos de 1905, os sovietes. Ativistas e agitadores pediam seu retorno – em folhetos e pela voz turbulenta das massas.

Assim, no exato momento em que a Duma organizava seu comitê, em outro canto do imenso Palácio de Táurida, um grupo muito diferente se reunia.

Entre os que haviam saído da prisão pelas mãos das massas estavam Gvózdiev e Bogdánov, mencheviques do Comitê Central dos Assuntos de Guerra. Logo após a soltura, percorreram penosamente o caos de Petrogrado para juntar seus colegas e realizar uma assembleia com eles – os deputados do SR e os mencheviques da ala socialista da Duma, representantes de sindicatos e movimentos cooperativistas e o próprio Keriénski.

Naquele dia, correndo para o sul pela larga Ponte Litéini, sobre o gelo do Neva, Gvózdiev viu um vulto se aproximar rapidamente. No meio da ponte, entre duas sereias ornamentais, ele ficou frente a frente com Zaliéjski, líder bolchevique que também acabara de sair da prisão e seguia na direção oposta, para o centro da cidade, no distrito de Vyborg. O menchevique seguiu direto para os corredores do poder, o bolchevique foi para os distritos dos trabalhadores. É o que dizem os registros históricos, tenha ou não acontecido esse encontro na ponte.

No Táurida, a assembleia improvisada com Gvózdiev, Bogdánov e seus colegas se declarou um Comitê Executivo Temporário do Soviete de Deputados Operários. Eles enviaram imediatamente às fábricas e aos regimentos da cidade a notícia de que uma sessão do soviete seria realizada naquela mesma noite. Em reuniões desorganizadas e apressadas – não havia tempo para arranjos representativos mais cuidadosos –, as fábricas escolheram representantes para participar das deliberações. Em poucas horas, esses visitantes atípicos se uniram à habitual aristocracia de sobrecasaca, aos intelectuais da Duma e a seus associados. Os corredores do Palácio de Táurida, aninhado em seu jardim, começaram a se encher de soldados e trabalhadores exaustos, vestidos com seus casacos surrados.

Naquela noite, o conclave de intelectuais socialistas e dos afobados representantes dos trabalhadores e soldados se reuniu na sala 12 da ala esquerda do palácio. O ex-presidente do soviete de 1905, Khrustalióv-Nosar, estava lá. E também Steklov, próximo da esquerda menchevique, Ehrlich, um dos líderes do Bund, e o determinado líder local dos bolcheviques, o metalúrgico Shliápnikov. Trabalhadores e soldados, escolhidos por esses mecanismos *ad hoc* enquanto a maioria dos trabalhadores estava preocupada com a revolta, sem tempo ou disposição para escolher delegados, conversavam nervosamente. Quando Shliápnikov saiu um instante para telefonar para os militantes bolcheviques, pedindo que se juntassem a ele, ninguém prestou atenção. Estavam mais preocupados com as massas que ocupavam as ruas do que com o que poderia estar em andamento naquelas salas. Além do mais, desconfiavam daquele organismo nascente, fruto da imaginação de socialistas à sua direita.

Às nove horas da noite, o advogado socialista Sokolov chamou a turbulenta assembleia à ordem. Havia talvez 250 pessoas na sala: apenas cerca de 50, segundo Sokolov, estavam aptas a votar – as demais permaneceriam como observadoras. Ele tomou as decisões de acordo tanto com suas relações pessoais quanto com uma estrutura formal qualquer.

A reunião foi interrompida várias vezes por batidas na porta, recém-chegados, soldados agitados relatando que essa ou aquela empresa havia aderido à insurreição, gritaria e aplausos. Os representantes dos soldados rasos e dos trabalhadores entraram juntos na sala.

Assim nasceu o Soviete de Deputados Operários e Soldados, por sugestão do seu próprio Comitê Executivo Temporário.

Fora dos muros do palácio, nas ruas desocupadas pela detestada polícia tsarista, os trabalhadores ainda pilhavam armas dos armazéns do regime para defender as fábricas, impunham uma ordem rudimentar, reuniam-se, organizavam-se em grupos armados, quase todos jovens, quase todos radicais e furiosos, não raro politicamente incoerentes. Entre as tarefas imediatas daquela primeira noite, o Soviete começou a coordenar esses grupos, organizando uma milícia de trabalhadores para restabelecer e manter a ordem. Também criou uma comissão para regular o abastecimento de comida. Em breve autorizaria o retorno de determinados jornais. E, ao contrário da Duma ou de seu Comitê Provisório, o Soviete podia fazer tais declarações e agir com certo grau de conexão – embora limitada e interposta naquela noite caótica – com as ruas, os trabalhadores, os soldados.

O Soviete precisava de um *presidium*. A assembleia se mobilizou para votar no menchevique Tchkheidze para presidente e em Skóbolev e Keriénski para vice-presidentes. Assim como Tchkheidze, Keriénski era um socialista simbólico, que fora abordado um pouco antes, naquela mesma noite, para fazer parte do comitê: ao contrário de Tchkheidze, depois das eleições para o Soviete, e depois de fazer, no caso dele, um discurso inusitadamente superficial, Keriénski deixou a sala.

Em sua ausência, o Soviete estabeleceu um Comitê Executivo entre o *presidium* e todo o seu conjunto. Esse comitê viria a ser responsável por grande parte da administração do Soviete e por muitas de suas decisões. Dali em diante, era nesse nível hierárquico que se realizavam os debates e se tomavam as decisões cruciais.

Como membros do *presidium*, Tchkheidze, Skóbolev e Keriénski receberam automaticamente uma vaga no Comitê Executivo, ao lado de quatro membros de seu secretariado. Outros oito integrantes foram eleitos. Com seis membros no total, os mencheviques eram o partido mais forte. No entanto, por um curto período, dois terços dos quinze lugares do Comitê Executivo foram ocupados ou pela esquerda radical ou pela ala internacionalista e antibelicista do movimento socialista, pelos bolcheviques e por outros – mas, enfraquecidos por rivalidades internas e incertezas sobre a natureza do Soviete, sua relação com ele, com o poder político e com um novo regime, eles não fizeram nada nesse breve momento de participação majoritária.

Na verdade, eles perderam a maioria já no dia seguinte, graças a uma manobra inábil do próprio Shliápnikov. Irritado com o pequeno número de bolcheviques no Comitê Executivo, ele tentou acrescentar ao Soviete membros de cada um dos partidos socialistas. A proposta foi aceita – mas, junto com seus camaradas e com Iuriénev, do Mejraióntsy, vieram os socialistas populares, trudoviques, SRs, bunds e mencheviques. Ampliado, o comitê agregou muito mais socialistas de direita ou moderados.

Enquanto o Soviete batia boca e negociava, Keriénski atravessou às pressas o grande palácio e retornou à ala oposta, a direita, onde outro grupo do qual era membro, o Comitê Provisório da Duma, estava reunido.

Mais tarde, naquela noite, o acossado general Khabalov, com não mais de 2 mil homens ainda ao seu lado, esquivava-se por uma sombria e perigosa Petrogrado em busca de refúgio nas cercanias do Palácio de Inverno. À sua chegada, o irmão do tsar o expulsou, humilhando-o, forçando-o a se abrigar com seus homens no prédio do Almirantado, do outro lado da rua. Ali eles se entrincheiraram para passar a noite.

Em Mahilou, uma confusa percepção de que nada estava como deveria estar acabou se espalhando. Nicolau ordenou ao general Ivanov que voltasse à capital com a tropa de choque da Ordem dos Cavaleiros de São Jorge, detentora da mais elevada distinção militar, e restabelecesse a ordem. Ainda assim, nem o tsar nem os conselheiros tomaram medidas para reposicionar os soldados dos *fronts* mais próximos de Petrogrado. O próprio Ivanov se preparou para a nova missão com uma apatia absurda e inadequada, mandando um assistente comprar presentes para seus amigos na cidade.

Os reflexos da insurreição se propagavam país afora. O mais importante, e mais próximo, foi Kronstadt. Kronstadt era a base da defesa naval de Petrogrado, uma cidade fortificada de 50 mil habitantes – tripulação, soldados e jovens marinheiros, comerciantes e trabalhadores –, cercada pelas baterias e fortalezas da minúscula Ilha de Kótlin, no Golfo da Finlândia. Seus oficiais eram célebres pelo sadismo e pela brutalidade. Apenas sete anos antes, centenas de marinheiros haviam sido executados ali, durante uma tentativa de revolta. Aquela lembrança ainda estava fresca.

Naquele dia, os marinheiros receberam a notícia da insurreição. Eles estavam perto o suficiente para enxergar a fumaça dos incêndios e ouvir os disparos através da água. Rapidamente decidiram que também fariam uma revolução.

Tarde da noite de 27 de fevereiro, no enorme Palácio Mariínski, em Petrogrado, no lado sul da Praça Santo Isaac, o conselho de ministros do tsar se reuniu pela última vez. A cidade estava definitivamente nas mãos da revolução: os ministros reconheceram o fato consumado e puseram fim ao inglório mandato, apresentando sua renúncia ao tsar. Uma formalidade sem sentido.

Keriénski, um homem enérgico e ambicioso, com pouco mais de trinta anos, excelente orador e com a autoridade moral da esquerda, estava se tornando indispensável no Comitê Provisório da Duma. Ele assumiu a liderança no estabelecimento de uma espécie de ordem militar, anunciando que um estado-maior revolucionário fora estabelecido na Duma Estatal e tomando a iniciativa de circular freneticamente por Petrogrado para assegurar aos entusiasmados grupos de soldados insurgentes que a Duma estava do lado deles.

A sorte estava lançada. Diante da anarquia, e sem saber até onde aquilo poderia levar, o Comitê da Duma se viu obrigado a assumir o poder – apesar da hesitação e da obstinada lealdade de alguns membros ao regime. O comitê declarou que ia "tomar em suas mãos a restauração do Estado e da ordem pública e a criação de um governo que correspondesse aos desejos da população".

Rodzianko era um dos muitos membros da Duma profundamente preocupados com essa reviravolta. Mas a situação foi claramente resumida pelo deputado V. V. Chulguin, um conservador frio e perspicaz. "Se não assumirmos o poder", disse ele, "outros assumirão, aqueles que já elegeram certos patifes nas fábricas."

Ele se referia, é claro, ao comitê instalado algumas portas adiante, que também enfrentava a missão de organizar o poder: o Soviete. Começava a tumultuada coexistência dessas duas políticas, filosofias e forças sociais conflitantes e sobrepostas.

Os saguões do Palácio de Táurida, normalmente um local de burocracia impecável, que nunca era perturbado por algo mais caótico ou desordenado que um memorando caído no chão, agora haviam se tornado um alojamento militar. No Salão Circular, jazia o cadáver de um soldado. Centenas de camaradas vivos acamparam nos corredores do palácio, acocorados ao lado de fogões improvisados, bebendo chá, fumando e esfregando os olhos, prontos para enfrentar a contrarrevolução que todos temiam estivesse chegando. Os corredores fediam a pólvora, suor e excremento. Os escritórios se transformaram em depósitos de armas e comida. Uma grande sala de reuniões estava cheia de sacos de cevada saqueados. Ao lado deles, um porco morto sangrava.

Rodzianko, sempre exigente, como relembraria seu colega Stankevitch, passou por um grupo de soldados desgrenhados, "mantendo uma dignidade majestosa, mas com uma expressão de profundo sofrimento no rosto pálido". Ele avançou lentamente pelo lixo amontoado contra as paredes e empilhado nos cruzamentos dos corredores. Em suas memórias, Chulguin explicitou seus sentimentos sobre a situação. As massas que haviam derrubado o regime, e agora tinham a audácia de compartilhar com ele esse local de trabalho palaciano, eram "estúpidas, animalescas, até mesmo malévolas".

"Metralhadoras!", fantasiava. "Era tudo o que eu queria. Sentia que apenas a língua das metralhadoras podia conversar com a turba."

Esses eram os sentimentos por trás do futuro relacionamento entre o Comitê da Duma, de Chulguin, e o Soviete – cujo eleitorado eram os rudes ocupantes daqueles corredores. Começava o que viria a ser erroneamente conhecido como *dvoevlástie* – Poder Dual.

Quase tão rápido quanto os deputados da Duma, o Soviete criou uma comissão militar, emitiu ordens para as brigadas *ad hoc* da cidade e preparou-as para a batalha contra as forças do tsar. Mas às duas horas da madrugada do dia 28, Rodzianko e o coronel outubrista Engelhardt, da Comissão Militar do Comitê da Duma, cruzaram os corredores do palácio para anunciar ao Soviete sua intenção de subordinar a comissão militar criada por este à comissão da Duma.

Muitas das pessoas que apoiavam o Soviete se irritaram com essa presunção e ficaram profundamente apreensivas com a entrega do poder a representantes da burguesia. Foi durante esse tenso impasse que Keriénski reapareceu.

Ele, é claro, estava dos dois lados, e era bom nisso. Ele entrou, tenso mas confiante, retendo a atenção da sala com um discurso fervoroso em que pedia a aquiescência do Soviete para essa coalizão, garantindo aos representantes da revolução que eles supervisionariam a comissão da Duma.

Seus argumentos encontraram um terreno fértil. A verdade é que, na embrionária comissão do Soviete, a análise e a percepção da maioria eram de que a história ainda não lhes pertencia. E que, naquele contexto, existiam, e deveriam existir, freios inevitáveis e limitações ao seu próprio papel, ao seu próprio poder. Embora rudimentar, era o início de uma estranha propensão à política autolimitante.

Nas primeiras horas do dia 28 de fevereiro, o Comitê do Soviete distribuiu um panfleto:

> O Comitê Provisório da Duma Estatal, com a ajuda da Comissão Militar, está organizando um exército e indicando comandantes para todas as unidades militares. Não desejando atrapalhar a luta contra o velho poder, o Comitê Executivo do Soviete de Petrogrado não recomenda que os soldados rejeitem a existência dessa organização e a subordinação às suas medidas e às instruções dos comandantes.

"Não desejando atrapalhar a luta contra o velho poder": essa era a dúvida dos que aprenderam com o socialismo que uma aliança estratégica com a burguesia era necessária; que, por mais confusa que fosse a sucessão dos acontecimentos, havia estágios por vir; que era a burguesia que primeiro deveria tomar o poder, impedindo uma mobilização socialista forte demais, em seu despreparado país.

Dando um verniz decoroso a essa ansiedade histórica com a intrincada dupla negação de "não recomenda a rejeição", a Comissão Militar do Soviete foi engolida pela Comissão Militar da Duma. Assim, foi o Comitê da Duma, com essa nova autoridade ligada às bases, que deu aos soldados amotinados ordem para que retornassem às suas guarnições e reconhecessem a autoridade de seus comandantes.

Na escuridão da noite, no ar abafado da fumaça de cigarro, os membros cansados do Comitê da Duma continuaram a tratar das exigências do governo – o que a história distorceu como uma maquinação contra o tsar e o sistema, forçado a se tornar um governo revolucionário. Eles nomearam com urgência Comissários do Povo para os vários ministérios vagos.

O comitê tinha conhecimento das ordens do tsar a Ivanov. Eles tinham de evitar que as forças contrarrevolucionárias chegassem à capital. E não podiam permitir que Nicolau fosse para Tsárskoie Seló, cidade nos arredores de Petersburgo onde os Románov tinham uma residência e onde Nicolau pretendia se juntar à esposa e à família.

Às 3h20 da madrugada, a Comissão Militar tinha o controle das estações ferroviárias de Petrogrado e das linhas por onde circulavam pessoas e mercadorias, armas, combustível, comida, informação, rumores e política. Os trilhos eram o sustentáculo do poder.

★

Como disse Trótski, 28 de fevereiro foi um dia "de arrebatamentos, abraços, lágrimas de alegria". O sol se levantou sobre uma cidade transformada.

Não que o combate estivesse completamente acabado. Estampidos esparsos de armas de fogo ainda eram ouvidos. Foi nesse último dia, um dia de perda para os defensores do velho regime, que alguns dos mais terríveis atos de violência aconteceram.

Na sede do Estado-Maior, no Almirantado e no imponente Palácio de Inverno, vigiado do alto por um bando de estátuas de olhos vazios, a resistência continuava. Oficiais de alta patente e suas famílias se entrincheiraram no Hotel Astoria, sob a proteção de homens de confiança. Quando as massas eufóricas se aglomeraram na vizinhança, espalhou-se um rumor de que havia franco-atiradores no hotel. Confusão. Raiva e alegria se alternavam. Gritos de que alguém estava atirando das janelas. Era verdade? Tarde demais: verdade ou não, os soldados revolucionários estilhaçaram vidros e paredes com os próprios disparos. Seus camaradas invadiram o luxuoso vestíbulo do hotel atirando, e soldados leais ao regime revidaram.

Uma batalha longa e espetacular, uma tempestade de ricochetes, lascas de gesso, estilhaços de ouro e cordite, projéteis esburacando as paredes, sangue jorrando pelos brocados e vincos das jaquetas. Quando a fumaça e o estrondo por fim baixaram, dúzias de oficiais estavam mortos.

A Comissão Militar ocupou a Central Telefônica, a Agência dos Correios e a Central Telegráfica. Bublikov, membro da Duma, foi com cinquenta soldados ao Ministério dos Transportes e deu ordem de prisão a todos os que estavam lá, inclusive o ex-ministro Krigrer-Voinovski, a menos que jurassem lealdade ao Comitê da Duma. Isso feito, acionou a rede férrea, enviando telegramas a todas as estações ferroviárias da Rússia. Por impulsos elétricos, um código matraqueante percorreu os trilhos, informando que a revolução havia acontecido. Bublikov incitou os ferroviários a voltar com "energia redobrada".

Na verdade, o Comitê da Duma não tinha o poder que Bublikov insinuava. Sua mensagem era discurso de ação, uma performance, e tinha um efeito poderoso.

Ainda que tenha demorado vários dias para alcançar os domínios mais distantes do vasto território, a notícia da revolução se espalhou e, com ela, a própria revolução.

Facções e assembleias faziam planos. Letões, finlandeses, poloneses e outros, em diáspora e em sua terra natal, discutiam modelos políticos. Ali perto, Moscou, atrás apenas de Petrogrado em termos de influência política e cultural, não foi afetada de imediato ou crucialmente. Por ter demorado a começar, a revolução ali parecia ávida por recuperar o tempo perdido. Uma greve geral havia se iniciado apaticamente um dia antes e agora agitava a cidade. Trabalhadores confiscaram as armas das delegacias e prenderam os policiais. Massas saquearam prisões e libertaram os detentos.

"Chamar isso de hipnose em massa não estaria de todo correto", disse Eduard Dune, que em 1917 era um adolescente começando a se envolver na política radical, "mas o estado de espírito da multidão era transmitido de uma pessoa a outra como condução elétrica, como uma onda espontânea de riso, alegria ou fúria." A maioria das pessoas ali, pensou ele, "naquela manhã mesmo estivera rezando pela boa saúde da família imperial. Agora, elas estavam gritando 'abaixo o tsar!', sem disfarçar sua alegre insubordinação".

Na Ponte Iáuza, a polícia tentou heroicamente impedir a passagem de uma grande massa de manifestantes. Um metalúrgico chamado Astákhov gritou para que eles se retirassem, e um policial de cabeça quente retrucou com uma rajada letal. O fevereiro moscovita havia tirado a vida do primeiro de seus pouquíssimos mártires.

A horda enfurecida atacou o bloqueio, fez a polícia recuar, atirou o assassino nas águas do Iáuza e prosseguiu até o centro da cidade. Os moscovitas se reuniram ali para celebrar a nova ordem. "Em Moscou, na verdade, o velho regime caiu por si mesmo", relatou o empresário Burichkin, do Kadet, "e ninguém o defendeu, nem sequer tentou."

Houve diferenciação de classes na própria libertação. Naquela noite, os mascates venderam todo calicô vermelho para fazer faixas. "As pessoas bem vestidas usavam faixas quase do tamanho de toalhas de mesa", disse Dune, "e as outras diziam para elas: 'Por que vocês estão sendo tão avarentos? Dividam com a gente. Nós agora temos igualdade e fraternidade'."

Em Petrogrado, o Comitê da Duma ordenou a prisão de ex-ministros e oficiais de alta patente. A "ordem" estava implícita no pedido, na verdade direcionado às massas revolucionárias. E aquelas massas, em geral, não precisavam caçar: com medo da nova ordem, os representantes do antigo governo tendiam a acreditar que os novos líderes, autodesignados, eram mais propensos a mantê-los vivos do que a brutal justiça das ruas. Ministros tsaristas, como o detestado Protopópov, ex-ministro do Interior, apressaram-se a se apresentar no Palácio de Táurida. Os policiais fizeram fila do lado de fora dos muros, implorando para serem levados sob custódia.

E, enquanto o Comitê da Duma assumia o poder provisório nas primeiras horas do dia 28, enquanto a cidade ainda se agitava, mais e mais fábricas e unidades militares se reuniam e elegiam representantes para o Soviete de Petrogrado – que já formulava seus próprios planos e atribuições.

Os novos delegados representavam predominantemente grupos socialistas moderados – menos de 10% dos votos foram para os bolcheviques, os mais revolucionários, a ala maximalista dos SRs, ou para o pequeno grupo militante Mejraióntsy.

O incomum Mejraióntsy, ou Grupo Interburgos ou Interdistritos, era uma formação radical recente. Consternados com a obstinada ruptura do marxismo russo, seus fundadores Konstantin Iuriénev, os bolcheviques Elena Adamovitch e A. M. Novossiólov, o menchevique Nikolai Egorov e outros encorajavam a colaboração. O grupo ganhou credibilidade e atraiu a militância de trabalhadores e intelectuais, inclusive de Iuri Larin, Moisei Urítski, David Riázanov, Anatóli Lunatchárski e o próprio Trótski.

Lunatchárski era um crítico, escritor e orador brilhante, erudito e pouco ortodoxo. Um homem tranquilo, admirado por sua sensibilidade e também por seu brilhantismo. Durante muito tempo, foi contrário aos traços do estagismo e à ortodoxia mecanicista, pelos quais criticou Plekhánov e os mencheviques. Ao contrário, era a favor de um marxismo ético e estético e até defendeu a "construção de Deus", uma religião ateísta da própria humanidade, da inexistência de Deus. Por esses e outros pecados teóricos, Lênin o atacara, mas em 1917 Lunatchárski e seus camaradas eram tudo menos uma facção bolchevique periférica.

Para o Mejraióntsy, a unidade se tornou rapidamente secundária diante do problema da guerra: eles não faziam concessões ao "defensismo". Com muitos pensadores ágeis e independentes em suas fileiras, foram "a única organização", orgulha-se Iuriénev, "que publicou planfletos desde as primeiros escaramuças da revolução". No dia 27, os agitadores do Mejraióntsy encorajaram os trabalhadores a eleger representantes para um soviete, algo que os entusiasmava muito mais do que aos bolcheviques naquela altura.

Os rudimentares mecanismos representativos do Soviete significavam que os soldados rapidamente estariam super-representados. Para os soldados, ainda atordoados com a liberdade, o Soviete era o seu órgão: apesar da intervenção de Keriénski, muitos não confiavam no Comitê da Duma, falando, como fez, a favor dos oficiais contra os quais eles haviam se amotinado.

O próprio Comitê da Duma, um poder quase relutante, estava dividido quanto ao que queria. No grupo havia os que ainda desejavam uma monarquia constitucional, os que achavam que a história havia excluído essa possibilidade, fosse ela preferível ou não, e os que consideravam a república não só necessária como desejável.

Em Kronstadt, aquele dia não foi de arrebatamentos e lágrimas de alegria. Na pequena cidade ilhada, 28 de fevereiro foi o dia da revolução.

Soldados da 3ª Infantaria da Fortaleza de Kronstadt saíram de um quartel na Rua Pável com a banda tocando a Marselhesa. Seus camaradas do Destacamento de Treinamento em Minas e Torpedos foram atrás e, no caminho, atiraram em um oficial para matá-lo. Depois foi a vez do depósito da 1ª Frota do Báltico. E da guarnição. Os marinheiros se juntaram à multidão. A tripulação dos navios de treinamento atracados na base fortificada se declarou amotinada. "Não creio que seja possível tomar medidas para pacificar o pessoal da guarnição", reportou concisamente o comandante Kuroch aos seus superiores, "porque não há uma unidade em que eu possa confiar."

Os homens protestavam nas ruas e na Praça da Âncora, a principal; percorreram bases e quartéis de baioneta na mão, seguindo o caminho dos amotinados executados. Protegeram uns poucos oficiais que respeitavam: os outros foram arrastados para a praça, arremessados numa vala e, na lama, mortos a tiros. Ao todo, cerca de cinquenta oficiais foram executados. Muitos fugiram ou foram jogados na cadeia de Kronstadt.

Os marinheiros não sabiam que estavam um dia atrasados em relação ao continente, que estavam se juntando a uma revolução já realizada. Esperavam um ataque legalista e demonstraram uma selvageria feita de vingança, é claro, mas também de urgência diante daquela batalha temida em uma guerra – uma guerra de classes. Nenhum oficial conseguiria restabelecer a disciplina naquele momento.

"Isto não é um motim, camarada almirante", gritou um marinheiro. "Isto é uma revolução."

Em setembro de 1916, o governador-geral Virien havia reportado a seus superiores que "um tremor em São Petersburgo seria suficiente e Kronstadt [...] se levantaria contra mim, os oficiais, o governo e qualquer um. A fortaleza é um paiol de pólvora com o pavio queimando".

Menos de seis meses depois, numa madrugada entre fevereiro e março, Virien foi arrastado de sua mansão vestindo apenas uma camisa branca. Ele se endireitou e ergueu a voz, dando um comando familiar: "Sentido!". Dessa vez, os homens apenas riram.

Virien foi levado para a Praça da Âncora, em roupas de baixo, tremendo sob o vento marítimo. Disseram-lhe para ficar de frente para o grande monumento do almirante Makárov, onde estava gravado seu lema: "Lembre-se da guerra". Virien se recusou. Quando os soldados de Kronstadt o atingiram com as baionetas, ele os fez enfrentar seus olhos.

O tsar passou o último dia de fevereiro errando pelas ferrovias de uma Rússia gelada. Ele vagava com luxo, seu trem era um palácio sobre rodas. Interior barroco dourado, vagão-cozinha, quarto decorado com filigranas de ouro, gabinete suntuoso de couro marrom, madeira de bétula da Carélia, carpete vermelho-cereja, oscilando entre paisagens duras e cobertas de gelo até o cair da noite. Um desembarque noturno na Estação Maláia Víchera, a pouco mais de 160 quilômetros de Petersburgo. Mas o telegrama de Bublikov havia cumprido sua missão: as estações ao longo da linha estavam ocupadas por tropas revolucionárias.

As autoridades ferroviárias tinham ordens do Comitê Provisório para desviar o trem, tentar levar o tsar de volta por via férrea, se possível enviá-lo para Petrogrado, onde aqueles que haviam derrubado seu regime esperavam por ele. A estrada de ferro podia trazê-lo de volta. Cautelosos diante da confusa (des)informação que receberam sobre a situação, Nicolau e seu grupo mudaram os planos às pressas. Com um estrondo apressado de troca de trilhos, o trem real partiu outra vez, não mais para Tsárskoie Seló, mas para o quartel-general do *front* norte, na antiga cidade medieval de Pskov. Dali, pensou Nicolau, talvez pudesse encontrar uma rota para algum lugar mais amigável, talvez até apoio militar.

O homem destronado em tudo, exceto nas últimas formalidades, estremeceu tarde demais, escuridão adentro.

3

MARÇO: "NA MEDIDA EM QUE..."

Na noite profunda, no início do mês, após uma troca de telegramas com Rodzianko sobre a situação na cidade, o general Alekséiev telegrafou ao general Ivanov ordenando que ele não avançasse sobre a cidade, como fora planejado, porque a "completa paz foi restaurada em Petrogrado".

Isso não era de todo falso. Mas ele e o Comitê da Duma disseram o que deviam dizer para evitar uma contrainsurgência fadada ao fracasso. Assim, a contrarrevolução romanoviana foi cancelada.

No Palácio de Táurida, às onze horas da manhã de 1º de março, o Comitê Executivo do Soviete se reuniu novamente em uma sessão tensa para debater a questão do poder. Alguns membros da ala direita argumentaram a favor da coalizão com o Comitê da Duma, uma vez que, de acordo com suas teorias históricas e políticas, a necessidade de uma transferência de poder para o governo provisório criado por aquele comitê não estava em discussão. Mas a minoria da ala esquerda do Comitê Executivo – três bolcheviques, dois SRs de extrema esquerda e um mejraiontsy – exigiu a criação de um "governo revolucionário provisório" sem os deputados da Duma. Essa era uma reminiscência da posição de Lênin antes da guerra: enquanto os mencheviques argumentavam que o proletariado e os marxistas deveriam se abster de um governo (necessariamente) burguês, Lênin defendia um governo provisório, revolucionário e conduzido pelo proletariado, como o melhor veículo para uma revolução (mais uma vez, necessariamente) democrático-burguesa.

Na verdade, apesar do apelo da minoria do Comitê Executivo, os bolcheviques, enquanto partido, não estavam unidos nem em relação ao Soviete – acerca do qual alguns militantes continuavam céticos – nem em relação às questões do poder governamental. Naquele mesmo dia, quando o Comitê Bolchevique do Distrito de Vyborg (da ala esquerda) fez circular no caos das ruas uma declaração em que exigia um governo revolucionário provisório, o Comitê Central do Partido Bolchevique tomou medidas contra essas manifestações indisciplinadas.

O Comitê Executivo do Soviete, o Ispolkom, tinha apenas uma hora para discutir e decidir a forma do poder pós-revolucionário. Uma aspiração absurda. A reunião se arrastou muito mais tempo do que o estabelecido. Sob o domo do grande salão do Palácio de Táurida, centenas de delegados do Soviete, em assembleia geral, aguardavam a resposta do Ispolkom. A impaciência era cada vez mais barulhenta. Já passava de meio-dia quando o Ispolkom enviou o menchevique Skóbolev para pedir mais tempo.

Ele foi surpreendentemente interrompido enquanto falava. As portas da sala se abriram de repente e um grupo ruidoso de soldados uniformizados se amontoou ali. Enquanto os recém-chegados gritavam, o Ispolkom tomou a palavra e se apressou para se unir à multidão.

Os ansiosos soldados vieram pedir orientações ao Soviete: como deveriam responder à exigência de Rodzianko de que depusessem as armas? O que deveriam fazer em relação a seus superiores, contra os quais o ânimo popular continuava tão ameaçador que havia perigo real de linchamentos? E a quem deviam obediência, ao Soviete ou ao Comitê da Duma?

O ruidoso grupo partiu seguro de que deveria manter as armas. Isso até que foi fácil.

Já a decisão de subordinar a Comissão Militar do Soviete ao Comitê da Duma gerou mais controvérsia. No interior da sala, os membros da esquerda vociferavam, denunciando a decisão como colaboracionismo. Quanto ao Ispolkom, o ex-bolchevique Sokolov defendeu a decisão com base na experiência militar e no "papel histórico" da burguesia.

A partir dos argumentos que ecoavam pela sala, surgiu um consenso. Oficiais antirrevolucionários não eram de confiança, mas o comando de oficiais "moderados" era legítimo – embora apenas em relação a questões de combate. Enquanto as idas e vindas se arrastavam, um soldado do Regimento Preobrajiénski explicou como ele e seus camaradas haviam elegido um comitê administrativo em suas próprias fileiras.

Oficiais eleitos. A ideia fincou raízes.

Finalmente o Soviete conseguiu esboçar uma resolução. Esta enfatizava a importância dos comitês de soldados. Propunha a democracia dos sovietes dentro das unidades, combinada com a disciplina do serviço militar. Os soldados, insistiu a assembleia, deveriam enviar representantes à Comissão Militar do Comitê da Duma e reconhecer sua autoridade – *na medida em que isso não divergisse da opinião do Soviete.*

Nessa extraordinária cláusula condicional, radicalismo e conciliação rodopiavam juntos, mas não se misturavam.

Agora convictos, os soldados foram apresentar suas decisões ao coronel Engelhardt, da Comissão Militar. Exigiram que ordenasse, como ele recordou depois, a eleição dos "oficiais subalternos". Em nome do Comitê da Duma, entretanto, Rodzianko rejeitou imediatamente esse compromisso com a esquerda, encarregando Engelhardt de fazer o melhor que pudesse para apaziguar a ira dos soldados.

A manobra ainda não estava concluída: naquela noite, sob as ordens do Soviete, eles voltaram à Comissão Militar para solicitar a Engelhardt que os regulamentos relativos à organização militar fossem redigidos em colaboração com o Comitê da Duma. Quando ele rejeitou essa nova tentativa de aproximação, os soldados partiram irritados. "Tanto melhor", disse um deles na saída. "Nós mesmos escreveremos os regulamentos."

Às seis horas da manhã, no Soviete, um Comitê Executivo cheio de gente, ao qual logo se juntaram os novos delegados escolhidos pelos soldados – bolcheviques, mencheviques, SRs, independentes e um solitário membro do Kadet – reiniciou as discussões sobre o poder. Mais uma vez, os moderados exigiram uma coalizão ativa com o Comitê da Duma. Mas a posição que prevaleceu, segundo Sukhánov, um intelectual independente próximo da ala esquerda dos mencheviques, foi aquela de que a "tarefa" do Soviete era "forçar" a relutante burguesia liberal a assumir o poder. Afinal de contas, pelo modelo menchevique, ela era o agente necessário de uma revolução necessária e necessariamente burguesa. E as condições extremamente limitadas para um acordo, é claro, traziam o risco de dissuadir esse temeroso liberalismo burguês de cumprir seu papel histórico.

Com base nisso, o Ispolkom estabeleceu nove condições para apoiar um governo provisório:

1) anistia dos presos políticos e religiosos;

2) liberdade de expressão, publicação e greves;

3) introdução de uma república democrática por meio de sufrágio (masculino) universal, igualitário, direto e secreto;

4) preparação para a convocação de uma Assembleia Constituinte, voltada para um governo permanente;

5) substituição da força policial por uma milícia popular;

6) eleição de órgãos administrativos locais conforme o item 3;

7) abolição da discriminação baseada em classe, religião ou nacionalidade;

8) autogestão do Exército, inclusive com eleição de oficiais;

9) não retirada de Petrogrado nem desarmamento das unidades do exército revolucionário.

Necessariamente, como convinha ao papel que considerava ter como supervisor, o comitê também aprovou, por treze votos a oito, que seus membros não deveriam participar do gabinete do governo provisório criado pelo Comitê da Duma.

Essas exigências eram moderadas. A esquerda presente na sala permaneceu quase toda em silêncio: toda a sublevação havia deixado os bolcheviques, em particular, um tanto hesitantes, em dúvida sobre como reiterar sua *differentia specifica*, isto é, seu antiliberalismo consistente.

Os pontos mais radicais da lista se referiam ao Exército. Eles partiram dos representantes dos soldados, furiosos com a intransigência de Engelhardt. E a raiva ainda não estava esgotada.

O exausto Comitê Executivo autorizou um pequeno grupo a se juntar aos soldados para formalizar suas demandas particulares. Eles se reuniram, lotando uma pequena sala, e Sokolov se debruçou sobre uma mesa, na penumbra, anotando e traduzindo as reivindicações em linguagem jurídica. Meia hora depois, apareceram com o que Trótski chamaria de "a carta de liberdade do exército revolucionário" e "o único documento legítimo da Revolução de Fevereiro", formulado não pelo corpo executivo do Soviete, mas pelos próprios soldados – a Ordem Número 1.

A Ordem Número 1 consistia em sete pontos:

1) eleição de comitês de soldados nas unidades militares;

2) eleição de representantes dos soldados para o Soviete;

3) subordinação dos soldados ao Soviete em ações políticas;

4) subordinação dos soldados à Comissão Militar – na medida em que, mais uma vez e sobretudo, suas ordens não contrariassem as do Soviete;

5) controle dos armamentos pelos comitês de soldados;

6) disciplina militar em serviço e direitos civis plenos nas demais ocasiões;

7) abolição dos títulos honorários para os oficiais e do uso, por estes, de termos depreciativos para os seus homens.

A ordem priorizava o poder do Soviete sobre o poder do Comitê da Duma, e pôs o armamento da guarnição de Petrogrado à disposição do Soviete. Ainda assim, o Comitê Executivo do Soviete, com sua estranha mistura de marxismo jesuítico e hesitação política, não desejava o poder que lhe era concedido dessa forma. Por mais que seu cumprimento viesse a ser negligenciado e independentemente de se revelar um possível constrangimento para os mais cautelosos, em essência a Ordem Número 1 era uma crítica severa à autoridade militar tradicional – e assim permaneceria, como um toque de clarim.

Os dois últimos pontos consistiam em uma articulação militar de ênfase na honra, na dignidade humana, pela qual os trabalhadores mais radicais haviam se empenhado desde 1905. Até fevereiro, os soldados ainda eram submetidos a humilhações brutais. Não podiam receber livros ou jornais, pertencer a sociedades políticas, nem assistir a palestras ou espetáculos de teatro sem permissão. Não podiam usar trajes civis quando estavam de licença. Não podiam comer em restaurantes ou andar em bondes elétricos. E os oficiais se referiam a eles com apelidos humilhantes, empregando formas linguísticas de superioridade. Daí a luta contra a familiaridade depreciativa, o ódio de classe à gramática.

Os soldados, assim como os trabalhadores e os demais, exigiam ser tratados com o respeitoso "cidadão", um termo que se propagava tão amplamente que era como se tivesse sido "inventado agora mesmo!", escreveu o poeta Mikhail Kuzmin. A revolução e sua linguagem o atraíam: "Uma áspera lixa poliu nossas palavras".

O general Ivanov e suas tropas de choque chegaram tarde demais a Tsárskoie Seló, onde a tsarina, vestida de enfermeira, cuidava dos filhos, que haviam pegado sarampo. Ela temia que a presença de Ivanov agravasse a situação política, mas a missão dele estava terminada: de Alekséiev veio a informação de que ele não deveria prosseguir.

Pouco antes das oito horas da noite, o próprio tsar chegou a Pskov. Rodzianko havia prometido encontrá-lo lá, mas agora enviava pedidos de desculpa. Nicolau não sabia, mas ele estava se preparando para as negociações entre o Comitê da Duma e o Soviete.

Um certo general Rúzski estava no comando das forças no entorno da cidade medieval de Pskov. Quando se apresentou para saudar o tsar, estava atrasado, perturbado, foi brusco e calçava botas de borracha. A falta de pompa estava no limite da subversão. O tsar se conteve. Deu ao general permissão para falar livremente. Perguntou-lhe qual era sua avaliação da situação.

O antigo modelo, explicou Rúzski com todo o cuidado, havia chegado ao fim de seu curso natural.

Talvez, sugeriu ele, o tsar pudesse adotar um modelo do tipo "o soberano reina e o governo rege".

Uma monarquia constitucional? A mera insinuação provocou em Nicolau uma espécie de ofuscante *satori* sobre seus próprios limites. Isso, para ele, "era incompreensível", murmurou. Para concordar com algo dessa espécie, disse, ele teria de nascer de novo.

Às 11h30 da noite, enquanto os comitês do Soviete e da Duma se preparavam para um encontro em Petrogrado, Nicolau recebeu um telegrama enviado pelo general Alekséiev horas antes, no mesmo momento em que cancelou a ação das tropas do tsar.

"É impossível", leu Nicolau, "pedir calmamente ao Exército que trave uma guerra enquanto há uma revolução em andamento na retaguarda."

Alekséiev suplicou ao tsar que indicasse um gabinete ministerial que gozasse da confiança da nação, implorando a ele que assinasse a minuta de um manifesto nesse sentido, escrita às pressas por membros do Comitê da Duma e a favor da qual eles estiveram angariando apoio – incluindo intencionalmente um dos primos do tsar, o grão-duque Serguei Mikháilovitch.

Para o tsar, isso – vindo do leal Alekséiev – foi um severo golpe. Ele ponderou. Por fim, convocou Rúzski e ordenou que ele transmitisse a Rodzianko e Alekséiev seu consentimento – para que a Duma formasse um gabinete. Depois telegrafou a Ivanov, anulando sua autoridade e ordenando que ele não prosseguisse para Petrogrado.

É claro que, àquela altura, essa ordem, assim como o homem que a havia dado, era supérflua.

À meia-noite de 1º de março, Sukhánov, Tchkheidze, Steklov e Sokolov, do Soviete, cruzaram o Palácio de Táurida de ponta a ponta para se encontrarem com seus pares da Duma em uma missão iniciada por Sukhánov, nem inteiramente oficial nem inteiramente reprovada. Eles iam discutir os termos do apoio do Soviete à tomada de poder pela Duma. Próximo da ala esquerda dos mencheviques, Sukhánov foi uma testemunha inteligente, mordaz e sarcástica daquele ano, com uma estranha capacidade de estar presente nos momentos cruciais da história. Aquela noite continua viva em suas memórias.

Sob o teto alto, a sala de reuniões da Duma estava imunda, com pontas de cigarro e garrafas espalhadas, e o odor dos pratos com restos de comida fazia os famintos socialistas salivarem. Dez representantes da Duma estavam lá, entre os quais Miliúkov, Rodzianko e Lvov. Tecnicamente um membro do Soviete, Keriénski também estava presente. Ele permaneceu anormalmente calado. Irritado, Rodzianko bebia obsessivamente água com gás. Na maior parte do tempo, Pável Miliúkov, do Kadet, falou pelo Comitê e Sukhánov falou pelo Soviete.

Os grupos puderam medir a distância que havia entre eles. Em relação a duas questões políticas cruciais, a guerra e a redistribuição de terras, eles estavam bastante divididos, por isso evitaram tais assuntos. Afora isso, liberais e socialistas – estes pouco inclinados a dissuadir aqueles de assumir o poder – ficaram agradavelmente surpresos com o bom andamento das negociações.

Embora admitisse que Nicolau devia abdicar, o anglófilo Miliúkov sonhava em manter a instituição da monarquia. Seria possível, devaneava ele, persuadir Nicolau a abdicar em favor de seu filho, sob a regência de seu irmão Miguel? Como se estivesse se lembrando da presença dos republicanos de esquerda, Miliúkov se apressou em descrever a dupla como "um menino doente [...] e um homem absolutamente estúpido". Essa ideia, retrucou Tchkheidze, era fantasiosa e inaceitável.

Ficou estabelecido que os pontos problemáticos poderiam esperar até a convocação da Assembleia Constituinte, assim a questão foi adiada. O terceiro dos nove pontos apresentados pelo Soviete, sobre a "república democrática", foi abandonado.

Para evitar problemas a curto prazo, Miliúkov, com expressão de desdém, concordou em não reposicionar as tropas revolucionárias da cidade. O que ele não podia admitir, porém, era a eleição de oficiais. Para os liberais e para a direita, isso seria a ruína do Exército. E a Ordem Número 1? Os soldados deviam obediência ao governo na medida em que suas ordens não contradissessem o Soviete? Essa ideia era estarrecedora.

Chulguin interferiu. Ele nunca foi diplomático como Miliúkov. Se o Soviete tinha o poder implícito naquela ordem, sugeriu ele friamente, então que prendesse o Comitê da Duma e estabelecesse o governo sozinho.

Mas é claro que tomar efetivamente o poder era a última coisa que os aturdidos socialistas queriam.

Foi naquele momento que um agitado grupo de oficiais do Exército interrompeu repentinamente a discussão. Eles chamaram Chulguin para fora.

A revolução tem seus mistérios. Essa intervenção – no momento certo – é um deles. A identidade desses oficiais permanece duvidosa, bem como a mensagem que levavam. Mas, quem quer que fossem, parece que deram a entender a Chulguin que se opor à Ordem Número 1, naquela noite, significaria um banho de sangue. Talvez houvesse até um massacre de oficiais.

Qualquer que tenha sido a origem dessa nebulosa intervenção, ela se mostrou vital. Ao retornar à sala, Chulguin concordou que o Soviete não precisava rescindir a Ordem Número 1, mas deveria publicar uma segunda ordem para atenuá-la.

O Comitê da Duma também tinha suas demandas. E insistia que o Comitê Executivo do Soviete devia restaurar a ordem e restabelecer o contato entre soldados e oficiais. Por mais que isso enfurecesse os conservadores, estava claro que o Ispolkom era o único órgão com poder para fazer isso. E era imperativo que o Ispolkom declarasse legítimo o governo provisório acordado entre ele e o Comitê da Duma.

Miliúkov havia se preparado para brigar por esses pontos e foi agradavelmente surpreendido pela pronta – e até mesmo sequiosa – aquiescência dos representantes do Soviete.

Eram três horas da madrugada de 2 de março quando a reunião foi suspensa. Entretanto, nem todos podiam dormir: alguns ainda tinham outros assuntos a resolver.

Logo depois, um estranho trem de dois vagões deixou a Estação Varsóvia, em Petrogrado, iluminando a noite. Escoltado por guardas, levava Chulguin e o conservador outubrista Aleksandr Gutchkov, com a missão de reescrever a história. Os dois direitistas haviam assumido uma tarefa ingrata: eles se ofereceram para se encontrar com o tsar e tentar convencê-lo a abdicar.

Estação após estação, ao longo do caminho, a plataforma e o trem eram invadidos por massas de soldados e civis que ignoravam o frio, animados pela insurgência, desesperados por detalhes, todos em acalorado debate. Em Lugin e Gátchina, soldados rebeldes saudaram os viajantes com entusiasmo: como representantes da Duma e, portanto, na opinião de muitos, da própria revolução, Gutchkov e Chulguin eram obrigados a fazer seguidos pequenos discursos.

As primeiras horas da manhã se arrastaram, assim como o dia, enquanto aqueles homens agitados e impacientes se preparavam para a sua tarefa, sem saber que ela já era irrelevante.

Um dos motivos pelos quais o tsar decidiu ir para Pskov era a ligação telegráfica com a capital. Em uma sala de comunicações localizada nos fundos do Palácio de Táurida havia uma máquina Hughes. Inventado pouco mais de meio século antes, esse aparato telegráfico era um emaranhado de rodas de latão, fios e madeira cujo teclado preto e branco fora desenhado para imitar um piano. Nesse tipo de máquina, enquanto o disco de impressão girava, operadores que eram verdadeiros virtuoses poderiam "tocar" o texto da mensagem enquanto, na outra ponta da conexão, surgia uma longa fita cheia de palavras.

A Rússia era um extenso império de fios que se estendiam sobretudo de uma agência de correio a outra e ao longo das ferrovias. Por eles passavam acontecimentos e opiniões, informações, discordâncias, ordens, confusão e lucidez, espalhando-se com o estrépito seco das teclas e do desenrolar da bobina, cada partido ditando uma frase de cada vez para os operadores treinados.

Às 3h30 da madrugada, pouco depois da partida de Gutchkov e Chulguin, Rodzianko estabeleceu conexão com Pskov pela máquina Hughes. Na outra ponta, um confuso Rúzski transmitiu a boa notícia de que Nicolau, que naquele momento estava em seu vagão privativo escrevendo nervosamente em seu diário, havia finalmente concordado em formar um ministério responsável.

"É óbvio", respondeu Rodzianko, "que nem Sua Majestade nem você entenderam o que está acontecendo."

Aturdido, Rúzski viu a devastadora mensagem de Rodzianko sair ruidosamente da máquina, palavra por palavra. A oportunidade havia sido perdida. A época dos ministérios estava acabada.

Consequentemente, às cinco horas da madrugada, enquanto Rodzianko se encontrava ainda no meio daquela importante troca de mensagens, Miliúkov procurou o advogado Sokolov e o esquerdista independente Sukhánov, do Soviete, com o intuito de formalizar um acordo de colaboração.

A proclamação, como Miliúkov alardearia mais tarde, impunha que as pessoas restaurassem a ordem, o que era "quase o mesmo que [ele, Miliúkov] [...] vinha dizendo aos soldados do palanque dos quartéis. E foi aceito para publicação em nome do Soviete!". Não se fez referência à eleição de oficiais. Tampouco o Comitê Executivo do Soviete interferiu na escolha do novo gabinete. O Comitê da Duma ofereceu cargos a dois membros do Soviete a quem já havia se dirigido, Tchkheidze e Keriénski. Aquelas funções no governo que o Soviete já havia, em princípio, recusado.

Em breve essa decisão seria dramaticamente revogada.

A longa troca de mensagens entre Rodzianko e Rúzski continuava. Como costumava acontecer, ela foi retransmitida a outras partes envolvidas ao longo da linha. A desastrosa informação se espalhou. Às seis da manhã, um dos destinatários, o general Daníloy, do *front* do norte, ordenou que os telegrafistas a transmitissem ao general Alekséiev, em Mahilou.

Alekséiev compreendeu imediatamente a magnitude do que leu. Às 8h30, ordenou que o *staff* de Pskov acordasse o tsar e transmitisse a ele o conteúdo da conversa.

"Toda formalidade deve ser ignorada", insistiu. Sua urgência não foi compartilhada. Foi avisado friamente de que o tsar estava dormindo.

Alekséiev sabia que seria preciso uma representação do Exército, uma das poucas instituições que Nicolau respeitava, para fazê-lo compreender e se render ao inevitável. O general enviou o texto da explosiva discussão aos comandantes das frotas e dos *fronts* russos, pedindo que respondessem com recomendações ao tsar.

Somente após as dez da manhã é que o desafortunado Rúzski finalmente levou ao tsar a transcrição de sua conversa com Rodzianko. Ele a entregou. O tsar leu. Ao terminar, contemplou o teto um longo tempo. E murmurou que havia nascido para a infelicidade.

Rúzski, pálido e aterrorizado, leu o telegrama de Alekséiev para os generais. Não podia haver engano quanto a suas implicações. O tsar tinha de abdicar.

Nicolau permaneceu em silêncio.

Rúzski esperou. O tsar por fim se levantou. O olhar ameaçador do apocalipse. O tsar anunciou que estava indo almoçar.

A quase 2.300 quilômetros dali, em Zurique, Lênin virava a página 2 do *Neue Zürcher Zeitung*. Nela, uma breve reportagem trazia informações sobre uma revolução em Petrogrado. Lênin também olhou pensativo para o alto, com os olhos bem abertos.

Naquela manhã, no Palácio de Táurida, Miliúkov se dirigiu ao imenso salão de Catarina para anunciar o governo provisório à multidão revolucionária ali reunida. Enquanto ele listava os membros do gabinete, a sala vaiava, perplexa, os nomes que não conhecia e, descontente, aqueles que conhecia.

Uma indicação, no entanto, foi aplaudida: o cargo de ministro da Justiça seria ocupado pelo popular SR (como ele agora se declarava) Aleksandr Keriénski. E isso apesar de o Comitê Executivo do Soviete ter concordado que seus membros não assumiriam cargos no gabinete.

Miliúkov era habilidoso. Citou alguns lemas revolucionários para conquistar a cética audiência, respondendo às farpas com segurança. Quando alguém gritou "E quem elegeu você?", ele respondeu prontamente: "Foi a Revolução Russa que nos elegeu!". Entretanto, uma coisa ele não conseguiu: a continuidade da dinastia real. Quando anunciou "apenas" a abdicação de Nicolau – algo com que o próprio Nicolau ainda não havia concordado –, a multidão furiosa rugiu.

O afastamento do tsar era, é claro, uma calamidade para parte do país. Enquanto Miliúkov discutia com os revolucionários, do outro lado da cidade, Zinaída Tchaikóvskaia e suas colegas de classe estavam reunidas no salão do Instituto Imperatriz Catarina para Jovens Damas da Nobreza. Zinaída tinha dez anos de idade e estava confusa: as alunas mais velhas, ao conduzir as preces, pareciam ter pulado as súplicas habituais pelo tsar e sua família. Agora ela tropeçava nas palavras substitutas desconhecidas, insegura de como pronunciar "Oremos pelo governo provisório". Parou e começou a chorar. E, quando, confusa, olhou para os professores, eles também puxavam seus lenços e deixavam escapar algumas lágrimas, bem como as meninas à sua volta, assim como ela, sem saber por que estavam de luto.

Aquele choro não ecoou pelos corredores do Táurida. A informação que começava a chegar ao palácio era que os soldados estavam saqueando as casas dos ricos e prendendo qualquer um que considerassem monarquista. A intransigência de Nicolau ameaçava a estabilidade nacional.

Os trabalhadores se amontoavam pelos corredores, com o anúncio de Miliúkov fresco na memória. Corriam atrás dos representantes do Soviete querendo saber se era verdade que a monarquia ainda estava em vigor, deixando muito claro que, se fosse esse o caso, a missão estava inacabada.

Naquela tarde, o Soviete de Petrogrado se reuniu para discutir o que o Comitê Executivo havia acordado com o Comitê da Duma. Mas, pouco depois, às duas horas da tarde, começava uma tumultuosa sessão geral. Um alvoroço interrompeu os trabalhos. Keriénski. Ele entrou a largos passos, levantou a voz e começou a falar. Tchkheidze, que presidia a sessão, hesitou, mas os delegados reunidos exigiram que ele permitisse a intervenção.

Keriénski subiu à tribuna. Dirigiu-se à multidão.

"Camaradas", ele disse, "vocês confiam em mim?"

"Sim", a multidão gritou. Sim, todos confiavam nele.

"Camaradas, falo com toda a minha alma", ele continuou, trêmulo. "E, se for preciso provar, se vocês não confiarem em mim, então estou disposto a morrer."

Mais uma vez a multidão aplaudiu a sua teatralidade.

Keriénski havia acabado de receber um convite, comunicou ele à sala, para ser ministro da Justiça do governo provisório. Deram-lhe cinco minutos para decidir. Com pouco tempo para consultar o Soviete, e sem escolha, a não ser agarrar a história pelo rabo, ele aceitara o convite. E agora vinha pedir a aprovação de seus camaradas.

Como observou o historiador Tsuyoshi Hasegawa, esses cinco minutos foram extremamente longos: na verdade, Keriénski havia recebido o convite no dia anterior e o aceitara pouco antes, ainda naquela manhã.

Sua primeira ação como ministro, exclamou ele, fora libertar todos os presos políticos – uma medida que, na verdade, fora acertada anteriormente entre o Comitê Executivo e o Comitê da Duma. É claro que, sem a autorização formal do Soviete para aceitar o cargo, disse à sala, ele respeitosamente renunciava a seu posto de vice-presidente do Soviete. Contudo! Ele assumiria o cargo novamente se os seus camaradas, e as massas em nome de quem eles falavam, assim o quisessem. A escolha era deles.

Aclamação. Êxtase. Sim, gritaram os delegados, ele devia manter também o cargo no Soviete.

Após mais algumas histrionices, Keriénski deixou a sala – rápido demais para ser confrontado por seus colegas, perplexos e estrategicamente derrotados.

Muito astuciosamente, havia contado com a relutância deles em arriscar um embate. Com esse desonesto *coup de théâtre*, aquela violação *post factum* da diretriz do Ispolkom foi admitida, e o cargo de Keriénski no governo foi apoiado pela assembleia do Soviete.

Com muitos militantes fora da prisão, o Bureau Russo do Comitê Bolchevique de Petersburgo, fundado por Shliápnikov em 1915 e recém-reconstituído por ele (a despeito da obstrução dos espiões da polícia), começou a funcionar como uma espécie de Comitê Central substituto. Inicialmente sob o comando de três integrantes – Chliápnikov, Mólotov e Zalutski –, essa formação prosseguiu enquanto a maioria dos membros formais do verdadeiro Comitê Central (CC), entre os quais Lênin, Zinóviev, Stálin, Kámeniev e outros, continuava no exterior ou na Sibéria.

No Soviete, o Bureau Russo apresentou prontamente uma resolução declarando o novo governo provisório "representativo da grande burguesia e dos grandes proprietários de terras" e, portanto, incapaz de realizar os objetivos revolucionários. Mais uma vez, de maneira um tanto nebulosa, reivindicava-se um "governo provisório revolucionário". A moção foi derrubada.

E, a despeito das declarações radicais de alguns bolcheviques – especialmente daqueles do distrito eleitoral de Vyborg, em Petrogrado –, quando houve a votação para decidir a transferência do poder para um governo provisório não eleito, dos quarenta bolcheviques da Assembleia Geral do Soviete, apenas quinze votaram contra. Isso ilustra a confusão política, o grau de hesitação e de moderação do flanco esquerdo da revolução naqueles impetuosos primeiros dias.

Dois de março, 2h30 da tarde. O tsar caminhava de um lado para o outro na plataforma da estação de Pskov. A uma distância respeitosa, um séquito de nobres e aduladores observava ansiosamente.

Nicolau se voltou para eles. Solicitou a presença dos generais Rúzski, Sávic e Danílov. E disse que eles deveriam trazer todos os telegramas dos generais.

Ele os recebeu em seu vagão particular. Enquanto o tsar andava impacientemente de um lado para o outro, o grão-duque Nikoláevitch implorava "de joelhos" que ele renunciasse à coroa. Todos os generais amaldiçoaram os "bandidos" do governo provisório, execraram a sua perfídia, atacaram-nos violentamente – mas, ao fim dessa condenação, admitiram estar diante de um fato consumado.

O tsar pediu que falassem livremente. Eles disseram que ele deveria sair. Não havia opção, disse Danílov. Sávic gaguejou, esforçou-se para falar, concordou.

O tsar parou ao lado de sua mesa, virou-se e olhou fixamente a paisagem de inverno pela janela. Ficou um longo tempo em silêncio. Fez uma careta.

"Cheguei a uma resolução", disse afinal, virando-se. "Decidi abdicar do trono em favor de meu filho."

O tsar fez o sinal da cruz. Seus companheiros fizeram o mesmo.

"Agradeço a vocês pela excelência e lealdade de seus serviços", disse Nicolau. "Tenho confiança de que eles serão estendidos a meu filho." Ele os dispensou a fim de redigir os telegramas decisivos a Alekséiev e Rodzianko.

O conde Vladímir Frederiks correu pelos vagões para dar a notícia aos membros da comitiva, que aguardavam. Eles ficaram atônitos. Alguns choraram. O almirante Nílov decidiu que Rúzski era o culpado e jurou que mandaria executá-lo. O comandante da corte, Vladímir Voiéikov, e o coronel Narychkin correram até o aparelho Hughes a fim de interromper o trabalho das teclas e dos cabos e exigir o retorno dos telegramas enviados por Nicolau. Mas o mundo a que eles pertenciam estava extinto: Rúzski lhes informou que era tarde demais.

Ele lhes disse uma meia verdade. Havia enviado o telegrama do tsar a Alekséiev e, ao recebê-lo, o general se encarregou imediatamente do manifesto de abdicação. Mas, quando Rúzski soube que Gutchkov e Chulguin estavam a caminho, reteve a mensagem de Nicolau para Rodzianko. Aparentemente, ele queria entregá-la em pessoa.

Enquanto os seus subordinados hesitavam na retaguarda, o tsar estava empenhado em uma conversa particular urgente. Seu médico lhe dizia francamente que o jovem hemofílico Alexei, sobre o qual recairia o fardo da coroa, provavelmente não teria vida longa.

Rúzski ordenou que Gutchkov e Chulguin fossem trazidos até ele sem demora. Mas às nove horas da noite, quando finalmente chegaram – trazendo consigo um improvisado decreto de abdicação que Chulguin havia rabiscado no caminho –, foram levados diretamente para o vagão do salão imperial, sem o conhecimento de Rúzski, em um último espasmo de luta e maquinação da corte. Ali começava a última e sombria comédia romanoviana.

Gutchkov começou a explicar a Nicolau o perigo que a Rússia enfrentava. Em um tom que soava como uma ameaça, disse ao tsar que havia apenas um caminho. No momento em que falava, Rúzski entrou. Ficou horrorizado ao ver os dois recém-chegados, e mais ainda quando percebeu que eles estavam tentando persuadir o silencioso tsar a fazer o que já havia concordado em fazer.

Rúzski interrompeu a conversa, dando bruscamente essa informação aos dois homens estupefatos. Enquanto falava, Rúzski entregou a Nicolau o telegrama assinado, mas que ainda não havia sido enviado a Rodzianko – e com um frio na barriga viu o tsar dobrá-lo e displicentemente colocá-lo de lado. Para fazer sabe-se lá o que com ele.

"Ponderei durante toda a manhã e estava disposto a abdicar do trono em favor do meu filho, em nome do bem, da paz e da salvação da Rússia", disse o tsar. O coração de Rúzski deu um salto. "Mas agora, reconsiderando a situação, cheguei à conclusão de que, em virtude da sua doença, devo abdicar tanto pelo meu filho quanto por mim, uma vez que não posso me separar dele."

E, para a perplexidade de todos os presentes, nomeou seu irmão Miguel como seu sucessor.

Chulguin e Gutchkov hesitaram. Chulguin e Gutchkov exultaram. "Os sentimentos humanos de um pai falam em Vossa Majestade", disse Gutchkov, "e a política não tem competência nesse assunto. Portanto, não podemos nos opor a sua proposta."

Contudo, insistiram, precisavam de uma declaração assinada. Constrangido ao ver o profissionalismo da minuta de abdicação de Alekséiev, Chulguin desistiu de sua versão toda remendada. "Por não desejarmos nos separar de Nosso amado filho, transmitimos Nossa sucessão a Nosso irmão, o grão-duque Miguel Aleksandrovitch." A declaração foi datada retroativamente em algumas horas, para evitar qualquer sugestão de que Nicolau fora pressionado pelo Comitê da Duma. Como na verdade fora. Às 11h40 da noite, o tsar assinou o documento e deixou de ser tsar.

À uma hora da madrugada de 3 de março, o trem de Nicolau Románov partiu de Pskov rumo a Mahilou.

Em um raro lampejo de vida interior, o antigo autocrata escreveu em seu diário que estava padecendo de "sentimentos sombrios".

Gutchkov e Chulguin voltaram às pressas para Petrogrado, onde a notícia da decisão de Nicolau havia desencadeado uma tempestade de intriga entre seus pares. Quando o trem em que viajavam chegou à capital, nas primeiras horas do amanhecer, eles vivenciaram em primeira mão o clima antimonarquista.

A estação estava tomada por soldados que corriam de um lado para o outro, ansiosos por informações. Eles cercaram os recém-chegados e os pressionaram a fazer um novo discurso. Chulguin discursou por um longo tempo. Leu a abdicação de Nicolau com grande fervor. Mas, ao terminar com um "Vida longa ao imperador Miguel III!", a reação que conseguiu foi nitidamente de decepção. Naquele instante exato, um momento de cruel e completa ironia, ele foi chamado ao telefone: um cauteloso Miliúkov lhe implorava que não divulgasse a informação exata, o que ele acabava de fazer.

Enquanto isso, Gutchkov também tentava suscitar o entusiasmo – em uma reunião de ferroviários militantes. Quando falou da ascensão de Miguel, a reação foi tão hostil que um dos oradores exigiu que ele fosse preso. Foi apenas graças à ajuda de um soldado solidário que ele conseguiu escapar.

Chulguin e Gutchkov atravessaram a cidade de carro, até o número 12 da Milliónnaia, onde ficava o suntuoso apartamento da esposa do grão-duque, a princesa Putiatina. Ali, às 9h15 da manhã, o irmão de Nicolau se reuniu com os exaustos membros do governo provisório e do Comitê da Duma, que o haviam formado.

Agora era Miliúkov – evocando a Grande Rússia, a coragem e o patriotismo – que se empenhava em conservar a monarquia. Dado o clima insurrecionista em Petrogrado, a maioria dos demais se opunha à ascensão do grão-duque: quando Chulguin e Gutchkov chegaram, contaram histórias que deram ainda mais força aos fatalistas. Se for coroado, disse Keriénski ao grão-duque, "não posso assegurar a vida de Vossa Alteza".

Naquela manhã, quando Aleksandra, ainda em seu uniforme de enfermeira, foi informada da abdicação do marido, ela rogou, com lágrimas nos olhos, que as "duas cobras", "a Duma e a revolução", matassem uma à outra. Enquanto isso, seu cunhado discutia com a primeira cobra a melhor maneira de derrotar a segunda.

À uma da tarde, após horas de discussão e um longo período de solidão, de exame de consciência, Miguel voltou a se reunir com seus indesejáveis convidados. Ele perguntou a Rodzianko e a Lvov, outro membro do Kadet, se eles podiam garantir sua segurança, caso se tornasse tsar.

Eles não podiam.

"Considerando tais circunstâncias", ele disse, "não posso assumir o trono."

Keriénski deu um salto da cadeira. "Vossa Alteza", exclamou, "o senhor é um homem nobre!" Os outros permaneceram sentados, paralisados.

Era a hora do almoço, e a dinastia Románov estava acabada.

Naquela manhã, a imprensa – incluindo o novo jornal do Soviete, o *Izviéstia* – noticiou o novo governo provisório, constituído sobre os oito pontos acordados entre o Soviete e o Comitê da Duma. O *Izviéstia* fez um chamado de apoio, "na medida em que o governo emergente aja na direção de levar a cabo [suas] obrigações".

"Na medida em que": em russo, "*postolku-poskolku*". Uma fórmula decisiva para o poder dual e suas contradições.

Aqui, em meio à fumaça do sabá do maldito diabo
No ruidoso reino dos demônios inferiores,
Eles disseram: "Não existem contos de fadas na Terra".
Eles disseram: "O conto de fadas morreu".
Ah, não creiam nisso, não creiam na marcha fúnebre.*

Uma explosão de reencantamento. Em 4 de março, para o enlevo de vastas camadas das classes populares, a imprensa tornou pública a abdicação de Nicolau e a recusa do trono por Miguel. Foi nesse dia que o *Diélo Naroda*, o jornal do SR, escreveu a seus leitores que haviam mentido para eles, que os contos de fadas não só eram reais como eles estavam vivendo um.

E o jornal continuava: era uma vez "um enorme e velho dragão", que devorou os cidadãos mais corajosos e valorosos "na neblina da loucura e do poder". Mas um valente herói apareceu, um herói *coletivo*. "Meu campeão", escreveu o *Diélo Naroda*, "é o povo."

Chegou a hora do fim para a besta,
O velho dragão vai se contorcer e morrer.**

---

* "*Here, in the smoke of the wretched devil's sabbath/ In the noisy reign of petty demons/ They said, 'There are no fairy tales on earth'./ They said, 'The fairy tale has died'./ Oh, don't believe it, don't believe the funeral march.*" (N. T.)

** "*The hour has come for the beast's end,/ The old dragon will coil up and die.*" (N. T.)

Era um mundo novo, um mundo pós-dragão. Houve uma enxurrada de reformas de grande envergadura, impensável dias antes. O governo provisório aboliu o odiado departamento de polícia. Faraós, nunca mais. E começou a demitir os governadores regionais da Rússia. Cautelosamente, avaliou concessões e acordos com as regiões do império e com as minorias. Após dias de revolução, os muçulmanos da Duma formaram um grupo e convocaram uma convenção para 1º de maio, a fim de discutir a autodeterminação. Em 4 de março, em Kiev, revolucionários ucranianos, nacionalistas, social-democratas e radicais formaram a Rada Central Ucraniana, ou conselho. Em 6 de março, o governo provisório restaurou a autogestão parcial da Finlândia, restabelecendo a Constituição finlandesa depois de treze anos de submissão ao governo central, e anunciou que uma futura Assembleia Constituinte finalmente decidiria sobre essas relações – tal postergação surgia como a técnica favorita de fuga das dificuldades políticas. No dia 16, foi conferida a independência à Polônia – contudo, como a Polônia estava ocupada por potências inimigas, o gesto foi simbólico.

Nesses primeiros dias, os socialistas do Soviete tentaram supervisionar o governo. "Membros do governo provisório!", exortou o jornal menchevique *Rabótchaia Gazieta*. "O proletariado e o Exército esperam ordens imediatas para a consolidação da Revolução e a democratização da Rússia." O papel das massas, naquele momento, era oferecer aos liberais não apenas apoio mas obediência – embora não incondicional. "Nosso apoio depende de *suas* ações." Esse era o apoio "*postolku-poskolku*". Na medida em que... Como se essa aspiração pudesse ser coerente.

Nesse contexto, a declaração do Soviete em 5 de março foi significativa. Tratava-se do abrandamento da controvertida Ordem Número 1, que havia sido prometido ao Comitê da Duma: a Ordem Número 2.

O que Gutchkov desejava era uma garantia inequívoca do Soviete de que a Ordem Número 1 se aplicaria apenas aos soldados de retaguarda. Mas a Ordem Número 2 era ambígua nesse ponto. Ela não estipulava que, mesmo em Petrogrado, os comitês do Exército não poderiam intervir nos assuntos militares; os soldados eram "obrigados a se submeter a todas as ordens das autoridades militares referentes ao serviço militar". Mas o Ispolkom ainda sugeria apoio à eleição dos oficiais.

No dia seguinte, o Ispolkom concordou em colocar seus próprios comissários em todos os regimentos para estabelecer de fato a ligação entre os soldados e o Soviete e pôr em prática a supervisão das relações do governo com as Forças Armadas. Mas, com essas relações e as suas próprias encerradas em documentos como a Ordem Número 2 – equivocada, evasiva, oscilando entre o consenso e a convicção –, os parâmetros do poder dos comissários nem sempre ficariam claros.

A oposição da extrema esquerda ao governo provisório – apoiada numa coalizão de classes e na continuidade defensista da guerra – não era unânime no início, nem mesmo entre os bolcheviques. Em 3 de março, o Comitê de Petersburgo adotou o que os ativistas designariam depois como uma resolução "semimenchevique": a favor da república, mas recusando a oposição ao governo provisório "*postolku-poskolku*" – contanto que suas políticas estivessem "em consonância com os interesses [...] do povo". Esse esforço conciliatório sofreria em breve um golpe severo.

Isolado em Zurique, Lênin se apressou em colher informações sobre sua terra natal, onde havia passado apenas alguns meses nos últimos quinze anos. Em 3 de março, apresentou sua posição política à sua companheira bolchevique Aleksandra Kollontai, pensadora provocativa e brilhante sobre uma variedade de temas, notoriamente a moralidade sexual, um campo em que suas atitudes ainda escandalizavam muitos de seus camaradas.

"O primeiro estágio da revolução", Lênin escreveu a ela, "não será o último." E a essa previsão acrescentou: "É claro, devemos continuar a nos opor à defesa da pátria". Isso não era uma certeza: muitos membros da esquerda, inclusive um grande número de "derrotistas", consideravam a posse de um governo democrático sob supervisão socialista uma mudança fundamental na natureza da guerra. Eles não se oporiam mais à defesa da Rússia. Para Lênin, em compensação, o derrotismo revolucionário era constitutivo de seu anti-imperialismo. E, uma vez que a Rússia ainda era capitalista, sustentava ele, o novo governo não alterava a oposição que ele fazia à guerra. Suas ideias eram duras, mas não incomuns no partido: foi com disposição similar que, no dia 7, o Bureau Russo – da esquerda do partido – declarou seu próprio derrotismo, alegando que "a guerra é uma guerra imperialista e assim permanece". Em 4 de março, Lênin começou a publicar suas opiniões em várias teses escritas em conjunto com Zinóviev, membro dos bolcheviques desde a cisão de 1903 – um "velho bolchevique", como eram chamados aqueles ativistas – e um dos mais próximos colaboradores de Lênin.

Lênin estava desesperado para voltar para casa, embora não soubesse como seria recebido. Planejou esquemas mirabolantes para atravessar a zona de guerra e chegar à Rússia pela Suécia: voos em aviões secretos, passaporte falso, passar-se por surdo-mudo para não ter de falar. À medida que planejava, suas posições políticas se aguçavam.

Em 6 de março, ele telegrafou para o CC em Petrogrado: "Nossa tática: desconfiança completa, nenhum apoio ao novo governo. Suspeitamos particularmente de Keriénski" – que era, por uma extraordinária coincidência, filho do diretor da antiga escola de Lênin. "Armar o proletariado é a única garantia. Eleições imediatas para a Duma [Municipal] de Petrogrado. *Nenhuma reaproximação com outros partidos*."

Uma semana depois da abdicação do tsar, entre os dias 7 e 12, Lênin começou a expor suas posições em uma série de documentos que ficariam conhecidos como "Cartas de longe". Essas cartas circularam na Suíça, mas o que ele mais queria era divulgá-las na Rússia, entre seus camaradas de Petrogrado, no jornal recém-ressuscitado do partido, o *Pravda*.

Em Oslo, sua camarada Kollontai estava ansiosa por receber notícias dele. "Temos de definir a direção do partido em nosso espírito", ela escreveu em seu diário, "temos de estabelecer imediatamente uma linha clara entre nós e o governo provisório e os defensistas [...]. Estou esperando instruções de Vladímir Ilitch".

Assim que terminou a primeira das "Cartas de longe", em que explicitava uma visão intransigente, Vladímir Ilitch – Lênin – a enviou a Kollontai. A carta chegou no dia 15, e Kollontai – que em telegrama se disse "estimulada por suas ideias" – partiu em uma longa viagem atravessando a Suécia e a Finlândia até chegar à Rússia.

Lênin não era o único refugiado político ansioso para retornar ao seu país. Martov, naquele momento estabelecido em Paris, havia criado um esquema relativamente menos excêntrico do que os de Lênin, embora, de certo modo, ainda mais problemático. Por intermediários suíços, Martov sugeriu que os exilados russos solicitassem um salvo-conduto ao governo alemão para atravessar a Alemanha em troca da liberdade de prisioneiros de guerra alemães e austríacos na Rússia. Essa proposta logo ficou conhecida como o "Trem Blindado".

De Mahilou, Nicolau despachou solicitações com imperturbável dignidade. Pediu permissão ao governo provisório para se juntar à sua família em Tsárskoie Seló e ali permanecer até que as crianças estivessem bem para sair do país. O primeiro-ministro Lvov sondou os britânicos sobre uma concessão de asilo.

Mas o Soviete e o povo queriam que os Románov fossem levados à justiça. O governo provisório capitulou diante da fúria popular. Às três horas da tarde de 8 de março, quatro representantes do governo desembarcaram na estação de Mahilou, onde foram aplaudidos por uma multidão entusiasmada, enquanto Nicolau aguardava em seu trem imperial. Ele se rendeu aos recém-chegados sem resistir. "Parecendo pálido", escreveu um observador, "o tsar os saudou, passou os dedos pelo bigode, como era seu costume, e voltou para o vagão para ser escoltado até Tsárskoie Seló, onde sua esposa já estava presa. Na plataforma, seu séquito se manteve em silêncio enquanto o trem saía da estação."

Alguns dos muitos espectadores saudaram os novos comissários do governo revolucionário. Outros olharam fixamente para o monarca destronado.

A modernidade era insurgente. O velho maquinário havia enguiçado. O governo provisório reteve o trem imperial em Peterhof, para deixar toda aquela pompa se reduzir a pó nos desvios. Em breve ele estaria sob os olhos de outra escultura, uma extravagante águia de duas cabeças agonizante, com os dois pescoços esticados, numa explosão supremacista. A autocracia derrubada por um golpe modernista.

Em 9 de março, os Estados Unidos foram a primeira potência a dar sua bênção ao governo provisório da Rússia. Grã-Bretanha, França e Itália fizeram o mesmo pouco depois. Esse reconhecimento expôs certas realidades.

No mesmo dia em que os Estados Unidos reconheceram o governo provisório, Gutchkov compartilhou suas frustrações com Alekséiev, que agora era um relutante comandante em chefe. Queixava-se amargamente de que "o governo provisório não tinha poder real e suas ordens eram executadas apenas na medida em que houvesse permissão do Soviete [...], que tinha em suas mãos os elementos mais importantes do poder efetivo, como as tropas, as ferrovias, o serviço postal e telegráfico".

O Soviete, por sua vez, continuava ambivalente em relação ao poder que tinha. No entanto, apesar dessa incerteza, a revolução e o modelo do Soviete se espalharam de modo irregular, mas acelerado. Em 3 de março, um morador de

64 anos de Poltava, na Ucrânia, registrou em seu diário que "pessoas vindo de Petrogrado e da Cracóvia relataram que em 1º de março houve uma revolução [...]. Para nós aqui em Poltava está tudo calmo". Menos de uma semana depois, seu tom havia mudado: "Os acontecimentos têm se sucedido com tamanha velocidade que não há tempo de discuti-los nem de simplesmente registrá-los".

Em 1º de março, o Soviete de Moscou reuniu mais de 600 deputados, predominantemente da classe trabalhadora, sob um inflado Comitê Executivo de 74 pessoas – no qual os bolcheviques compunham uma esquerda substancial – e um *presidium* de 7 pessoas. A regiões mais inacessíveis do império, as notícias – e as novas instituições – poderiam demorar muito para chegar. Nas áreas mais remotas da zona rural, às margens do Volga, apenas na segunda metade de março os rumores começaram a circular boca a boca ou por telégrafo. As pequenas comunidades enviavam mensageiros às cidades vizinhas para esclarecer detalhes da sublevação sobre a qual haviam ouvido falar. Aldeões se reuniam em assembleias para discutir, pela primeira vez, assuntos não apenas locais como também nacionais: a guerra, a Igreja, a economia. Comitês *ad hoc* surgiam em uma quantidade estonteante. Um caos de descentralização. Algumas aldeias, pequenas cidades e regiões declararam sua independência, de modo pouco convincente. Em pouco tempo, havia incontáveis sovietes no país, e esse número era crescente, mas, quando se falava do "Soviete", normalmente se tratava do original, o Soviete de Petrogrado.

A realidade dos sovietes locais e do "Poder Dual" nem sempre obedecia aos planos dos moderados. Em Ijiévsk, na República da Udmúrtia, comerciantes criaram em 7 de março um poderoso soviete que rapidamente passou a dominar a política local. Na capital da província de Sarátov, 60% dos operários da cidade elegeram deputados para um soviete próprio, organizado às pressas e que, no fim do mês, negociou uma estrutura *ad hoc* com a Duma, mas em pouco tempo perdeu relevância e deixou de se reunir. O poder dual, ali, abriu caminho para o poder único – aquele do (moderado) Soviete.

Às vezes, o confronto político era evitado por uma breve onda pós-revolucionária de camaradagem de classe – "uma orgia de discursos e confraternizações sentimentais", como diria o jornalista e historiador William Chamberlin, que em breve se instalaria na Rússia. No dia 10 de março, em Petrogrado, o Soviete chegou a um acordo com os proprietários de fábricas no que se referia à antiga reivindicação de jornadas diárias de oito horas, bem como ao princípio dos comitês de fábrica eleitos pelos trabalhadores e ao sistema de arbitragem industrial. Esses acordos eram expressão tanto de ansiedade dos chefes e confiança dos trabalhadores quanto de consenso, é claro: de qualquer modo, em muitos lugares as pessoas estavam simplesmente se recusando a trabalhar mais do que oito horas por dia, e faziam valer sua nova autoridade com ação direta. Chefes impopulares eram carregados em carrinhos de mão e despejados em canais próximos. Em Moscou, como os patrões ainda resistiam à jornada de oito horas, o soviete local, reconhecendo que ela fora instituída pelos trabalhadores como um fato consumado, passou por cima do governo provisório e simplesmente a decretou em 18 de março. E o decreto se manteve em vigor.

Na Letônia, radicalismo e conciliação eram visíveis: em 7 de março, o Soviete de Riga compreendia 150 delegados de 30 organizações, e o Comitê Executivo eleito por eles em 20 de março era composto exclusivamente (e temporariamente) de bolcheviques, que não eram tão militantes quanto os bolcheviques letões exilados em Moscou. O Comitê Bolchevique de Riga – para horror de seus camaradas em Moscou – declarou em 10 de março que "se submetia plenamente a todas as decisões do novo governo" tomadas em comum acordo com os sovietes e que qualquer "tentativa de criar caos" era ação de sabotadores.

Em 6 de março, manifestações a favor da revolução agitaram Baku, no Azerbaijão, uma cidade rica em petróleo onde viviam azeris, imigrantes russos, persas, armênios e outros, um mosaico de edifícios medievais e modernos vigiados pelos altivos zigurates das torres de perfuração de petróleo. Cinquenta e dois delegados se reuniram na primeira sessão do Soviete de Baku. A reunião foi aberta pelo menchevique Grigori Aiollo, e o presidente eleito foi Stepan Chaumian, um bolchevique conhecido por seu papel na lendária greve petrolífera de 1914. Mas o Soviete de Baku também era um grande entusiasta da paz social e cooperava com o Ikoo (sigla em russo de Comitê Executivo das Organizações Públicas), uma administração autonomeada que havia surgido do governo municipal.

Essa colaboração – assim como aquela entre mencheviques e bolcheviques em muitas regiões, ou simplesmente certa indiferença quanto a suas discordâncias – não duraria. Já havia exceções. Os marinheiros de Kronstadt, por exemplo, muito mais letrados e profundamente politizados, tinham a tendência de se unir aos grupos mais radicais e tomar as posições mais radicais. O Soviete de Kronstadt era controlado por bolcheviques linha-dura, por anarquistas e antibelicistas de esquerda do SR, por si só um grupo singular.

A infraestrutura organizacional dos SRs se acelerou, com jornais, clubes, escolas, encontros e comitês de agitadores. O recrutamento era feito aos milhares, entre os trabalhadores e a *intelligentsia*, bem como entre os camponeses e soldados – "camponeses uniformizados", foco tradicional do partido, e era tão rápido que militantes de longa data usavam a expressão depreciativa "SRs de Março" para se referirem a recém-chegados não confiáveis.

As insurreições camponesas tradicionais nunca foram muito longe nesses tempos turbulentos. Em 9 de março, um tumulto agrário abalou a província de Kazan. No dia 17, o governo provisório insistiu, com bastante nervosismo, em que "a questão agrária não podia ser resolvida por nenhum tipo de confisco". Esse não seria seu último apelo nesse sentido. Em 25 de março, o governo provisório teve de reagir a um início de revolta no campo, proclamando o monopólio estatal dos grãos, comprando a preços fixos tudo o que não era necessário para a subsistência, como animais e sementes.

Isso só podia ser uma recurso provisório. A questão da terra permaneceu sem solução.

Em 1917, na Rússia, "democracia" era um termo sociológico que designava tanto as massas, as classes baixas, quanto um método político. Naqueles tempos impetuosos, Keriénski era, para muitos, a personificação da "democracia". Ele era adorado. Artistas o retrataram, emblemas e medalhas o homenagearam, poetas o imortalizaram em uma torrente *kitsch*.

"Você personifica o ideal do cidadão livre que a alma humana tem apreciado ao longo das eras", disse a ele o coletivo do Teatro de Arte de Moscou. O famoso escritor Aleksandr Kuprin se referiu a ele como "um inescrutável e divino destinatário espiritual, um amplificador divino, um misterioso porta-voz da vontade do povo".

"Para nós, Keriénski não é um ministro", dizia um panfleto, "nem um orador do povo. Ele deixou de ser um simples ser humano. Keriénski é um símbolo da revolução." De acordo com a lógica do culto dos dialéticos histriônicos, a condição de Keriénski como "ministro e democrata", com um pé no governo e outro no Soviete, era mais do que um mero adendo, mais até do que uma síntese. Era a apoteose.

Sob Lvov, e pressionado pelo Soviete, o governo provisório deu rápido prosseguimento às medidas sociais. Em 12 de março, aboliu a pena de morte. No dia seguinte, livrou-se das cortes marciais, exceto no *front*. Em 20 de março, erradicou a discriminação legal com base na fé ou na nacionalidade.

"Um milagre aconteceu", disse o poeta Aleksandr Blok. "Nada é proibido [...] quase tudo pode acontecer." Todo bonde, toda fila, toda reunião de aldeia abrigava um debate político. Houve uma proliferação de festivais caóticos, de reencenações dos acontecimentos de fevereiro. Estátuas tsaristas foram derrubadas, e algumas foram erguidas apenas para esse fim.

A "Parada da Liberdade", em Moscou, viu centenas de milhares de manifestantes, de todas as classes sociais, rezando e comemorando atrás de suas faixas. Havia um circo, um camelo e um elefante cobertos de cartazes, uma carroça com um caixão em que se lia "A Velha Ordem" e um anão de olhar malicioso batizado de Protopópov por causa do odiado ex-ministro. As pessoas liam novos livros, cantavam novas versões da Marselhesa e assistiam a novas peças de teatro – em geral relatos perversos, cruéis, da queda dos Románov. A irreverência como vingança.

A subserviência de 1905 era passado. Cidadãos de todo o império travavam o que Richard Stites chamou de "guerra dos signos", a destruição dos símbolos tsaristas: retratos, estátuas, águias. A febre revolucionária contagiou pacientes improváveis. Freiras e monges ortodoxos adotaram o discurso radical, expulsando superiores "reacionários". O alto clero se queixava do clima revolucionário. O principal jornal religioso do país adotou uma linha "anticlerical" tão radical que o arquimandrita, ou monge superior, Tikhon o definiu como "um porta-voz bolchevique". Em um monastério houve "uma pequena revolução", escreveu o jornalista britânico Morgan Philips Price: os "monges entraram em greve e expulsaram o abade, que foi se queixar ao Santo Sínodo [...]. Eles já haviam entrado em acordo com o campesinato da região. Manteriam terra suficiente para se sustentar e o restante iria para a comuna local".

Os protestos exteriorizavam reivindicações existenciais, ainda que à custa da renda. "Aqui não recebemos gorjetas", diziam avisos nas paredes dos restaurantes. Os garçons de Petrogrado fizeram greve por dignidade. Marcharam pelas ruas usando suas melhores roupas e exibindo cartazes em que denunciavam a "indignidade" das gorjetas, a pestilência do *noblesse oblige*. Reivindicavam "respeito aos garçons e a todos os seres humanos".

O governo havia se equivocado em relação ao sufrágio feminino. Muitas pessoas, mesmo no movimento revolucionário, estavam indecisas, advertindo que, embora apoiassem, "em tese", a igualdade das mulheres, em termos concretos as mulheres russas eram politicamente "atrasadas" e, portanto, seu voto poderia atrapalhar o progresso. Ao chegar ao país, em 18 de março, Kollontai atacou esses preconceitos de frente. "Não fomos nós, mulheres, que, com nosso protesto contra a fome, a desorganização da vida russa, a pobreza e os sofrimentos causados pelas guerras, despertamos a ira do povo?", ela questionou. A revolução, salientou, nasceu no Dia Internacional da Mulher. "E não fomos nós, mulheres, as primeiras a sair às ruas para lutar com nossos irmãos pela liberdade e, se necessário, morrer por ela?"

No dia 19 de março, um enorme cortejo seguiu até o Palácio de Táurida, reivindicando o direito ao voto feminino – 40 mil manifestantes, mulheres em sua maioria, mas havia muitos homens entre elas. "Se a mulher for uma escrava", lia-se em um dos cartazes, "não haverá liberdade." Cartazes favoráveis à guerra também se erguiam acima das manifestantes. Tratava-se de um feminismo interclasses, de amplo espectro, que unia trabalhadoras e senhoras em trajes elegantes, liberais e SRs, mencheviques e bolcheviques – embora estas últimas, para a decepção de Kollontai, não tenham dado prioridade à marcha. O tempo estava horrível, mas as manifestantes não desistiram. Elas ocuparam a longa rua em frente ao palácio. Lá dentro, Tchkheidze alegou que não podia sair para falar com elas porque estava afônico.

Elas não aceitariam isso. Ele, em nome do Soviete, e Rodzianko, em nome do governo provisório, tinham de se curvar ao movimento. Eles anunciaram um projeto de lei a favor do sufrágio universal das mulheres, que seria aprovado em julho.

Foi para o Soviete que as mulheres marcharam – mesmo aquelas que apoiavam a guerra. O Soviete no qual tantas haviam investido suas aspirações, apesar de sua própria ambivalência em relação ao poder.

O Soviete se esforçou para racionalizar suas estruturas, sem muito sucesso. Em seu auge, naquele mês de março, tinha 3 mil ruidosos membros – e um número minúsculo de representantes da esquerda (quarenta bolcheviques, por exemplo). Cada mil trabalhadores elegiam um delegado – assim como cada companhia militar, no início grandes companhias de reserva, mas em breve também companhias menores, fazendo a representação se inclinar expressivamente em favor dos soldados. Por fim, 150 mil soldados tinham o dobro dos representantes dos 450 mil trabalhadores de Petrogrado. Os delegados militares eram predominantemente ligados ao SR e, embora muitas vezes tivessem posições radicais quanto à guerra, eram muito menos radicais que seus pares proletários em relação a outras questões.

Em um dia típico de março, a assembleia geral de Petrogrado discutiu os seguintes tópicos: o complô da polícia tsarista contra certa associação social-democrata; uma comissão *antipogroms* para as províncias do sul; um apelo aos padeiros de Petrogrado para não interromperem o trabalho; a disputa de espaço dentro do gabinete entre dois jornais; o controle do Palácio Anichkov; pôsteres explicando as decisões do Comitê Central para a Alimentação. Depois houve negociações (curiosamente indefinidas) com o governo provisório; a ideia de um jornal dos soldados; um ponto obscuro sobre a Fortaleza de Pedro e Paulo; um desentendimento entre trabalhadores e soldados em relação à distribuição de pão; a recepção dos delegados de várias guarnições, acompanhados das esposas; a Embaixada dos Estados Unidos. A lista não é exaustiva.

Esse animado caos pode parecer um pesadelo, ou um carnaval estranho, vacilante, dependendo da perspectiva de cada um.

Kadets, mencheviques, SRs e bolcheviques, todos compreendiam a importância crucial da guarnição de Petrogrado, e todos criaram organizações militares para fomentar sua influência sobre ele. O que distinguiu os bolcheviques foi a sua precocidade – desde 10 de março – e intensidade. Os dirigentes do comitê, Niévski, Bogdatiev, Podvóiski e Sulimov, eram tudo, exceto os últimos da ala esquerda do partido.

Naqueles primeiros dias, eles não eram particularmente bem-vindos entre os soldados. Mas eram tenazes. Menos de duas semanas depois de iniciar as operações, Podvóiski e seus camaradas convidaram os representantes da guarnição para participar da Assembleia Constituinte da Organização Militar, da qual, no último dia do mês, nasceu a Organização Militar Bolchevique (MO).

Logo após a Revolução de Fevereiro, um camarada ouviu Podvóiski anunciar: "A revolução não acabou, está apenas começando". Desde o princípio, a MO estava nas mãos desses bolcheviques de "esquerda", intransigentes e de espírito independente. Mais de uma vez eles violariam a disciplina do partido – e não raro com consequências dramáticas.

Primeiro, em 12 de março, adveio o impulso a favor de um consenso partidário mais moderado. Esse dia testemunhou o funeral de 184 mártires da revolução – os números são incertos –, mortos durante os combates nas ruas da cidade. Eles foram enterrados em vala comum. Trincheiras profundas foram abertas na terra dura do Campo de Marte, um grande parque no centro de Petrogrado.

Do início da manhã até noite adentro, milhares de pessoas enlutadas passaram por ali. Cerca de 1 milhão de pessoas ocuparam as largas ruas da capital. Dirigiram-se lentamente ao campo, vindas de todas as partes da cidade, carregando seus mortos em caixões vermelhos. Uma nova religião sem religião. Chegavam ao som de músicas tristes. Chegavam representando suas unidades, suas fábricas, suas instituições, seus grupos cívicos, seus partidos. Chegavam em grupos étnicos – colunas do Bund judaico, da Federação Revolucionária Armênia, e outros. Uma coluna de cegos chegou carregando um dos seus. Eles não pararam. Nenhum grupo parou, nenhum discursou. Vinham carregando os corpos frios de seus camaradas, passavam solenemente os caixões para os sepultadores e continuavam a marchar. Da fortaleza, do outro lado do rio, um tiro de canhão ressoava quando um morto eram baixado para a sepultura. Os vivos caminhavam com dificuldade sobre a fina camada de neve, sobre as passarelas de madeira construídas no labirinto de túmulos. Aqueles mortos, afirmou Lunatchárski em seus elogio fúnebre, não eram vítimas, e sim heróis, cujo destino causava inveja, e não pesar.

E, enquanto a multidão cantava e relembrava seus mortos, três veteranos do partido retornavam do exílio na Sibéria. Um deles era o velho bolchevique Liev Kámeniev, casado com a irmã de Trótski, Olga Bronstein, e camarada próximo de Lênin, embora fosse "fraco" (em um ato quase inacreditável, do qual depois se envergonhou, ele defendeu o envio de um telegrama a Miguel Románov elogiando sua decisão de recusar o trono). Com ele estavam o antigo deputado da Duma Muranov, conhecido por ter defendido uma linha derrotista, desafiando a pena de morte, e um membro do CC, um certo Josef Stálin.

Stálin, é claro, ainda não era *Stálin*. Hoje, qualquer descrição da revolução é assombrada por um fantasma do futuro, uma monstruosidade de bigode e olhos risonhos, o tio Josef, o açougueiro, o principal arquiteto de um Estado grotesco e esmagadoramente despótico – o -ismo que leva seu nome. Décadas e décadas de debate sobre a etiologia do stalinismo, livros e mais livros sobre a brutalidade do homem e do regime lançam sombras sobre o que ainda está por vir.

Mas estamos em 1917. Stálin não tinha completado quarenta anos. Era apenas Stálin, Josef Djugachvíli, conhecido por seus camaradas como Koba, um ex--seminarista georgiano, meteorologista e militante bolchevique de longa data. Era um organizador competente, se não brilhante. Um intelectual mediano, na melhor das hipóteses; lamentável, na pior. Não fazia parte nem da ala esquerda nem da ala direita do partido: era uma espécie de cata-vento. A impressão que deixava era a de não deixar uma grande impressão. Sukhánov se lembraria dele como "um borrão cinza".

Há um raro indício de algo mais perturbador sobre esse homem na avaliação do Bureau Russo do Comitê Bolchevique de Petrogrado, que o aceitou apenas como conselheiro, sem direito a voto, em razão de "certas características pessoais que lhe são inerentes". Se a descrição de Sukhánov é correta, aquele Stálin não era mais do que um vislumbre, "surgindo vagamente vez por outra e desaparecendo sem deixar rastro".

Pouco depois, os três ex-exilados realizaram uma espécie de golpe dentro do *Pravda*, colocando Muranov como editor em 13 de março. O jornal começou a tomar posições decididamente moderadas.

Em 15 de março, Kámeniev escreveu:

> Nosso lema não é um grito vazio de "Abaixo a guerra!" – que significa a desorganização do exército revolucionário e de um Exército cada vez mais revolucionário. Nosso lema é pressionar o governo provisório para obrigá-lo a fazer, sem falta, às claras e diante dos olhos da democracia mundial, uma tentativa de induzir todos os países combatentes a iniciarem imediatamente as negociações para pôr fim à guerra mundial. Até lá, que todos permaneçam em seus postos.

O Exército, insiste mais adiante, "permanecerá incondicionalmente em seu posto, revidando bala com bala e granada com granada".

Assim, como disse a bolchevique Liudmila Stal, o partido "tateava no escuro" – pois com essa linha o *Pravda* não se distinguia muito dos mencheviques mais à esquerda ou da esquerda radical do SR. Indo contra a campanha no *front*, a *troika* estava a uma longa distância de Lênin.

Assim que chegou a Petrogrado, Kollontai entregou ao *Pravda* as "Cartas de longe", de Lênin. Os textos horrorizaram e surpreenderam seus camaradas, que ficaram preocupados com a intransigência de Lênin. Os editores se recusaram a publicá-las, com exceção da primeira, mas, desconcertados com suas formulações de extrema esquerda, eles diligentemente a editaram e cortaram.

O parágrafo anterior conta uma história famosa sobre o constrangimento que as cartas de Lênin causaram aos velhos bolcheviques. E uma história é o que é.

Na verdade, o *Pravda* publicou apenas a primeira carta porque, é quase certo, foi a única que recebeu. E, embora a tenha editado, as alterações que fez não enfraqueceram a tese ou o tom provocativo de Lênin. O argumento da continuidade da revolução foi mantido, assim como a exortação aos trabalhadores: "Vocês têm de fazer milagres na organização proletária e popular para se prepararem para a vitória no segundo estágio da revolução" – um estágio não de socialismo, como ele próprio esclareceu, mas de tomada do poder político, de conquista do Soviete, para assegurar a vitória da revolução (necessariamente burguesa e democrática). Na melhor das hipóteses, Lênin reconhecia, de forma bastante nebulosa (de olho no contexto internacional, onde, segundo ele, *poderia* ocorrer uma revolução contra e o capitalismo e para além dele, talvez inspirada nos acontecimentos russos), que isso lhes permitiria dar os primeiros passos rumo ao socialismo.

Os bolcheviques de Petrogrado ficaram entusiasmados com a carta. Uma das irmãs de Lênin, Maria Uliánova, camarada do partido que trabalhou no *Pravda*, entrou em contato com ele para expressar a "total solidariedade" de seus camaradas, assim como fez a satisfeita Kollontai. As edições que os bolcheviques fizeram em um texto que fora escrito dias antes, e muito longe dali, serviram para retirar referências desatualizadas a um possível retorno do tsarismo e insinuações pouco convincentes a respeito de uma conspiração contra Nicolau entre seus aliados, além de corrigir certos deslizes de linguagem.

Também suavizaram as denúncias tipicamente mal-humoradas de Lênin contra vários inimigos, entre os quais os liberais, a direita e os socialistas não bolcheviques. Os editores foram suficientemente criteriosos para suprimir os insultos dirigidos a Tchkheidze, presidente do Comitê Executivo do Soviete, a Keriénski e até ao moderado Lvov, líder do governo provisório: afinal, eles tinham motivos para acreditar que precisariam da ajuda dos três para trazer de volta ao país os bolcheviques exilados – inclusive Lênin. Mas não censuraram os ataques aos kadets e à direita menchevique, que não tinham utilidade para eles. Nem um pouco sutil, portanto, mas estratégico.

O mito de que as "Cartas de longe" caíram como uma bomba parece ter surgido de uma combinação de mal-entendido em relação às edições do *Pravda* e de relatos tendenciosos – de Trótski e outros – num contexto de disputa dentro do partido. Embora esse conflito em particular seja em grande parte uma ficção retrospectiva, ele ganhou verossimilhança graças ao fato de que as formulações de Lênin, inclusive em suas destemperadas polêmicas, demonstravam certa tendência à intransigência, certa lógica política distinta, que poderia ser crucial em outras disputas dentro do partido. Não que fossem inevitáveis, mas causavam um desgaste na moderação e na coalizão bolchevique. As "Cartas de longe" eram, portanto, uma "continuidade" do bolchevismo, e ainda continham as sementes de uma posição distinta e mais incisiva. Posição que se tornaria mais clara com o retorno de Lênin.

Em 15 de março, o jornal do Soviete, o *Izviéstia*, publicou a Declaração dos Direitos dos Soldados, recém-aprovada pela seção dos soldados no Soviete. Ela declarava o fim do odiado e degradante sistema tsarista de peonagem militar. Não haveria mais continência obrigatória, censura de cartas e a prerrogativa dos oficiais de impor castigos disciplinares. Ela também dava aos soldados o direito de eleger comitês representativos, o que, para os tradicionalistas, significava o fim do Exército russo.

O poder armado, as forças militares, o policiamento e, por conseguinte, as novas milícias heterogêneas eram claramente centrais para o estabelecimento e a estabilização do poder – embora esse significado parecesse escapar aos SRs, cujo jornal, o *Diélo Naroda*, não apresentou praticamente nenhuma discussão sobre esses temas. De sua parte, os kadets insistiam na necessidade de organizar uma milícia municipal para fazer o policiamento – e substituir com urgência as forças voluntárias. Ao mesmo tempo, alguns radicais começavam a fazer um cuidadoso exame do papel das milícias de trabalhadores, tão cruciais em fevereiro, e da relação dessas milícias com os próprios soldados.

No dia 8 de março, o jornal menchevique *Rabótchaia Gazieta* afirmava que, se uma força policial confiável e, de preferência, eleita pelos cidadãos era uma necessidade premente, uma milícia – no sentido de "*povo armado*" – para defender a revolução era não só impossível como desnecessária, pois já havia o exército revolucionário. Em seus textos, os bolcheviques opinavam que a nascente milícia municipal era insatisfatória e a continuidade do exército revolucionário não podia ser dada como certa, por isso – marcando uma distinção recorrente entre sua posição e aquela dos outros socialistas – enfatizavam a centralidade da auto-organização. Em 18 de março, o intelectual bolchevique Vladímir Bontch--Bruiévitch publicou, no *Pravda*, um artigo intitulado "O povo armado", em que preconizava uma milícia permanente, disciplinada e democrática da classe trabalhadora, treinada pelos soldados revolucionários. Nessa exortação, ele batizou esse grupo de "Guarda Vermelha do Proletariado". O nome, o conceito e o controvertido grupo ressurgiriam em breve, de forma inesperada.

A despeito da Ordem Número 2, nem a Ordem Número 1 nem a Declaração dos Direitos dos Soldados apaziguaram as suspeitas nos níveis hierárquicos mais baixos. Como lamentava um jovem capitão em uma carta à família: "Há um abismo entre nós e os soldados". E esse abismo era perigoso. Ele percebia nos homens uma nova atitude de rebeldia e um visível ressentimento, uma "vingança por séculos de servidão", que algumas vezes se manifestava no assassinato de oficiais impopulares no *front*.

Obviamente, alguns militantes tentaram realizar uma politização sistemática do Exército, mas grande parte do que depois foi de chamado de "bolchevismo de trincheira" era simplesmente uma repulsa à condição dos soldados, uma aversão aos oficiais e o desejo sensato de não lutar e morrer em uma guerra odiada. Depois de fevereiro, a incidência de deserções aumentou. Homens armados simplesmente abandonavam as trincheiras, levando qualquer equipamento que já não tivessem deixado para trás, e caminhavam penosamente de volta às aldeias, às cidades, à lama dos campos.

Naquele clima de antibelicismo crescente, apesar das tentativas fervorosas dos patriotas de alimentar o nacionalismo belicoso, tal deserção nem sempre era considerada vergonhosa. "As ruas estão repletas de soldados", reclamou em meados de março um oficial de Perm, cidade próxima dos Montes Urais. "Eles assediam senhoras respeitáveis, passeiam com prostitutas e se comportam como vândalos. Eles sabem que ninguém ousa puni-los."

No dia 17, Lênin declarou que o plano de Martov era sua "única esperança" de sair da Suíça, lugar que ele amaldiçoava com toda a franqueza. Ele estava bastante consciente de que, se viajasse com ajuda alemã, corria o risco de ser acusado de traição – como, no momento oportuno, ele foi. Em nome do governo provisório, Miliúkov declarou que qualquer pessoa que entrasse no país dessa forma estaria sujeita à ação legal. No entanto, "mesmo passando pelo inferno", Lênin estava decidido a voltar.

Por intermédio do Partido Socialista Suíço, ele tentou minimizar os riscos da confraternização com as autoridades alemãs, insistindo que não houvesse controle de passaporte durante a viagem, nem paradas ou investigações pelo caminho, e que os alemães não tivessem o direito de saber detalhes sobre os passageiros. O "trem blindado" não seria tecnicamente blindado: bizarramente, seria uma entidade extraterritorial, um vácuo legal ambulante. No dia 21 de março, a Embaixada Alemã aceitou os termos de Lênin. Por cortesia do Reich, ele e vários outros revolucionários foram conduzidos de volta para casa.

Dada a organização incoerente do Soviete de Petrogrado, a gama de atividades que exercia e o desconforto que sentia em relação à sua própria autoridade, pode parecer espantoso que ele tivesse alguma influência. Mas a contrariedade do governo provisório com o poder rival se justificava: os anúncios do Soviete tinham impacto direto sobre as políticas governamentais, em particular no que dizia respeito à guerra.

Em 14 de março, o Soviete publicou um manifesto redigido com a ajuda do célebre escritor Maksim Górki. O texto preconizava uma paz justa e que "os povos do mundo" "tomassem para si a questão da guerra e da paz" e se "opusessem à estratégia ambiciosa da classe dominante".

A recepção internacional desse manifesto foi, para ser preciso, nenhuma. No interior da Rússia, entretanto, ele teve impacto propagandístico por rejeitar anexações e compensações, o que pareceu ser um passo rumo à paz; vários congressos militares o endossaram, soldados se declararam a favor do Soviete. Uma semana depois, o Soviete adotou oficialmente o "defensismo revolucionário".

O apelo à paz, embora preservasse o direito da Rússia revolucionária de se defender, continha certa ambiguidade, o que deixava a porta aberta para a continuidade do esforço de guerra, e até mesmo para a sua intensificação. Não obstante, a declaração do Soviete era veementemente reprovada por liberais de direita como Miliúkov, então ministro das Relações Exteriores, tanto por seus princípios patrióticos como pela crença de que a queda da autocracia havia revitalizado a Rússia e seu poder militar. O país agora poderia lutar de fato, ele pensava, se isso lhe fosse permitido.

Em 23 de março, durante uma entrevista à imprensa, Miliúkov mencionou explicitamente que contava com uma conferência de paz para confirmar as pretensões russas sobre o território ucraniano do Império Austro-Húngaro e que esperava realizar um velho sonho expansionista da Rússia, conquistando os estreitos de Constantinopla e Dardanelos. Apesar de suas absurdas declarações sobre "objetivos pacifistas", isso era uma grande provocação e o Soviete se sentiu duplamente provocado. Em resposta à indignação do Soviete, em 27 de março o governo provisório foi forçado a publicar uma declaração de objetivos de guerra muito semelhante à do próprio Soviete, na qual invocava a "autodeterminação das nações" e implicitamente invalidava as pretensões russas aos territórios turcos e austríacos. Mas o incorrigível Miliúkov disse com clareza ao *Manchester Guardian* que isso não alterava em nada os acordos da Rússia – dificilmente muito "revolucionária" – com seus aliados. O Soviete reagiu com mais fúria ainda. Seus líderes – em particular Víktor Tchernov, cabeça e líder intelectual dos SRs, que em breve retornaria a Petrogrado – insistiram para que a declaração de 27 de março, que dava um tom muito diferente à declaração do ministro das Relações Exteriores, fosse encaminhada aos aliados como uma "nota diplomática". Pressionado por Keriénski, um implacável rival de Miliúkov, o governo provisório foi obrigado a ceder. Entretanto, novos confrontos em torno dessa questão não foram evitados, apenas adiados.

No mesmo dia em que o governo fez essa declaração, revolucionários de vários matizes se encontraram na estação de Zurique. Eles embarcaram, verificaram a bagagem e guardaram a refeição. Os viajantes eram seis membros do Bund, três discípulos de Trótski e dezenove bolcheviques. Um ajuntamento de pesos pesados, entre os quais Lênin e Krúpskaia, o descabelado Zinóviev, um o homem inteligente e esforçado, considerado o fiel escudeiro de Lênin, Zlata Lílina, militante bolchevique e mãe do filho mais novo de Zinóviev, Stefan, e o notável e controverso revolucionário polonês Karl Radek. Também estava lá Inessa Armand, comunista, feminista, escritora e musicista russo-francesa, colaboradora e camarada próxima de Lênin, com quem, diziam os rumores, ele tinha um relacionamento mais do que platônico – em vários aspectos.

Na fronteira suíça, os exilados foram transferidos para um trem especial de dois vagões: um para os russos, outro para a escolta alemã. A viagem através da Alemanha começou. Lênin passou o tempo escrevendo e fazendo planos, largando o trabalho tarde da noite para reclamar da algazarra dos seus barulhentos camaradas. Para dispersar o grupo ruidoso que se formava na porta do banheiro, ele instituiu um sistema de passes na proporção de três para um, fosse para usá-lo na função para a qual fora concebido, fosse para fumar. "Naturalmente", ironizou Karl Radek, "isso suscitou mais discussões sobre o valor das necessidades humanas."

Cada vez que o trem "blindado" parava, as autoridades alemãs tinham de afastar os sociais-democratas locais que tentavam conhecer e socializar-se com o famoso (e relutante) Lênin. Ele pediu aos seus camaradas que dissessem a um insistente sindicalista que fosse procurar "a avó do diabo".

À medida que o trem avançava, na Rússia Kámeniev e Stálin consolidavam sua posição numa conferência de trabalhadores do partido. No entanto, havia resistência àquilo que os camaradas viam como um apoio incondicional de ambos ao governo e, mais ainda, ao defensismo revolucionário. O velho bolchevique Víktor Noguin, que depois se tornou um membro moderado do partido, argumentava que "agora não devemos falar de apoio, mas de *resistência*". Skrípnik concordava que "o governo não estava fortalecendo, mas impedindo a causa da revolução". Contudo, a poderosa e respeitada ala direita do partido – em particular, Stálin – levou tão longe a moderação que chegou a defender uma fusão de bolcheviques e mencheviques – proposta de Irakli Tseretiéli, intelectual e orador menchevique excepcional, recém-retornado do exílio na Sibéria e encarregado do Soviete de Petrogrado.

Assim que chegou à cidade, no dia 21, Tseretiéli fez um discurso admiravelmente claro, com uma análise menchevique de direita sobre a história e a posição do partido na liderança das relações do Soviete com o governo. O discurso soou também como um alerta sobre a atitude do Soviete em relação ao radicalismo excessivo. Ele parabenizou os trabalhadores por não tentarem uma revolução proletária – que considerava um empreendimento *tão grande* quanto derrubar o tsarismo: "Vocês pesaram as circunstâncias [...] entenderam que ainda não era a hora".

"Vocês entenderam que uma revolução burguesa está em curso", continuou. "O poder está nas mãos da burguesia. Vocês transferiram esse poder para a burguesia, mas ao mesmo tempo mantiveram vigilância sobre a liberdade recém-conquistada [...]. O governo provisório deve ter todo o poder executivo, na medida em que esse poder fortalece a Revolução."

Os mencheviques inspiraram o respeito e a afiliação de muitos militantes, mas Tseretiéli, Tchkheidze, Skóbolev e a alta direção não falavam por todos eles. Em duas semanas, insinuações a respeito do deslocamento dos mencheviques para o conciliarismo, o "defensismo" e a moderação política deixariam Martov, o grande menchevique de esquerda ainda no exílio, "atormentado pelas dúvidas" e esperando que os rumores fossem "questionáveis".

Em Petrogrado, no entanto, era a proposta de unidade de Tseretiéli que os bolcheviques levavam em consideração.

No dia seguinte, foi aberta a conferência dos trabalhadores do partido de Petrogrado e a Conferência dos Sovietes de Toda a Rússia, atestando a impressionante expansão do modelo do soviete: 479 delegados de 138 sovietes locais, 7 do Exército, 13 de unidades da retaguarda e 26 de unidades do *front*.

A nomenclatura era confusa: naquele ano a Rússia estava crivada de comitês, convenções, congressos permanentes e semipermanentes, constantes e inconstantes. Reuniões proliferavam num *ad infinitum* marcado no relógio. Essa primeira conferência dos sovietes foi concebida, em parte, para planejar o primeiro *congresso* dos sovietes, a ser realizado em junho. O Soviete de Petrogrado, que agora contava com delegados de todo o país, tecnicamente se transformou no Soviete de Deputados Operários e Soldados de Toda a Rússia. Após a conferência, o crescente Ispolkom, Comitê Executivo do Soviete responsável pelas decisões e pela administração cotidiana que agora incluía representantes das províncias, foi formalmente renomeado como Comitê Executivo Central de Toda a Rússia, ou VTsIK. Qualquer um desses nomes, ou todos eles, podia ser usado.

Para os mencheviques, foi na conferência dos sovietes que Tseretiéli deixou sua marca, mediando as discussões, incutindo um novo profissionalismo, consolidando as posições do *postolku-poskolku* e um musculoso defensismo revolucionário. Até os povos de outros países, declarou ele, derrubaram seus próprios governos ou os obrigaram a mudar de rumo, "a Revolução Russa deveria combater o inimigo estrangeiro com a mesma coragem que demonstrou contra as forças internas". Para os bolcheviques, ao contrário, Kámeniev apresentou uma versão da ênfase internacionalista do partido não na defesa da nação, mas sim na necessidade de exportar a revolução, transformando a experiência russa em "um prólogo da insurgência de todos os povos de todos os países combatentes".

Sua posição era mais nuance e aspiração do que expressão de uma política acabada, concretamente definida. Mesmo assim, foi derrotada por 57 votos contra os 325 de Tseretiéli. Apesar disso, enquanto os mandachuvas bolcheviques se orientavam à direita, alguns socialistas do Soviete se orientavam à esquerda, fazendo com que os dois campos se encontrassem no meio. Quanto às relações com o governo provisório, a posição oficial do Soviete, alterada pelo menchevique Steklov, insistia tão duramente em uma vigilância atenta que um satisfeito Kámeniev cedeu à alternativa de resolução bolchevique.

Essa convergência durou apenas mais alguns dias.

Em 29 de março, o "trem blindado" chegou a Berlim via Stuttgart e Frankfurt. Dali ele seguiu em direção à costa. Durante todo o trajeto pela Alemanha, Lênin escreveu. Isolado em sua cabine, revigorado pela comida e pela bebida do improvável vagão-restaurante, escrevia rapidamente enquanto as árvores e as cidades ficavam para trás. Assim, em março, em um trem sem nacionalidade, nasceram aquelas que viriam a ser as *Teses de abril*.

Na costa selvagem da península de Jasmund, na cidade de Sassnitz, um barco a vapor esperava pelos viajantes. Anoitecia quando eles desceram pela trêmula prancha de desembarque na cidade de Trelleborg, no extremo sul da Suécia. A viagem virou notícia e jornalistas os seguiam. O prefeito de Estocolmo recepcionou o grupo antes de a viagem prosseguir até a capital sueca, onde Lênin comprou livros – desprezando as súplicas de seus camaradas para que comprasse roupas novas – e encontrou tempo para participar de uma reunião de esquerdistas russos.

No último dia do primeiro mês completo da Rússia revolucionária, os camaradas subiram nos tradicionais trenós finlandeses e deslizaram pela neve ondulante, deixando Estocolmo em direção à Finlândia – território russo.

Тов. Ленин ОЧИЩАЕТ
землю от нечисти.

4

ABRIL: O FILHO PRÓDIGO

No atoleiro, ideólogos e devotos, como os cruéis Centúrias Negras – ultramonarquistas entusiastas dos *pogroms*, protofascistas e místicos do ódio – espreitavam e tramavam, à espera da sua hora. Os primeiros dias da revolução foram notáveis pelo silêncio e dispersão dessa extrema direita. A maioria dos figurões havia saído do país ou sido presa depois de fevereiro. Apenas o excêntrico Purichkevitch continuava à solta, mais ou menos sem poder, tolerado e fraco. O tecido político de Petrogrado, em particular, deslocou-se para a esquerda, reposicionando os radicais como moderados e os moderados como direitistas. Naqueles dias, todos eram, ou diziam ser, socialistas. Ninguém queria ser burguês.

Até a véspera da revolução, o Kadet era um partido de um liberalismo ocasional e até revigorante, atormentado pela reação, mas com seus heróis. Começaram abril de 1917 renovados pelos congressos e comprometidos com a república democrática. Mas agora a história – a revolução – fazia deles conservadores. Na ala direita do partido, Miliúkov se desviou prematuramente dessa tendência, como resultado das táticas fortes de um liberalismo fraco em períodos turbulentos.

Entretanto, nesse começo de abril, nem mesmo a extrema esquerda havia se declarado inimiga do governo provisório.

Isso aconteceria com o trem vindo da Finlândia.

★

Em 2 de abril, os bolcheviques receberam a notícia de que Lênin estaria de volta a Petrogrado no dia seguinte. O líder estava voltando. Eles apressaram os preparativos. Assim, na noite seguinte, na estação fronteiriça de Belo Ostrov, onde Finlândia e Rússia se encontram, um pequeno e seleto grupo de bolcheviques esperava o trem: Kollontai, Kámeniev, Shliápnikov, Maria, irmã de Lênin, e outros.

Eles não eram os únicos que sabiam da volta de Lênin. Algumas centenas de trabalhadores ansiosos também se apinharam na plataforma para saudar o trem que resfolegava. Enquanto seus camaradas observavam a locomotiva parada havia meia hora, os trabalhadores amontoados torturavam Lênin, chamando-o para fora do vagão e, em júbilo, desfilando com ele nos ombros. "Com cuidado, camaradas", ele resmungava. Por fim, eles o largaram e ele, aliviado, voltou para a sua cabine, agora em companhia da animada escolta do partido.

Eles levaram um choque.

Lênin havia acompanhado da melhor maneira possível os textos de seus camaradas sobre a guerra e o governo provisório. "Nós mal entramos no vagão e sentamos", disse Raskólnikov, um oficial bolchevique da Marinha de Kronstadt, "quando Vladímir Ilitch indagou a Kámeniev: 'O que é que você anda escrevendo no *Pravda*? Vimos várias edições e amaldiçoamos você'". Essa foi sua saudação ao velho camarada.

Os revolucionários voltaram para casa através de uma paisagem que já escurecia. Ele corria o risco de ser preso? Lênin perguntava, inquieto. O grupo de boas-vindas ria. Logo ele entenderia por quê.

Quando o trem parou em Petrogrado, às onze horas da noite, ecoava na Estação Finlândia um grande grito de saudação. Lênin começou finalmente a compreender a reputação que tinha na capital revolucionária. Seus camaradas haviam organizado uma amostra da força do partido, convocando tropas amigas, mas a excitação da multidão que bradava por ele era bastante real. A estação estava enfeitada com bandeiras de um vermelho vivo. Quando Lênin pisou na plataforma, atordoado, alguém lhe deu um inadequado buquê. Milhares de pessoas vieram saudá-lo: trabalhadores, soldados, marinheiros de Kronstadt.

Uma multidão de simpatizantes empurrou Lênin para um esplêndido cômodo ainda chamado "Sala do Tsar". Lá, oficiais do Soviete aguardavam a chance de cumprimentá-lo pessoalmente. O presidente do Soviete, o menchevique georgiano Tchkheidze, um militante sério e honesto, esqueceu-se da sua amabilidade usual. Quando o líder bolchevique entrou, Tchkheidze se lançou em um discurso de boas-vindas que não era nem um discurso nem de boas--vindas. Algo que Sukhánov, que obviamente estava presente, qualificou como um "sermão", e do tipo "irritado".

"Camarada Lênin, em nome do Soviete de Petrogrado e de toda a revolução, nós lhe damos boas-vindas na Rússia", disse Tchkheidze. "Mas pensamos", continuou impacientemente, "que a principal tarefa de uma democracia revolucionária é a defesa da revolução contra agressões externas e internas. Consideramos que esse fim requer não a desunião, mas a aproximação das fileiras democráticas. Esperamos que você busque esses objetivos conosco."

As flores pendiam meio esquecidas entre os dedos de Lênin. Ele ignorou Tchkheidze. Ergueu os olhos para o teto. Olhou para todos os cantos, menos para o suplicante menchevique.

Quando Lênin finalmente respondeu, não foi para o presidente do Soviete nem para qualquer pessoa de sua delegação. Ao contrário, ele falou a todos os demais presentes, à multidão – seus "queridos camaradas, soldados, marinheiros e trabalhadores". A guerra imperialista, ele bradou, era o início de uma guerra civil europeia. A tão esperada revolução internacional era iminente. Provocativo, elogiou nominalmente o camarada alemão Karl Liebknecht. Eternamente internacionalista, concluiu com um chamado comovente à construção a partir daquele primeiro passo: "Vida longa à revolução socialista mundial!".

Seus anfitriões do Soviete estavam estupefatos. Só podiam assistir paralisados, enquanto as massas pediam mais um discurso. Lênin saiu da estação, subiu no capô de um carro e começou a falar sem parar. Denunciou "qualquer participação na vergonhosa matança imperialista", condenou "mentiras e fraudes" e os "piratas capitalistas".

Não se falava mais em *postolku-poskolku*.

Fevereiro e março foram erupções festivas de expropriação arquitetônica. Grupos revolucionários tomaram e ocuparam edifícios do governo, além de vários outros, suntuosos. O governo provisório e o Soviete tinham poucas opções, exceto tolerar tais apropriações. Em 27 de fevereiro, enquanto a cidade convulsionava, a famosa bailarina Matilda Kchessínskaia fugiu com o filho, Vladímir, da moderna mansão em que moravam, no número 1-2 da Avenida Krónvierkski, na margem norte do Neva, sob os grandiosos minaretes da principal mesquita de Petrogrado: quase imediatamente, os soldados revolucionários a tomaram.

A casa ostentava uma extraordinária e estranha assimetria de estruturas, escadarias e salões. Em meados de março, os bolcheviques decidiram que o lugar daria um excelente quartel-general e mudaram-se para lá sem fazer alarde. Na noite de 3 de abril, foi no salão principal, entre meticulosos adornos *art nouveau*, que Lênin esclareceu suas opiniões aos camaradas reunidos para recebê-lo.

Era o último dia da Conferência dos Sovietes de Toda a Rússia. Lá, a convenção bolchevique aprovou por unanimidade a política, proposta por seus líderes, de "controle vigilante" do governo provisório e aceitou, em linhas gerais, a oposição de Stálin e Kámeniev à "ação desorganizada" no *front*. No dia seguinte, as discussões sobre a unificação entre mencheviques e bolcheviques deveriam começar. Foi essa música ambiente que Lênin interrompeu.

"Não vou esquecer nunca", disse Sukhánov, "aquele discurso que estrondou como um trovão, assustou e surpreendeu não apenas a mim, um herege [...], mas a todos os que acreditavam [...]. Foi como se os elementos tivessem se erguido de suas moradas, e os espíritos da destruição universal [...] estivessem pairando no salão de Kchessínskaia, por sobre a cabeça dos discípulos enfeitiçados."

O que Lênin reivindicava era uma revolução ininterrupta. Ele desprezou o discurso de "vigilância". Ele acusou o "defensismo revolucionário" do Soviete de ser um instrumento da burguesia. Ele se enfureceu contra a falta de "disciplina" bolchevique.

Seus camaradas ouviram em angustiado silêncio.

No dia seguinte, no Palácio de Táurida, Lênin interveio novamente. Duas vezes. Primeiro, em uma sessão de delegados bolcheviques do Congresso do Soviete; depois, com uma audácia de tirar o fôlego, em uma reunião de bolcheviques e mencheviques programada para discutir a unificação. Consciente de seu isolamento, deixou claro que expunha uma opinião pessoal, e não uma política do partido, quando apresentou seu documento seminal sobre a revolução: as *Teses de abril*.

Entre os dez pontos das teses havia a rejeição generalizada do "apoio limitado" ao governo provisório e ao compromisso de "não oposição" do Comitê Bolchevique de Petersburgo. Lênin repudiou sem "a menor concessão [...] o 'defensismo revolucionário'" – e continuou a defender a confraternização no *front*. Exigiu o confisco das propriedades dos latifundiários e a nacionalização da terra, para ser distribuída pelos sovietes de camponeses, um único banco nacional controlado pelo Soviete e a supressão da polícia, do Exército e do funcionalismo. Por enquanto, disse ele, a ordem do dia era explicar a necessidade de um combate para tirar o poder do governo e substituir qualquer república parlamentar por uma "República dos Sovietes".

O discurso provocou um caos. O impacto das teses foi eletrizante, e o isolamento de Lênin era quase total. Indignados, os oradores o censuravam um a um. Tseretiéli, o proeminente menchevique que Lênin execrara, acusou-o de romper com Marx e Engels. Goldenberg, um menchevique que já fora um líder bolchevique, disse que Lênin era agora um anarquista "no trono de Bakúnin". As palavras de Lênin, gritou o furioso menchevique Bogdánov, eram "desvarios de um louco".

Para Tchernov, líder do SR que havia retornado do exílio cinco dias depois de Lênin, após enfrentar uma perigosa viagem de navio em águas infestadas de submarinos, seus "excessos políticos" eram tão cabais que ele próprio se marginalizara. Na noite do discurso chocante do filho pródigo, outro menchevique, Skóbolev, assegurou a Miliúkov que as "ideias lunáticas" de Lênin o impediam de ser um perigo e disse ao príncipe Lvov que o líder bolchevique "estava acabado".

E quanto aos bolcheviques? Quão estarrecidos eles estavam?

Com frequência foi dito que, em 18 de abril, o Comitê de Petersburgo rejeitou as teses por treze votos a dois, com uma abstenção. Essa história, no entanto, surgiu de registros imprecisos. Mais tarde, dois dos presentes, Bagdatiev e Zaliéjski, insistiram que o comitê votou a *aprovação* das teses, mas rejeitou, por treze votos a dois, a moção bajuladora de Zaliéjski para que fossem aceitas sem críticas ou ressalvas. O comitê, ao contrário, reservou-se o direito de discordar de detalhes e especificidades.

E discordou. Após o discurso de Lênin na mansão Kchessínskaia, seus camaradas não se fizeram de rogados para expressar suas preocupações.

As discussões giravam sobretudo em torno de questões táticas, como a sugestão de Lênin de mudar o nome do partido ou sua nova ênfase política nos sovietes, em vez da insistência propagandística mais tradicional na realização de uma Assembleia Constituinte. Um ponto específico de discussão era que Lênin se opunha firmemente, quase com *desagrado*, a fazer "'exigências' inadmissíveis, ilusórias", ao governo provisório, que poderia jamais aceitá-las – e jamais aceitou. Ele defendia, ao contrário, uma "explanação paciente" aos sovietes, mostrando que o governo não era confiável. Em contrapartida, Bagdatiev, Kámeniev e vários outros consideravam tais "exigências" um método comprovado de *destruir* ilusões, precisamente porque o governo deixaria de atendê-las. Kámeniev chamava isso de "método de exposição".

Portanto, certa continuidade entre o "velho bolchevismo" e as teses de Lênin poderia muito bem ser defendida, e de fato foi, por muitos militantes, como Liudmila Stal. Mas há uma membrana permeável entre táticas e análises – e ênfases. Havia um parentesco, sem dúvida, mas a ênfase nas inflexíveis teses era mais do que simples "retórica". Não era surpresa que alguns membros do partido, tanto a favor como contra Lênin, considerassem essas teses uma ruptura com a tradição bolchevique. Tais debates podiam ser, ao mesmo tempo, uma incompreensão da profundidade do terreno compartilhado *e* um sintoma de divergências mais concretas do que aquela provocada pelas "Cartas de longe".

As preocupações bolcheviques com a linha de ação de Lênin eram amplamente compartilhadas. As organizações de Kiev e Sarátov rejeitaram cabalmente as teses. Segundo elas, Lênin ficou tempo demais fora da Rússia para compreender a situação. Zinóviev, seu camarada de exílio e colaborador próximo, chamou as teses de "desconcertantes"; outros membros do partido não foram tão gentis.

A princípio, o conselho do *Pravda* hesitou em reproduzi-las, mas Lênin insistiu e elas foram publicadas em 7 de abril – logo seguidas de "Nossas divergências", de Kámeniev, que distanciavam os bolcheviques das "opiniões pessoais" de Lênin. "O esquema geral de Lênin nos parece inaceitável", escreveu, "uma vez que parte do pressuposto de que a revolução democrático-burguesa está *completa* e se assenta na transformação imediata dessa revolução em uma revolução socialista."

O partido, mais do que muitos da esquerda, sempre se concentrou na agência da classe trabalhadora em colaboração com o campesinato. Após 1905, as esperanças dos "velhos bolcheviques" para a revolução na Rússia se depositaram gradualmente, ainda que de forma nebulosa, na "ditadura democrática do proletariado e do campesinato", destinada a acabar com o lodo do feudalismo e a supervisionar o que só poderia ser um passo rumo ao sistema democrático burguês, inclusive no campo. Em 1914, Lênin ainda escrevia que uma revolução russa seria limitada a "uma república democrática [...], jornada de trabalho de oito horas [e] confisco das terras dos latifundiários". Contudo, agora, ele descartava a fórmula de Kámeniev, dizendo que era "obsoleta", "nada satisfatória", "morta". Nas *Teses de abril*, Lênin escreveu que a Rússia, naquele exato momento, passava "da primeira etapa da revolução [...] para sua segunda etapa, que deve colocar o poder nas mãos do proletariado e das camadas pobres do campesinato".

Foi uma guinada. No que diz respeito ao "segundo estágio", Lênin deixou claro que não era "nossa tarefa *imediata* 'introduzir' o socialismo" antes de uma revolução socialista na Europa, e sim colocar o poder nas mãos dos trabalhadores, em vez de buscar a colaboração política entre as classes, como defendiam os mencheviques. "A burguesia que continue a fazer comércio e construir suas oficinas e fábricas", comentou mais tarde o militante bolchevique Sapranov ao jovem Eduard Dune, "mas o poder deve ser dos trabalhadores, não dos proprietários de fábricas, dos comerciantes e dos seus criados." Ainda assim, não há necessariamente uma separação nítida entre "fazer comércio e construir", de um lado, e "poder", de outro, e a posição de Lênin implicava, ao menos tendencialmente, ir mais longe, olhar para o horizonte. Afinal, há uma lógica política implícita em se tomar o poder. Havia algo sugestivo na ênfase de Lênin – introduzir o socialismo não era uma tarefa *imediata* – mas...

Não é de admirar que Lênin tenha sido acusado por seu próprio partido de cair na heresia da "revolução permanente" de Trótski, de transformar a Revolução de Fevereiro em parte, ou algo muito próximo, de uma revolução socialista completa.

Entretanto, mais exilados bolcheviques estavam retornando. E eles tendiam a ser mais radicais do que aqueles que haviam ficado. As dificuldades econômicas do país se intensificavam, as insuficiências do governo provisório se tornavam mais evidentes, a breve lua de mel da colaboração interclasses azedava, e os bolcheviques atraíam sobretudo jovens desiludidos, indignados e impetuosos. Foi nesse contexto que Lênin começou uma campanha para convencer seus camaradas.

E sua obstinação evidenciou certa instabilidade na posição "quase menchevique" do partido, em que alguns membros da direita bolchevique pareciam insinuar que a história "não estava pronta" para o socialismo, ao mesmo tempo que insistiam em que o governo burguês não cumpriria o prometido.

Dez dias depois do retorno de Lênin, houve a I Conferência dos Bolcheviques da Cidade de Petrogrado. Lênin apresentou seus argumentos, insistindo em que eles não podiam "simplesmente" derrubar o governo provisório: tinham primeiro de conquistar a maioria no Soviete. Ainda assim, os delegados, um após o outro, acusaram-no de anarquismo, esquematismo, "blanquismo" – uma versão moderna das conspirações radicais do socialista francês novecentista Auguste Blanqui. A essa altura, entretanto, uma semana e meia após seu retorno, ele já havia conquistado apoiadores. Firmemente ao seu lado, Aleksandra Kollontai, Liudmila Stal e outros também se manifestaram. E Lênin também deve ter tido um considerável apoio silencioso, porque, embora a maioria dos oradores tenha falado contra ele, a proposta de fazer oposição ao governo provisório foi aprovada por 33 votos contra 6, com duas abstenções.

Em breve essa mudança nos quadros do partido traria problemas para o governo provisório.

Naqueles dias de abril, ainda havia vestígios do carnaval social de março, mas agora o tom era mais duro e amargo. Não foi difícil identificar os primeiros sinais de uma crise geral.

No início de abril, milhares de esposas de soldados – as *soldátki* – marcharam pela capital. Essas mulheres haviam começado a guerra em desvantagem, intimidadas e vulneráveis, desesperadas por caridade e pelo apoio insuficiente do Estado. Mas a ausência de seus maridos também podia significar uma libertação inesperada. Em fevereiro, as reivindicações de comida, apoio e respeito começaram a tomar um rumo radical. A tendência se manteve. Na província de Kherson, um observador viu as *soldátki* arrombando casas e "requisitando" qualquer luxo que considerassem imerecido.

> Elas não só transgrediam as leis e intimidavam as autoridades onde quer que pudessem como também houve ações diretas de violência. O vendedor de farinha do Estado que não quis lhes dar desconto foi espancado por um bando de esposas de soldados, e o *pristav*, o chefe de polícia local, que tentou socorrê-lo, escapou por pouco do mesmo destino.

No campo, a disseminação exuberante e pandemônica de sovietes, congressos, conferências e assembleias de camponeses, em meio a órgãos locais estabelecidos como os *volosts* e os *zemstvos* de comarca, estava começando a adquirir uma forma ameaçadora. Em março, no Volga, comunas rurais combativas começaram a disputar com os proprietários de terras os arrendamentos e o direito aos bens comuns. Bandos de camponeses tinham cada vez mais o hábito de abrir caminho em bosques particulares com machados e serras e derrubar árvores de terras do Estado. Em abril, esse movimento atingiu sobretudo os distritos do noroeste – Balachov, Petrovsk, Serdobsk. Às vezes, os camponeses simplesmente começavam a ceifar os campos da pequena nobreza para seu próprio uso, pagando apenas o preço que consideravam justo pelo grão.

Esse senso de "justiça" foi crucial. Não há dúvida de que houve momentos de ódio de classe e de crueldade brutais. Mas quase sempre as ações das comunas das pequenas cidades contra os proprietários de terras eram escrupulosamente articuladas em termos de uma economia moral da justiça. Às vezes isso implicava apresentar as reivindicações de forma quase legal, por meio de declarações e manifestos redigidos por intelectuais simpáticos à causa ou formulados na cuidadosa e prolixa linguagem dos autodidatas. Era uma materialização *ad hoc* do tradicional anseio milenarista de distribuição igualitária da terra entre todos os que nela trabalhavam – essa redistribuição era conhecida como "repartição negra" – e das liberdades que daí deveriam resultar.

Terras "governamentais, de apanágio, de mosteiros, de igrejas e de grandes proprietários devem ser entregues ao povo sem indenização, pois foram conquistadas não pelo trabalho, mas por aventuras amorosas" – teve de escrever o escriba a mando de 130 camponeses analfabetos de Rakalovsk Vólost, na província de Viátka, em uma carta coletiva ao Soviete de Petrogrado datada de 26 de abril –, "sem falar do comportamento dissimulado e malicioso em torno do tsar".

Essa foi uma das cartas da enxurrada delas enviada por pessoas recém-politizadas, engajadas e zelosas de todo o império. Desde fevereiro, elas cruzavam o país, endereçadas ao Soviete, ao governo, às comissões de terras, aos jornais, aos SRs, aos mencheviques, a Keriénski, a qualquer pessoa ou organização que parecesse ter algum poder ou importância. Nesses primeiros meses, algumas ainda eram tão cuidadosas que pareciam quase intimidadas, mas em geral eram esperançosas, alegres, mesmo que titubeantes. Ordens, súplicas, ofertas, consultas e queixas de gente curiosa. Chegavam em grandes blocos de texto, sem parágrafos, com pontuação escassa e metáforas urgentes, apressadas, e aquela pompa quase judicial de quem não está acostumado a escrever. Havia poemas, orações e imprecações.

Indignados, os trabalhadores da Fábrica de Cartuchos de Latão Tula, defenderam sua produtividade no *Izviéstia*. Camponeses de Lodeina, em Vólogda, escreveram ao Soviete defendendo os jornais socialistas. Na imprensa menchevique, o "Comitê de Trabalhadores Idosos" da Fábrica Metalúrgica Atlas condenou o alcoolismo. Soldados da 2ª Unidade de Bateria do Exército do Cáucaso enviaram uma carta ao "profundamente respeitado deputado" Tchkheidze lamentando a pouca instrução que tinham e pedindo livros ao líder menchevique. A Oficina de Reparos de Meios de Transporte Número 2, de Kiev, também escreveu a ele, enviando 43 rublos para os mártires da revolução.

Com o passar dos meses, as cartas começaram a ficar mais furiosas e desesperadas. Muitas já eram furiosas então, e muitas outras eram impacientes.

"Estamos exaustos de viver endividados e na escravidão", os camponeses de Rakalovsk fizeram seu dirigente escrever. "Queremos espaço e luz."

Em 18 de abril, o governo provisório enviou por telegrama aos aliados estrangeiros os objetivos "defensistas revolucionários" oficiais da Rússia em relação à guerra, como reivindicou o Soviete depois da provocadora entrevista de Miliúkov no mês anterior. No entanto, Miliúkov parecia determinado a arruinar qualquer movimento nesse sentido e acabar com o que, para ele, era uma traição imperdoável. Ao documento, uma reiteração da "Declaração de 27 de março", ele anexou uma nota "esclarecendo" que o telegrama não significava que a Rússia pretendia abandonar a guerra. O país continuava determinado a lutar pelos "altos ideais" dos Aliados.

A "nota de Miliúkov", como ficou rapidamente conhecida, não era a maquinação de um velhaco qualquer da ala direita do Kadet. O rascunho e os planos de divulgação foram aprovados pelo gabinete em um acordo entre as alas esquerda e direita do governo provisório – precisamente para destruir o Soviete.

Em 19 de abril, quando o Comitê Executivo do Soviete tomou conhecimento do conteúdo da nota, Tchkheidze acusou Miliúkov de ser "o gênio mau da revolução". E o Ispolkom não foi o único grupo que se irritou com isso. No dia 20, quando o texto foi publicado em vários jornais, imediatamente houve protestos espontâneos e furiosos.

Servia no Regimento Finlandês o elegante sargento Fiódor Linde, um romântico politicamente não alinhado que desempenhou um papel importante – embora subestimado – na Revolução de Fevereiro, incitando os 5 mil homens do Regimento Preobrajiénski a se amotinarem. A nota de Miliúkov o irritara:

era uma traição à promessa da revolução de pôr fim à guerra. Como revolucionário defensista, Linde temia que a nota desmoralizasse e agitasse profunda e inutilmente o Exército.

Quando a intervenção de Miliúkov se tornou pública, Linde comandou um batalhão do Regimento Preobrajiénski até o esplêndido Palácio neoclássico Mariínski, onde o governo provisório estava reunido. Ele esperava que o Comitê Executivo do Soviete, do qual era membro, apoiasse a sua ação, reafirmasse o próprio poder e prendesse o pérfido governo. Soldados dos regimentos Moscou e Pavlov se juntaram à manifestação e, em pouco tempo, 25 mil homens protestavam em frente ao palácio.

Para surpresa e consternação de Linde, o Soviete o condenou. E, pior, insistiu em que ele deveria ajudar o governo provisório a recuperar a sua autoridade.

A nota de Miliúkov e a escalada de protestos contra ela causaram incerteza e tensão entre os bolcheviques. A resolução de Lênin, aprovada naquela manhã em uma sessão de emergência da I Conferência Bolchevique da Cidade de Petrogrado, era atipicamente ambígua. Condenava a nota e sugeria que o fim da guerra somente seria possível se o poder fosse transferido para o Soviete – mas *não* convocava os trabalhadores e soldados a entrar em greve.

Entretanto, milhares de soldados e trabalhadores já estavam nas ruas, exigindo a renúncia de Miliúkov e Gutchkov. Quando o Soviete ordenou que os manifestantes se dispersassem, a maioria, inclusive o desconsolado Linde, obedeceu. Mas os manifestantes ainda exibiam cartazes onde se lia "Abaixo a política imperialista" e, mais contundente, "Abaixo o governo provisório".

Esses lemas foram bem recebidos por alguns delegados distritais bolcheviques. Na ala esquerda do partido, havia certa disposição de ânimo favorável a tais espetáculos e intervenções. Naquele dia, durante a conferência, Niévski, da Organização Militar, defendeu a mobilização das tropas para o Soviete tomar o poder. Liudmila Stal implorou aos seus camaradas que não fossem "mais esquerdistas do que o próprio Lênin". Finalmente, os delegados concordaram em pedir "solidariedade à resolução do Comitê Central", ou seja, à moção um tanto evasiva do próprio Lênin.

Mas, no dia seguinte, os manifestantes saíram novamente às ruas, aos milhares, embora houvesse um número menor de soldados entre eles. Houve de novo aquela agitação. Derrubar o governo? A ideia ganhou força entre os bolcheviques.

Centenas de cópias de um panfleto se espalharam com o vento, algumas acabaram pisoteadas, muitas foram apanhadas e lidas: pensamentos de um arruaceiro anônimo. O título era: "Abaixo o governo provisório!". Os camaradas murmuravam que Bogdatiev, um empregado da Putilov, bolchevique de extrema esquerda e candidato ao Comitê Central, era o autor. Os temíveis bolcheviques de Kronstadt eram firmemente a favor da derrubada. E anunciaram que estavam prontos "para apoiar, a qualquer momento, com sua força armada" toda demanda nesse sentido.

Na tarde do dia 21, os protestos se espalharam por Moscou. Na capital, os trabalhadores tomaram mais uma vez a Avenida Niévski, exigindo o fim do governo provisório. Mas, dessa vez, enquanto protestavam, começaram a perceber cartazes que não eram seus. Outra multidão andava em círculos em frente à Catedral de Kazan, entre as colunas enfileiradas feito dois braços abertos. Era um contraprotesto dos kadets.

Os kadets encararam belicosamente o grupo rival e gritaram seus lemas: "Viva Miliúkov!", "Abaixo Lênin!", "Vida longa ao governo provisório!".

À sombra da cúpula, o confronto estourou. Os manifestantes usavam os cartazes como armas. Agarravam e brandiam. Então ecoou uma série de estampidos chocantes. O tiroteio provocou pânico. Três pessoas morreram.

Às três horas da tarde, enquanto os trabalhadores se punham de novo em marcha rumo ao Palácio de Inverno, o general Lavr Kornílov, comandante do Distrito Militar de Petrogrado, ordenou que suas unidades se posicionassem na grande praça em frente ao palácio, cercando a altiva Coluna de Alexandre.

Kornílov era um soldado de carreira da reserva tártara e cossaca, conhecido por ter fugido do cativeiro austro-húngaro em 1916. Elegante, agressivo, sem imaginação, brutal e corajoso, recebeu a missão nada invejável de restabelecer a disciplina militar em Petrogrado. Como se quisessem provar o tamanho da incumbência, os soldados desobedeciam às suas ordens. E seguiam a ordem do Soviete de se retirar.

Kornílov era esquentado, mas não era bobo. Ele engoliu a própria fúria e o desprezo e evitou o confronto revogando as suas próprias ordens.

Em vez de tentar resolver a crise com violência, o Soviete baixou um decreto contra a presença militar não autorizada nas ruas. Era, na verdade, uma diretriz para reduzir esses tumultos, as Jornadas de Abril. Naquela noite, o Comitê Executivo do Soviete, o Ispolkom, aprovou, por 34 votos contra 19, a "explicação" do governo provisório para a nota de Miliúkov – uma explicação que equivaleu a um recuo.

Os militantes ainda estavam de sangue quente. Naquela noite, em uma reunião da Comissão Executiva do Comitê Bolchevique de Petersburgo, uma moção para a derrubada do governo começou a ganhar apoio. Após escandalizar os bolcheviques moderados, Lênin tentava agora refrear o preocupante ardor da "ultraesquerda" do partido.

"O lema 'Abaixo o governo provisório'", declarou Lênin na resolução de 22 de abril, "é incorreto no momento presente", porque a classe trabalhadora revolucionária não tinha ainda uma maioria ao seu lado. Sem essa maioria, "tal lema é uma frase vazia ou, objetivamente, equivale às tentativas de um caráter aventureiro". Ele reiterou que defenderia essa transferência "apenas quando os sovietes [...] adotarem nossa política e desejarem assumir o poder em suas mãos".

As Jornadas de Abril transmitiram uma lição importante, ainda que não intencional. Estava absolutamente claro que o Soviete, desejasse ou não, possuía mais autoridade sobre a Guarnição de Petrogrado do que o governo provisório ou os oficiais.

O recrudescimento das Jornadas de Abril pode ter sido precipitado na capital, mas em todo o país a onda de progresso e mudança era ainda muito forte. Pela imensidão do território russo, a agitação e o experimentalismo de fevereiro continuavam e ganharam formas específicas, que depois foram canalizadas para investigações formais mais sérias sobre a liberação. Entre nações e minorias, a agitação e os movimentos por autonomia despertaram.

A região predominantemente budista de Buryat, na Sibéria, assistiu a várias ondas de imigração desde que a Ferrovia Transiberiana chegou à sua principal cidade, Irkutsk, em 1898. Mais de uma vez, nos anos seguintes, ela foi abalada pelas revoltas de Buryat contra leis discriminatórias e enfrentou o chauvinismo cultural e as ameaças políticas do regime russo. Em 1905, um congresso em Buryat exigiu o direito ao autogoverno e à liberdade linguístico-cultural: o congresso foi reprimido. Agora, com a nova onda de liberdade, houve um novo congresso em Irkutsk – que votou a favor da independência.

Em Ossétia, nas montanhas do Cáucaso, os moradores realizaram um congresso para estabelecer órgãos de autogestão em um Estado recém-democrático. Em Kuban, região do sul da Rússia, no Mar Negro, os cossacos da Rada, cujo comando era indicado pelo tsar, declararam-na seu poder administrativo supremo. Incentivados pela Revolução de Fevereiro, e sentindo que ela reivindicava seu próprio programa, os membros do progressista e modernizador movimento muçulmano jadidista estabeleceram um Conselho Islâmico em Tasquente, no Turquestão*, e em toda a região, ajudando no desmantelamento das velhas estruturas do governo – já minadas pela propagação dos sovietes locais – e fortalecendo o papel da população nativa muçulmana. Ao fim de um mês, o conselho realizou o I Congresso Muçulmano Panturquestano. Por unanimidade, os 150 delegados reconheceram o governo provisório e exigiram autonomia regional.

Essas tentativas de progresso não ocorreram apenas na arena da nacionalidade. O encontro de muçulmanos de toda a Rússia, convocado pelos deputados muçulmanos da Duma logo após a Revolução de Fevereiro, estava próximo – mas, em 23 de abril, as delegadas se reuniram em Kazan, no Tartaristão, para o Congresso de Mulheres Muçulmanas de Toda a Rússia. Lá, 59 delegadas se encontraram diante de uma plateia de 300 pessoas, predominantemente mulheres, para debater questões como a lei da xariá, a poligamia, os direitos das mulheres e o *hijab*. Houve contribuições de uma gama de posições políticas e religiosas, de socialistas como Zulaykha Rahmakúlova e a poeta Zaida Burnacheva, de 22 anos, e de estudiosas da religião como Fátima Latifiya e Labiba Huseynova, especialista em lei islâmica.

As delegadas discutiram se os mandamentos corânicos eram historicamente específicos. Inclusive, muitas proponentes da ortodoxia trans-histórica interpretaram os textos para afirmar, contra as vozes conservadoras, que as mulheres tinham o direito de frequentar mesquitas ou que a poligamia só era permitida – ressalva crucial – se fosse "justa", ou seja, se tivesse a permissão da primeira esposa. Insatisfeitas com a aprovação dessa posição progressista-tradicionalista do casamento plural, feministas e socialistas, enviaram três representantes, incluindo Burnacheva, à Conferência Muçulmana de Toda a Rússia, em Moscou, que seria realizada no mês seguinte, com o intuito de apresentar seu caso contra a poligamia.

A conferência aprovou dez princípios, inclusive o direito das mulheres ao voto, a igualdade entre os sexos e a natureza não compulsória do *hijab*. O centro

* A partir de 1924, Tasquente passou a fazer parte da República Soviética Uzbeque (atual República do Uzbequistão) e, desde 1930, é a capital do país. (N. E.)

de gravidade das discussões foi claramente jadidista, ou mais à esquerda. Um sintoma dos tempos instáveis.

Petrogrado estava se recuperando da aventura de Linde. De 24 a 29 de abril, imediatamente depois das Jornadas de Abril, aconteceu a VII Conferência de Toda a Rússia do Partido Operário Social-Democrata Russo (POSDR) - nome oficial dos bolcheviques desde 1912. Durante a conferência, Lênin acrescentou uma nova crítica "de direita" contra a esquerda à crítica "de esquerda" contra a direita bolchevique. Disse que as Jornadas de Abril não foram uma batalha. Ao contrário, foram uma oportunidade de "reconhecimento pacífico das forças do inimigo" - sendo esse inimigo o governo provisório. Em seu entusiasmo, o Comitê de Petersburgo havia cometido o "grave crime" de se deslocar, disse ele, "um pouquinho para a esquerda".

Stálin era um dos muitos que agora se afastavam de sua posição original mais moderada para votar com Lênin. Houve uma oposição oral contínua às *Teses de abril*, desde a oposição mais consistente de Kámeniev, entre outros, até a de uma minoria ainda mais à direita, que aderiu à posição de "vigilância" do governo provisório. Apesar disso, o apelo de Lênin de "todo o poder aos sovietes", como foi exposto no corretivo a Bogdatiev e seus aventureiros, foi adotado. Bem como a sua posição de que a guerra imperialista e o "defensismo revolucionário" deveriam ser opostos.

Dado o horror com que suas propostas foram recebidas quase três semanas antes, a virada foi notável. A reputação de Lênin estava crescendo no partido, e rapidamente.

No entanto, os bolcheviques não eram um partido monolítico. Lênin se sentiu obrigado a atenuar a força de sua moção "Sobre o momento presente" com concessões ao kamenievismo, e, mesmo assim, ela foi aprovada por apenas 71 votos contra 39, com 8 abstenções. A direita bolchevique conquistou quatro dentre os nove assentos no Comitê Central, um deles assumido por Kámeniev, o que foi suficiente para colocar Lênin sob pressão. E, na questão da Segunda Internacional, que havia desgraçado a si mesma com suas inclinações pró-guerra, Lênin votou sozinho a favor do rompimento.

Ainda assim, no encerramento do congresso, em 29 de abril, Lênin estava cautelosamente satisfeito com seu progresso.

Em 26 de abril, o governo provisório fez um apelo sincero e emocionado. Admitiu que, como as Jornadas de Abril haviam mostrado, ele não estava no controle da Rússia. Convidou "representantes das forças criativas do país que até então não haviam participado de modo direto e imediato" a se juntarem ao governo.

Tratava-se de um apelo de colaboração formal dirigido diretamente ao Soviete. O Soviete hesitou, dividido por debates em torno de como responder. A posição de Gutchkov, ministro da Guerra, e do odiado Miliúkov havia se tornado insustentável. Eles renunciaram no dia 29.

Durante todo aquele mês dramático, o Soviete esteve atento à difícil situação de vários revolucionários exilados que não conseguiam voltar para casa, a Rússia, e possivelmente estavam sendo mantidos em condições de legalidade questionável. Uma das últimas missões de Miliúkov como ministro das Relações Exteriores foi resolver, junto aos governos britânico e canadense, o caso de um russo detido pelos britânicos num campo da Nova Escócia porque era considerado uma ameaça aos Aliados. O nome do prisioneiro era Leon Trótski.

Gutchkov acreditava que o poder dual era insustentável, por isso tentou uma coalizão de direita entre a burguesia e o governo provisório, com todas aquelas partes "saudáveis" das Forças Armadas, como o general Kornílov, e vários líderes patronais. Isso, é claro, o Soviete não permitiria. O que não significava que o Soviete sabia o que fazer com seu próprio poder. Ele ainda estava absurdamente empenhado em "zelar" por um governo que havia declarado francamente que não podia governar.

No mesmo dia em que Miliúkov e Gutchkov renunciaram, o Comitê Executivo do Soviete rejeitou por pouco a coalizão com o governo provisório: 23 votos a 22. Os sovietes regionais – Tbilisi, Odessa, Níjni Nóvgorod, Tver, Ekaterimburgo e Moscou, entre outros – permaneceram firmes contra a participação de socialistas no governo burguês. Enquanto isso, muitos à esquerda deles, como os bolcheviques, desprezavam cada vez mais o governo provisório *tout court*.

Mas, ao mesmo tempo, a pressão a favor da colaboração aumentava. Representantes dos partidos socialistas patriotas dos países Aliados, simbolizando a ala esquerda internacional dos favoráveis ao acordo, mobilizaram-se fortemente pela participação no governo russo. Eram, no jargão de Zimmerwald, os sociais-patriotas. Viajaram em grande número para a Rússia, decididos a convencer os russos a apoiar a guerra. Albert Thomas e Marcel Cachin da França, Arthur Henderson e James O'Grady da Grã-Bretanha, Émile Vandervelde e Louis de

Brouckère da Bélgica. Eles percorreram o país e o *front*, unindo forças com os generais russos para reforçar o espírito combativo a favor do que o socialista francês Pierre Renaudel disse ser possível descrever agora, "sem se ruborizar", como "a guerra da justiça".

Muitos dos que eles tentaram convencer, cansados da guerra, iam da indiferença à hostilidade. E os visitantes pareciam não enxergar isso. Em um momento de teatralidade particularmente pouco edificante, Albert Thomas, dirigindo-se à multidão do alto de uma sacada, conclui as suas exortações em francês – que poucos compreendiam – com uma charada ridícula, como se fosse um mímico em uma festa infantil. Ele torceu os bigodes imaginários do Kaiser, estrangulou uma Rússia imaginária e, confundindo com aplauso o audível descontentamento do público com a palhaçada, concluiu com um floreio de chapéu.

Para os trabalhadores, camponeses e soldados que apoiavam os sovietes, mas não eram implacavelmente contra o governo, o bom senso sugeria que só podia ser bom ter socialistas no governo. Aos poucos, certas autoridades provinciais começaram a apresentar esse argumento. Keriénski já era membro do gabinete, não era? E Keriénski era popular, não era? Por que seria ruim ter mais Keriénskis?

No SR, a maré começou a avançar nessa direção, manifestando-se na ampliação da fissura entre as alas direita e esquerda. Os soldados rasos reivindicaram que o governo conduzisse a guerra "à maneira revolucionária". As unidades militares de Petrogrado – inclusive a Divisão de Blindados, pró-bolchevique – agora se declaravam a favor da coalizão por esses mesmos motivos.

E, numa estranha aritmética, a essa espécie de participacionismo "de esquerda" somou-se certo socialismo "de direita". Em que os radicais, com base em sua fé nos sovietes, queriam a coalizão com o governo, e os que estavam à direita deles, inclusive muitos socialistas "oficiais" dos partidos moderados e dos próprios sovietes, se perguntavam se os sovietes não estavam acabados – se o poder não devia assumir formas mais tradicionais.

No Soviete de Petrogrado, os SRs moderados, embora numerosos, tendiam a acompanhar politicamente os líderes mencheviques. A distância entre as alas dominantes das duas organizações começou a diminuir, e, em termos de habilidade, os mencheviques Dan, Tchkheidze e Tseretiéli estavam em um patamar superior ao da maioria dos fantoches do SR. Depois de sua volta, até mesmo o estimado Tchernov, tradicional membro da esquerda do SR, aderiu ao "defensismo revolucionário" e aos seus antigos oponentes dentro do partido, como Gots. Ele adotou a moderação da *intelligentsia* do SR, que antes estava a sua direita: defendeu a consolidação das "conquistas revolucionárias" de fevereiro e atacou os movimentos radicais, que podiam propiciar uma reação. Condenando a desorganização da esquerda e apoiando os "elementos proprietários" como os mais bem preparados para governar, Tchernov abraçou a colaboração socialista-liberal e o apoio ao governo provisório.

Com exceção dos anarquistas rejeicionistas, dos bolcheviques, da esquerda do SR, da esquerda menchevique e dos maximalistas de várias tradições, a conclusão era que tanto a esquerda-esquerda como a direita-esquerda começavam a se orientar para a coalizão.

Abril terminou com um governo sem leme, sem um ministro da Guerra e com socialistas em um Soviete empenhado em fazer dar certo a revolução burguesa de instituições das quais continuavam ausentes – e às quais a própria burguesia estava renunciando. Não surpreende que Keriénski tenha profetizado entropia, confusão, desgraça. A desorganização, ele disse a seus camaradas do Soviete, se espalharia. Em breve o Exército seria incapaz de lutar.

Assim, foi com a guerra como argumento que as preocupações dos revolucionários defensistas e dos imperialistas se encaixaram. Elas se fundiram nas previsões de Keriénski sobre o colapso iminente da Rússia.

5
MAIO: COLABORAÇÃO

Em 1º de maio, apenas dois dias depois de votar a matéria, o Comitê Executivo do Soviete retornou ao princípio de coalizão com o governo provisório. Dessa vez, por 44 votos a 19, com 2 abstenções, a coalizão foi aprovada. Um furioso Martov – empenhado na independência de classe e abstendo-se do poder como oposição de extrema esquerda em uma revolução burguesa – telegrafou em vão aos seus camaradas mencheviques, dizendo que a participação no governo de coalizão era "inadmissível".

As negociações começaram imediatamente. O Soviete estabeleceu condições para o seu apoio. Insistiu em um esforço sério para pôr fim à guerra, no princípio de autodeterminação sem anexações, na democratização do Exército, em certo grau de controle sobre a produção e a distribuição industrial, em proteções trabalhistas, imposto sobre riqueza e administração local democrática, em políticas agrárias voltadas para "a transferência da terra para as mãos dos trabalhadores" e em ações no sentido da convocação da sempre louvada Assembleia Constituinte.

Alguns desses desideratos podem ter soado inaceitavelmente radicais para os guardiões da ordem burguesa que imploravam ao Soviete que se juntasse a eles no governo, mas, na verdade, elas eram obsequiosamente elásticas e seus prazos eram longos, às vezes indeterminados. Os grupos dominantes e de direita dos mencheviques e dos SRs, e em particular os líderes e os intelectuais – inclusive muitos terroristas ocasionais – estavam começando a sentir que a única alternativa à coalizão com o governo era a perigosa corrente à esquerda deles. Culturalmente influente, a direita do SR enfraqueceu a militância de esquerda do

SR em Petrogrado e na Conferência Regional do Norte, tachando-a de "bando bolchevique". O jornal do partido, o *Vólia Naroda*, financiado por Brechko--Brechkóvskaia, escreveu que a escolha era "clara e definitivamente entre se unir ao governo provisório, isto é, apoiar energicamente o governo revolucionário, e recusá-lo sinceramente, isto é, apoiar indiretamente o leninismo".

Os liberais e a direita, por sua vez, arrancaram concessões dos socialistas, como fizeram nos debates de fevereiro. Os kadets exigiram pelo menos quatro ministérios em qualquer gabinete. Em relação à guerra, o governo provisório insistiu que o Ispolkom o reconhecesse como autoridade suprema e única fonte de comando das Forças Armadas.

A abordagem do Soviete na questão da política externa e da guerra era muito pacífica para o gosto dos kadets, mas o programa acordado favorecia os kadets em um aspecto crucial: permitia ao Exército preparar operações tanto ofensivas como defensivas. Na verdade, com o prestígio internacional da Rússia revolucionária severamente abalado por sua política militar ineficaz e equivocada, até mesmo no Soviete era cada vez menor a oposição a uma ofensiva.

Em 4 de maio, último dia de negociações para a composição do gabinete, o I Congresso dos Sovietes de Camponeses de Toda a Rússia se reuniu em Petrogrado. Naquele mesmo dia, retornou à cidade – vindo dos Estados Unidos com a família, após uma longa e adiada viagem, interrompida por conspirações, polícia e prisão – Liev Davídovitch Bronstein, ou Leon Trótski.

Trótski era lembrado como um líder do Soviete de 1905 e inspirava, se não a confiança, o respeito generalizado da esquerda. Falava-se muito sobre ele, mas em tom ambíguo. Suas teorias inconformistas, suas polêmicas amargas e brutais, sua personalidade abrasiva e sua oposição inveterada significavam que "tanto mencheviques quanto bolcheviques o enxergavam com rancor e desconfiança", recordou Angelica Balabanoff, bolchevique ítalo-russa e cosmopolita. Ela acreditava que, em parte, isso vinha do "medo da competição": todos consideravam Trótski brilhante, e isso era um espinho doloroso na carne dos oponentes e, naquele momento, sua única fidelidade era para com um grupo de esquerda brilhante, mas minúsculo: o Mejraióntsy. O que ele faria agora, isso ninguém sabia.

Em 5 de maio, nasceu um novo governo: o segundo governo provisório ou primeiro governo de coalizão. Com exceção do príncipe Lvov, que permaneceu como presidente e ministro do Interior, todo o restante foi mudado. Entre os novos ministros, havia seis socialistas e dez outros, entre os quais o kadet Mikhail

Teriéschenko e um jovem milionário, produtor de açúcar da Ucrânia, que substituiu Miliúkov. Teriéschenko era um maçom conhecido e, naquela atmosfera febril, maledicente e parapolítica, era fácil suspeitar de conspirações por trás de sua indicação. Essas especulações obsessivas a respeito da maçonaria ainda são comuns nas discussões sobre a revolução. Na verdade, favorecido ou não por nepotismo, Teriéschenko se provaria apto à impossível missão de administrar as relações tanto com os Aliados quanto com o Soviete.

O gabinete socialista incluía um membro do Partido Populista Socialista, A. V. Pechekhónov, que ficou encarregado do abastecimento alimentício, dois mencheviques, Tseretiéli e Skóbolev, para o comando dos Correios e Telégrafos e do Trabalho, e três SRs: o próprio Tchernov na Agricultura, Pereviérzev como ministro da Justiça e, de longe o mais importante (outro célebre maçom), o novo ministro da Guerra, Aleksandr Keriénski.

Numa sessão plenária do Soviete de Petrogrado, os seis ministros socialistas pediram apoio à arriscada coalizão. O Soviete o concedeu. Única oposição organizada da esquerda, os bolcheviques reuniram cem votos contrários.

Foi nesse momento que Trótski entrou no salão do Palácio de Táurida, e no cenário de 1917, sob aplausos entusiasmados.

Ao avistá-lo, o novo ministro, Skóbolev, chamou: "Querido e amado professor!".

Trótski tomou a palavra. No começo, falou com dificuldade. O grande orador já não era o mesmo. O nervosismo o fez tremer. A assembleia silenciou para ouvi--lo. Ele ganhava autoconfiança à medida que apresentava sua leitura da situação.

Elogiou a revolução. Enfatizou o tamanho do impacto que ela teve e ainda poderia ter mundo afora. Afinal, era na arena internacional que a revolução se completaria.

Depois do mel veio o remédio amargo. "Não posso esconder", disse Trótski, "que discordo de muito do que está acontecendo aqui."

Rispidamente, cada vez mais confiante, ele condenou a entrada dos socialistas no governo e a falácia do poder dual. Recitou para a assembleia os "três artigos de fé revolucionários: não confiar na burguesia, controlar os líderes e contar apenas com a sua própria força". O que era necessário, o que ele exigia diante daquela sala silenciosa, não era um poder dual, mas um poder único. O poder dos deputados dos trabalhadores e dos soldados.

"Nosso próximo ato", disse ele, "será transferir todo o poder para as mãos dos sovietes." Essa frase poderia ter sido dita por Lênin.

Quando deixou o salão, Trótski foi aplaudido com menos entusiasmo do que quando entrara. Os ouvidos bolcheviques, porém, estavam atentos às suas palavras.

Não surpreende que, cinco dias depois dessa aparição provocativa, Lênin tenha oferecido ao Mejraióntsy, de Trótski, um assento no conselho do *Pravda*, caso eles se juntassem aos bolcheviques. Lênin até cogitou fazer a mesma oferta aos mencheviques internacionalistas de esquerda. O líder deles, Martov, após uma longa demora e sem muita ajuda de seus camaradas de Petrogrado, havia retornado à cidade por um método similar ao de Lênin (mas em um trem consideravelmente maior).

De sua parte, Trótski, embora não se opusesse a essa união de forças, não podia aceitar a *dissolução* no meio dos bolcheviques. Ele propôs a formação de uma nova união entre os dois, por menor que fossem as fileiras do Mejraióntsy em comparação com os bolcheviques. Lênin recusou essa proposta arrogante. Ele podia esperar.

De 7 a 12 de maio, os mencheviques realizaram a sua I Conferência de Toda a Rússia em Petrogrado – durante a qual os líderes de esquerda Martov, Axelrod e Martynov se juntaram a eles.

Martov estava estarrecido com o que descreveu a um amigo como a "maior estupidez" de seu partido, que se unira ao governo sem sequer obter dele um compromisso de pôr fim à guerra. A conferência já havia validado a resolução um dia antes de sua chegada, e os refugiados políticos internacionalistas foram derrotados também na questão do defensismo – Tseretiéli se manifestou enfaticamente a favor. O minúsculo grupo menchevique internacionalista se recusou a vincular-se a essas decisões.

Quando Martov tentou falar, no palco, o público o vaiou com insolência. Horrorizada, a esquerda compreendeu a que ponto estava marginalizada. Especialmente em Petrogrado, alguns membros da esquerda menchevique – como Larin, que também era do Mejraióntsy – defenderam uma cisão. Martov, ao contrário, decidiu que eles permaneceriam no partido como um bloco de oposição, esperando obter a maioria a tempo do congresso do partido marcado para julho.

Os riscos eram altos, e a montanha a ser escalada era ainda mais alta. "Tirem-no daí!", gritavam os delegados, "Fora!" "Não queremos ouvi-lo!"

Apesar dessas desavenças violentas em torno da colaboração com o governo, até aquele momento as duas alas do partido concordavam que os próprios trabalhadores não seriam capazes de tomar o poder. Para as bases, essa doutrina poderia dar aos organizadores mencheviques, em particular aos moderados, uma aparência política meio abstrata, até mesmo quietista.

O jovem bolchevique Dune foi respeitoso ao avaliar o quadro de mencheviques de seu local de trabalho, em Moscou: eram "camaradas mais velhos, ponderados, que haviam lido muito", "os trabalhadores mais qualificados", uma "aristocracia de trabalhadores", com conhecimento e experiência impressionantes – mas cujo "ardor revolucionário havia esfriado". Após os debates das *Teses de abril* nas fábricas, esses mencheviques se manifestaram contra o poder do Soviete, longamente e com muitas citações, argumentando que o país não estava maduro e, "antes de chegar ao poder, os trabalhadores ainda tinham muito que aprender". Como Dune recordou:

> A assembleia ouviu atentamente todos os oradores, mas prestou menos atenção aos argumentos [mencheviques] sobre as revoluções socialista e democrático-burguesa, apoiados em citações das obras de Bebel e Marx [...]. Os bolcheviques falaram de uma maneira mais compreensível. Devemos preservar e fortalecer o poder que conquistamos durante a revolução, sem entregar nada à burguesia. Não devemos liquidar os sovietes como órgãos de poder, e sim transferir a eles o poder.

Pelo país, as tensões continuavam a crescer à medida que o mês avançava. Certa inquietação e uma perigosa irritabilidade cresciam entre soldados, trabalhadores e, mais drasticamente, camponeses. De modo geral, esse ânimo ainda não havia tomado uma forma explicitamente política, mas era instável, destrutivo e, muitas vezes, violento.

No campo, surtos de insurgência rural ocorriam com frequência cada vez maior e mais desastrosa. "A Rússia", disse o *Rech*, órgão do Kadet, "foi transformada em uma espécie de casa de loucos." Grupos de camponeses furiosos, muitas vezes com soldados entre eles, saqueavam cada vez mais casas senhoriais. Os soldados, apesar das imprecações teatrais e das lisonjas do ministro da Guerra, Keriénski, continuavam a desertar em grande número. Colunas de desertores caminhavam insolentemente pelo campo. E lotavam as cidades. Traumatizados pela guerra, alvos evidentes de pânico moral e do lado errado da lei, muitos agora a violavam para sobreviver ou por objetivos mais obscuros.

Eles não eram os únicos. Os índices de criminalidade dispararam: naquele ano houve muito mais assassinatos em Petrogrado do que no ano anterior, e alguns foram impressionantes e particularmente assustadores, espalhando angústia e terror. Desertores invadiram uma casa em Lesnoi, estrangularam um criado e espancaram brutalmente um menino, antes de fugir com dinheiro e objetos de valor. Uma jovem da pequena comunidade de 10 mil chineses da cidade foi encontrada morta, esquartejada e com os olhos arrancados. As classes médias, em particular, estavam em pânico – elas se sentiam mais vulneráveis do que os ricos, que podiam pagar por proteção, ou do que os moradores das áreas onde a classe trabalhadora era mais coesa e as milícias de trabalhadores eram mais eficientes do que as da própria cidade. Não admira que naqueles mês o fenômeno dos *samosudy*, isto é, os linchamentos e as ações dos grupos de justiceiros, "deu uma virada brusca", nas palavras do *Petrográdski Lístok*. A *Gazieta-Kopeika* começou a publicar uma coluna chamada "Linchamentos do dia".

Não menos furiosos que os soldados, mas em geral mais politizados, estavam os trabalhadores. As greves se multiplicavam, assim como as viagens em carrinhos de mão dos chefes abusivos até o canal mais próximo. E não apenas em Petrogrado, ou entre operários, mais comumente associados a esse tipo de desordem: em Roslavl, na província de Smolensk, por exemplo, foram as chapeleiras que se revoltaram. Essas mulheres, em sua maioria jovens judias com tradição na militância desde 1905, saíram às ruas para exigir jornadas de trabalho de oito horas por dia, 50% de aumento salarial, fim de semana de dois dias, férias remuneradas e outras reivindicações. E fizeram isso sem sutilezas obsequiosas.

Em 13 de maio, o Soviete de Kronstadt se declarou o único poder na ilha naval. Anunciou que não reconheceria o governo de coalizão e só negociaria com o Soviete de Petrogrado. Esse repúdio radical do poder dual, embora fortemente influenciado pelos bolcheviques de Kronstadt, foi considerado uma irresponsabilidade pelo Comitê Central. Não era o momento, o CC insistiu, para tomadas insurrecionais de poder como aquela. Os bolcheviques, escreveu Lênin em um panfleto, devem "se libertar da atual *orgia de frasismo revolucionário* e estimular a consciência tanto do proletariado quanto da massa em geral". A missão do partido era explicar sua leitura da situação "com habilidade, para que o povo compreendesse". Sendo assim, o CC convocou a Petrogrado os principais membros de Kronstadt: Raskólnikov e Rochal.

Lênin reclamou a eles. Sem sucesso. Também não teve sucesso o apelo do próprio Soviete de Petrogrado às forças de Kronstadt, em 26 de maio, a fim de resolver o caso. Na verdade, foi necessária a intercessão de Trótski, no dia seguinte, para negociar um acordo que permitisse ao Soviete de Kronstadt voltar atrás sem perder a dignidade e, ao mesmo tempo, continuar como o único governo efetivo na ilha.

Naqueles dias impetuosos, enquanto o governo de coalizão lutava para não perder o controle do país, seus críticos de esquerda tinham dificuldade para controlar seus próprios defensores.

★

As nações subordinadas do império estavam indo além dos seus limites, tateando novas possibilidades.

Entre 1º e 11 de maio, Moscou sediou a convenção reivindicada pelos deputados da Duma Muçulmana em fevereiro. Novecentos delegados das populações e nações muçulmanas chegaram à cidade – basquires, ossetas, turcos, tártaros, quirguizes e outros.

Quase um quarto dos presentes eram mulheres, algumas recém-chegadas do Congresso de Mulheres Muçulmanas em *Kazan*. Um dos doze integrantes do *presidium* era a tártara Selima Iakubova. Quando um homem perguntou por que os homens deveriam conceder direitos políticos às mulheres, uma mulher se apressou a responder: "Vocês dão ouvidos aos religiosos sem fazer objeções, mas agem como se pudessem nos conceder direitos", ela disse. "Ao contrário, somos nós que vamos conquistá-los!"

A conferência se dividiu em vários eixos, mas adotou um intenso programa de direitos das mulheres e, como defendeu a esquerda no Congresso de Mulheres, a poligamia foi banida, ainda que apenas simbolicamente. Contra os planos de autonomia nacional-cultural extraterritorial da poderosa burguesia tártara e contra as aspirações pan-islâmicas, a conferência defendeu uma posição federalista de autonomia cultural. Isso poderia amadurecer e se tornar uma reivindicação pela libertação nacional – como de fato aconteceu.

Reivindicações similares estavam em ascensão. Em 13 de maio, um congresso quirguiz-cazaque enviou ao Soviete de Petrogrado as saudações e os protestos de solidariedade de Semipálatinsk, uma província de grande população nômade na fronteira com a China. Esse congresso também reafirmou seu direito à "autodeterminação nacional-cultural" e à autonomia política. Na Finlândia, a Revolução de Fevereiro deu força ao impulso em favor da autonomia e talvez a algo mais. Em Petrogrado, o governo implorou aos finlandeses que esperassem uma Assembleia Constituinte: eles eram um mau exemplo para as outras nações. Na Bessarábia, houve uma disputa pelas almas dos camponeses moldávios. A esquerda enfrentou o novo e rebelde Partido Nacional Moldávio, cujos líderes reivindicavam a "mais ampla autonomia". Entre 18 e 25 de maio, Kiev sediou o I Congresso Militar Ucraniano. Mais de setecentos delegados participaram, representando quase 1 milhão de pessoas, do *front*, da retaguarda e das esquadras. Uma voz pela autodeterminação nacional.

De acordo com o jornal menchevique *Rabótchaia Gazieta*, após a revolução, "o governo provisório se isolou completamente das influências imperialistas" e rumava para a "paz universal". Em 6 de maio, o órgão do Soviete, o *Izviéstia*, afirmou que, embora angustiados, os soldados russos deviam continuar a combater, e que podiam fazê-lo "com toda a sua energia e coragem [...] com a firme crença de que seus heroicos esforços não seriam usados para o mal [...], [mas] serviriam a um único e mesmo propósito – defender a revolução contra a destruição e alcançar o mais breve possível a paz universal".

Paralelamente a esses apelos por uma nova legitimidade da guerra, o governo de coalizão sabia que a sua reputação internacional, especialmente entre os Aliados, dependia, em grande medida, de que ele fosse visto fazendo sua parte para vencer a guerra – nos termos decididamente não socialistas dos Aliados. Alguns viam claramente que isso era uma contradição e cinicamente continuavam a louvar a necessidade anti-imperialista do prosseguimento da guerra. Para os muitos socialistas que não eram cínicos, mas sinceros, as contorções mentais eram trágicas e insuportáveis. E foram mais dolorosas ainda quando o governo preparou o Exército para a ofensiva.

Em 11 de maio, Keriénski baixou um documento intitulado "Sobre os direitos dos soldados". O decreto tinha muito do conteúdo da Ordem Número 1 – uma concessão necessária à opinião pública –, mas restabelecia a autoridade dos oficiais no *front*. Isso incluía o direito de promover ou transferir oficiais de escalões mais baixos – sem que coubesse recurso por parte dos comitês de soldados – e o direito de usar punições físicas. Os bolcheviques zombaram desse degradante retorno às hierarquias tradicionais, referindo-se ao documento como "Declaração da falta de direitos dos soldados".

Keriénski era um ator nato. Resolveu reunir tropas para uma investida grandiosa, a ofensiva para a qual todos se preparavam. Foi uma campanha quixotesca e atroz.

Nas regiões devastadas pelos bombardeios, o "convencedor em chefe", como Keriénski era conhecido, apelou para toda a sua teatralidade. Caminhou com dificuldade entre excrementos, lama e sangue nas frentes de batalha, mas sempre sorrindo e vestindo roupas semimilitares impecáveis. Reuniu os soldados, elogiou-os calorosamente, olhou-os nos olhos. Conversou com muita gente. De pé sobre caixotes, troncos e veículos militares decrépitos, exibiu sua penetrante oratória para as massas de soldados, pedindo sacrifício e inflamando-se de tanta paixão que quase desmaiou.

E, de modo limitado, por um período limitado, essas intervenções funcionaram. Quando Keriénski chegava, os soldados atiravam flores. Carregavam o radiante líder nos ombros. Quando ele pedia, eles davam vivas. Um último esforço significaria a paz – ele os exortava. Diante dessas palavras, eles oravam e choravam.

Alguns, pelo menos. A testeria* da recepção era autêntica, mas não era nem intensa nem duradoura. Keriénski estava sinceramente convencido de que o Exército estava pronto e ansioso para uma ofensiva. Não estava. Oficiais mais perspicazes, como o ponderado general Brusílov, a quem Keriénski nomeou comandante em chefe no lugar de Alekséiev, em 22 de abril, sabiam disso.

Além do mais, Keriénski discursou apenas para determinadas tropas. Ele ficou longe daquelas para as quais discursar seria um convite à agressão ou coisa pior. E não se demorava muito nos lugares onde efetivamente discursava. Quando passava o breve efeito narcótico de suas pregações, os soldados ainda estavam encalhados a poucos metros das linhas inimigas, no lodo congelado, sob a mira de metralhadoras. Não obstante seus melhores discursos, em muitos lugares Keriénski foi interrompido com perguntas embaraçosas. As taxas de deserção continuavam espantosas, e os hábitos de amotinamento eram assertivos. O movimento antibélico, dos bolcheviques e de outros, não diminuiu.

* Termo proposto inicialmente pela feminista Julia Loesch em 1972, derivado de *testicles* (do grego *testes*, testículo) e cunhado como uma resposta crítica à conotação machista do termo e do conceito de histeria (derivado do grego *hystéra*, útero). Às vezes é referido como "histeria masculina" ou "comportamento agressivo e irracional típico dos homens". (N. T.)

A velha guarda dos altos escalões militares estava furiosa com a condução da guerra e com o desgaste causado pelas velhas panaceias. Em seu primeiro dia no cargo, Brusílov foi saudar o alto-comando no Stavka. O "sentimento gélido", disse ele, era palpável. Para aqueles oficiais rígidos e estacionados no tempo, a disposição de Brusílov de trabalhar com os comitês de soldados fazia dele um traidor. Ele os horrorizou com uma tentativa inábil de mostrar suas credenciais democráticas estendendo a mão aos soldados rasos para cumprimentá-los. Os assustados homens se atrapalhavam com as suas armas para responder.

Ainda assim, independentemente do abismo moral, da desconfiança no topo e da deserção na base, o ímpeto para a ofensiva não podia arrefecer. Muito menos a pressão contrária para a rebelião.

O I Congresso dos Sovietes de Camponeses de Toda a Rússia, em Petrogrado, estendeu-se por quase todo o mês de maio. Refletindo a sobreposição entre campesinato e soldadesca, quase metade dos 1,2 mil delegados credenciados veio do *front*.

Uma minoria não negligenciável de delegados (329) não tinha afiliação. Os 103 sociais-democratas eram mencheviques em sua maioria. Os SRs, como é esperado em um país camponês, dominavam com 537 representantes. E, mesmo sem maioria absoluta, conseguiriam aprovar sua política de apoio à coalizão com o governo provisório e suas posições sobre a guerra, a paz e a questão das nacionalidades. Mas, como reflexo do clima rebelde e obstinado do país, o triunfo nem sempre era fácil.

Apesar da minúscula presença de bolcheviques – um grupo diminuto de nove, acompanhados de catorze delegados "sem partido", que tendiam a votar com eles –, sua influência estava crescendo. Isso se devia, em especial, às posições duras, coerentes e claras a respeito de questões cruciais, como a guerra e a terra, conforme foram apresentadas em 7 de maio, em uma carta aberta de Lênin ao Congresso.

No dia 22, ele se dirigiu aos delegados pessoalmente, insistindo no apoio aos camponeses mais pobres e exigindo a redistribuição de terras. Aparentemente em resposta ao arrogante recém-chegado que estava roubando do partido camponês a chance de brilhar, os SRs se apressaram em incluir em seu programa uma cláusula: "Todas as terras, sem exceção, devem ser colocadas sob a jurisdição dos comitês de terras". Tempos depois, Lênin não hesitaria em roubar as políticas da ala esquerda dos SRs, mas, por enquanto, era ele quem fornecia material ao partido.

Como reflexo da rebeldia dentro do SR, no seu III Congresso, realizado no fim daquele mês, Tchernov sofreu um duro ataque de membros importantes da ala esquerda do SR, como Boris Kamkov, Mark Natanson e a famosa Maria Spiridónova em pessoa. Após onze anos brutais de prisão, Spiridónova fora libertada em fevereiro e retornara a Petrogrado recentemente, em estilo dramático e triunfal. Eleita prontamente prefeita de Chita, na Sibéria, perto de onde havia cumprido pena, Spiridónova ordenou, ao sair, a explosão das prisões. Agora, ela e outros SRs acusavam Tchernov de ter "mutilado" o programa do partido. Apresentaram propostas para o confisco de terras, a paz imediata e um governo socialista.

A base de apoio da esquerda – 20% dos delegados e quase 40% em algumas votações – garantia apenas um assento (Natanson) no Comitê Central, e foram as políticas dos moderados que o partido apresentou oficialmente no Congresso dos Sovietes de Camponeses. Discretamente, os SRs radicais criaram um "bureau de informações" para coordenar as atividades. Quando rumores sobre esse bureau chegaram aos ouvidos de um alarmado Tchernov, a ala esquerda do SR lhe assegurou formalmente, e mentirosamente, que não havia feito nada disso.

O esforço persistente de Lênin e dos radicais bolcheviques (sem contar a ala mais aventureira do partido) a favor de posições intransigentes estava começando a dar frutos, inclusive num eleitorado aparentemente improvável. Naquele mês, Nina Gerd, fundadora do Comitê para o Auxílio às Esposas de Soldados do distrito de Vyborg, uma liberal, mas velha amiga de Krúpskaia, entregou a organização nas mãos dela. Três anos antes, como lembrou um filantropo, as *soldátki* eram "criaturas indefesas", "toupeiras cegas", implorando ajuda às autoridades. Ao abdicar do comitê, Gerd disse a Krúpskaia que as mulheres "não confiam em nós, não gostam de nada que fazemos, só confiam nos bolcheviques". Em pouco tempo, as *soldátki* estavam se auto-organizando em seus próprios sovietes. E esse espírito destemido estava se difundindo.

Naquele momento, entretanto, é justo afirmar que, em grande parte do império, as condições locais – complicadas, como costumava acontecer, por questões nacionais, muitas vezes conduzidas por ativistas moderados – encorajavam posições menos radicais do que os bolcheviques linha-dura gostariam.

No início de maio, por exemplo, os georgianos Mikha Tskhakáia e Filipp Makharadze foram de Petrogrado a Tbilisi para pressionar seus camaradas bolcheviques a romperem imediatamente com os mencheviques "colaboracionistas" e se unirem apenas à esquerda menchevique internacionalista. A pressão foi recebida com ceticismo.

Em Baku, os bolcheviques também colaboravam com os mencheviques, e as *Teses de abril*, de Lênin, ainda causavam consternação: a imprensa social-democrata as discutia sem se responsabilizar por elas. Em meados de maio, uma conferência de sociais-democratas, em sua maioria favoráveis aos bolcheviques, aprovou a oposição ao governo de coalizão, mas se recusou a votar o apoio à posição de "todo o poder aos sovietes". E, no próprio Soviete de Baku, a resistência às posições de esquerda se manteve firme. Em 16 de maio, a resolução do bolchevique Chaumian de não confiança no novo governo foi fragorosamente derrotada: por 166 votos a 9, com 8 abstenções, o Soviete aprovou a resolução conjunta de mencheviques, SR e Dashnak (partido de esquerda armênio) de apoio à participação de membros do Soviete de Petrogrado no governo provisório.

A Letônia era uma das mais importantes exceções à tendência de moderação regional. Ali, no início, em parte influenciados pela forte tradição local de unidade com os mencheviques, os bolcheviques adotaram uma posição conciliatória, como no caso da declaração "submissa" do Comitê de Riga em março. Desde então, por pressão de um severo Comitê Central sediado na Rússia, e com suas fileiras engrossadas pelo retorno de refugiados mais dedicados à militância, a atitude mudou. A simples predominância do partido bolchevique local nos sovietes, bem como o fato de ter superado estrategicamente os liberais no interior dos conselhos provisórios, foi uma ajuda tão poderosa que, segundo o historiador Andrew Ezergailis, "a peculiaridade do quadro institucional emergente na Letônia depois de março era que [...] o conceito de poder dual simplesmente não existia".

Os fuzileiros letões foram cruciais para essa guinada. O soviete dos fuzileiros se deslocou para a esquerda em poucas semanas e, em um congresso em 15 de maio, aprovou uma resolução sobre a "situação presente" com posições leninistas em relação à guerra, ao governo provisório e aos sovietes. Julijs Danisevskis, que apresentou o documento, preparou-se antecipadamente com seus camaradas bolcheviques em Moscou, de onde havia acabado de chegar. Dois dias depois de aprovar o documento, os soldados elegeram um novo Comitê Executivo, que tinha apenas um membro não bolchevique.

Não obstante os sinceros esforços de Brusílov para adotar certas normas democráticas, a tradicional disciplina militar, reimposta por Keriénski, e a permanente ameaça de transferência para o *front* provocaram uma imensa fúria entre os soldados. Em particular nos soldados de Petrogrado, sobre os quais a influência bolchevique crescia lentamente.

O I Congresso dos Sovietes de Deputados Operários e Soldados de Toda a Rússia foi realizado de 3 a 24 de junho na capital. A oportunidade de demonstrar a sua força atraía a Organização Militar Bolchevique (OM). Ela se preparou para exibir os músculos. Em 23 de maio, a OM concordou que vários regimentos – Pávlovski, Izmáilovski, Granadeiros – e a 1ª Infantaria de Reserva estavam "prontos para sair sozinhos", para ir às ruas em uma imensa manifestação contra as medidas militares de Keriénski.

A discussão que se sucedeu entre os militantes da OM nunca foi se a manifestação deveria ocorrer – quanto a isso não havia desacordo –, mas sob quais parâmetros se atrairia a maioria dos soldados. Os organizadores decidiram realizar uma reunião com os representantes do Kronstadt no início do mês seguinte. Com base nisso decidiriam como e quando essa demonstração de força deveria acontecer.

A repercussão dessa decisão seria profunda.

Em 30 de maio, mais uma conferência foi aberta: a I Conferência dos Comitês de Fábrica de Petrogrado, os Fabzavkomy. Tais comitês surgiram no início da Revolução de Fevereiro, sobretudo nas fábricas estatais de suprimentos militares, de onde se espalharam para as indústrias privadas. Nos impetuosos primeiros dias após a revolução, os gerentes concordaram com o Ispolkom em introduzir comitês em todas as fábricas de Petrogrado; em abril, os comitês já tinham o poder de representar os trabalhadores.

No início, os comitês tendiam a fazer exigências econômicas relativamente moderadas, junto com reivindicações trabalhistas radicais do tipo que os socialistas de esquerda poderiam chamar de "sindicalistas". Com a persistência do desabastecimento e o aumento da tensão social, os Fabzavkomy se voltaram duramente para a esquerda. Embora os mencheviques controlassem a maioria dos sindicatos nacionais, em maio os bolcheviques comandavam mais de dois terços dos delegados da Conferência dos Comitês de Fábrica. Agora, esses comitês reivindicavam que os trabalhadores tivessem voto decisivo na administração das fábricas e acesso à contabilidade das empresas.

A classe trabalhadora industrial estava se tornando cada vez mais militante, e com uma rapidez maior do que os camponeses e soldados. Em 31 de maio, a Seção dos Trabalhadores do Soviete de Petrogrado aprovou uma moção sintomática, por 173 a 144 votos, que insistia em que todo o poder deveria ficar nas mãos dos sovietes.

Uma votação assim não seria aprovada pelo Soviete como um todo. Mas a fórmula bolchevique era uma bofetada na cara dos defensores do poder dual e dos moderados do próprio Soviete, sem falar do governo de coalizão.

Imagem de divulgação do filme *O encouraçado Potemkin* (1925), de Serguei Eisenstein.

Os Romános: o tsar Nicolau II, a tsarina Aleksandra Fiodorovna e os cinco filhos do casal, em 1914.

Grigori Raspútin, conselheiro de Aleksandra Fiodorovna.

Lênin, de peruca e chapéu, na famosa foto do passaporte falso, em nome de Konstantin Petróvitch Ivánov.

Aleksandra Kollontai, provocativa e brilhante pensadora e líder bolchevique.

Leon Trótski, "carismático e rude, brilhante e persuasivo, desagregador e difícil".

Josef Stálin, secretário-geral do Partido Comunista a partir de 1922, tornou-se chefe de Estado da URSS após a morte de Lênin, em 1924.

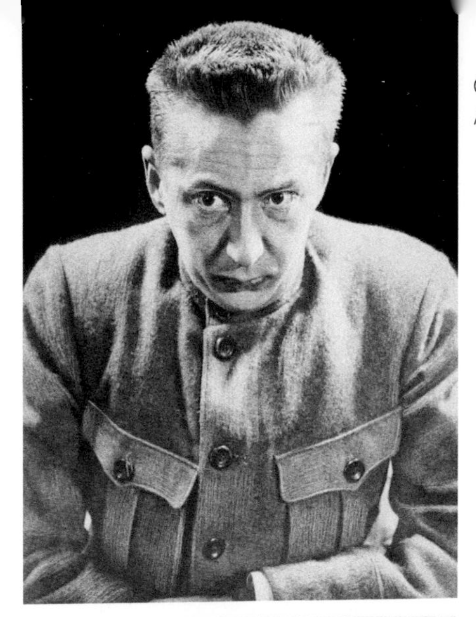

O extravagante advogado e político Aleksandr Keriénski, 1917.

Maria Spiridónova, que aos 20 anos matou a tiros um brutal chefe de segurança.

Nadiéjda Krúpskaia, pedagoga, crítica literária, memorialista e membro do partido bolchevique.

O líder menchevique Julius Martov, "um boêmio encantador [...] com predileção por cafés, indiferente ao conforto, sempre envolvido em debates e um pouco excêntrico".

Manifestação nas ruas de Petrogrado em fevereiro de 1917.

Soldados revolucionários nas ruas de Petrogrado em março de 1917, no momento em que a notícia da abdicação do tsar se disseminava.

Menino distribui o jornal do dia em rua de Petrogrado durante a Revolução de Fevereiro de 1917.

Enterro das vítimas da Revolução de Fevereiro no Campo de Marte, em Petrogrado, em 23 de março de 1917.

"Em 6 de março, manifestações a favor da revolução agitaram Baku, no Azerbaijão [...], um mosaico de edifícios medievais e modernos vigiados pelos altivos zigurates das torres de perfuração de petróleo."

Entre fevereiro e outubro, os soldados e os trabalhadores armados reformulam a paisagem urbana.

Integrantes da Guarda Vermelha sob uma faixa com os dizeres
"Pela força dos cidadãos armados, acima de tudo os trabalhadores".

Celebração do 1º de Maio, Praça Dvórtsovy, Petrogrado, 1917.

Manifestação de operários de fábrica de armamentos em Petrogrado, julho de 1917.

Um posto avançado de soldados do Soviete de Petrogrado pronto para enfrentar o general Kornílov, agosto de 1917.

Cadetes sitiados no Palácio de Inverno na véspera da Revolução de Outubro.

O encouraçado *Aurora*, após a revolução.

Pintura que retrata a tomada do Palácio de Inverno, em 1917, de autoria desconhecida, s/d.

Lênin discursando na Praça Vermelha, em Moscou, em 1919.

Em 1917, pessoas observam fogueira em que ardem brasões do antigo regime.

"1º de Maio de 1920. Através dos escombros do capitalismo à irmandade mundial dos trabalhadores!" Reprodução de pôster soviético.

Batalhão Feminino da Morte, em foto de 1917.

"União Soviética, a república fraterna", artista desconhecido, 1944-1947.

Cartaz-bandeira dos delegados do XVI Congresso Provincial dos Sovietes, artista desconhecido, 1927.

Cartaz-bandeira "De K. Marx a Lênin", de Ivánovo-Voznessénsk, 1919.

Trabalhadores da fábrica de metalurgia e maquinário Putilov, em eleição para o Soviete de Petrogrado, junho de 1920.

Vladímir Maiakóvski em 1924, aos 31 anos, retratado por Aleksandr Rodchenko.

Vladímir Lênin e Nadiéjda Krúpskaia, em 1922.

Iaroslav Serguéievitch Nikoláiev, *O dia da morte de Lênin* (1957), óleo sobre tela. Museu Russo, São Petersburgo. "A revolução de 1917 é a revolução dos trens."

Protesto de trabalhadores pela falta crônica de água, em 1933. A foto é de Aleksandr Rodchenko.

Cartaz de V. Smirnov em comemoração ao 50º aniversário da Revolução de 1917: "Não seremos esquecidos, pois, tendo um efeito decisivo sobre o mundo inteiro, demos nova vida ao termo humanidade".

6

JUNHO: UM CONTEXTO DE DESINTEGRAÇÃO

No primeiro dia de junho, a Organização Militar Bolchevique se reuniu com representantes do partido de Kronstadt e aprovou o plano de uma passeata da guarnição. A OM enviou ao Comitê Central uma lista dos regimentos que estava certa de convencer a participar. Os regimentos juntos somavam 60 mil homens.

Naquele momento, o CC estava concentrado em assuntos de Estado: de 3 a 24 de junho, o I Congresso dos Sovietes de Deputados Operários e Soldados de Toda a Rússia se reuniria em Petrogrado – um encontro planejado na Conferência dos Sovietes de Deputados Operários e Soldados de Toda a Rússia. Os 777 delegados compreendiam 73 socialistas sem afiliação, 235 SRs, 248 mencheviques, 32 mencheviques internacionalistas e 105 bolcheviques. Eles rapidamente elegeram um novo Comitê Executivo, dominado por SRs e mencheviques.

Logo após a abertura dos trabalhos, um Martov visivelmente furioso partiu para o ataque – contra os seus companheiros mencheviques. Ele deplorou a participação de Tseretiéli no governo provisório e, em particular, na questão da recente deportação do camarada suíço Robert Grimm. E interpelou os mencheviques: "Vocês, no passado meus camaradas de revolução, estão ao lado dos que dão *carte blanche* ao ministro para deportar qualquer categoria de cidadão?".

Os mencheviques deram uma resposta extraordinária: "Tseretiéli não é um ministro, é a consciência da revolução!".

Então, como escreveu Sukhánov com admiração, Martov – "manso, ligeiro, um tanto desastrado" – confrontou bravamente o "monstro voraz e vociferante" do grupo. A hostilidade por parte de seu próprio partido era tão vergonhosa que o próprio Trótski, que dificilmente se poderia chamar um camarada próximo, apressou-se em oferecer solidariedade ao internacionalista. "Vida longa ao honesto socialista Martov!", gritou.

O discurso de Tseretiéli, em compensação, provocou um "aplauso extasiado, interminável" de sua ala. Era a prova de um movimento em curso entre os líderes moderados do partido no sentido de se tornarem *gosudárstvenniki* – "estadistas", por assim dizer. A crise de abril havia fortalecido as crenças daqueles mencheviques, que consideravam a participação socialista no poder necessária para a autoridade do governo e uma maneira de promover as próprias políticas. Com o que, *pari passu*, crescia a percepção que tinham de si mesmos como guardiões do Estado – um Estado que devia fazer as coisas acontecerem.

Não que esse Estado ganhasse força de sucesso em sucesso. Depois de um mês de coalizão, o clima no país era amargo. A agitação no campo, nas cidades e no *front* cresceu a ponto de causar pânico social. O crime e a violência nas cidades só aumentavam. O desabastecimento era cada vez maior. No auge do verão, cavalos esqueléticos se arrastavam em meio ao trânsito de Petrogrado. O povo estava faminto.

Apesar de tudo isso, para a impaciência de alguns membros da esquerda do partido, Lênin manteve seu paciente programa de "explicar" a oposição dos bolcheviques à coalizão e àquilo que, insistia ele, era a verdadeira causa dos problemas sociais. "A pilhagem da burguesia", disse no congresso, "é a fonte da anarquia."

Contra tal intransigência, em 4 de junho, Tseretiéli, ministro dos Correios e Telégrafos, justificou a colaboração do Soviete com a burguesia. "No momento atual", disse ele aos delegados reunidos, "não existe nenhum partido político na Rússia que diga: 'Dê-nos o poder'."

Das profundezas da sala veio uma resposta imediata.

"Esse partido *existe*", gritou Lênin.

★

No dia 4 de junho, a esquerda bolchevique mostrou sua força. No Campo de Marte, em Petrogrado, o partido realizou um comício em homenagem aos soldados mortos em fevereiro. Ao lado dos marinheiros de Kronstadt, a OM reuniu centenas de soldados dos regimentos de Granadeiros, Moskóvski, Pávlovski,

Finlandês, do 6º Regimento de Engenharia, do 180º Regimento de Infantaria e do 1º Regimento de Metralhadoras. Discursando em nome da OM, Semáchko elogiou explicitamente o radicalismo de Kronstadt – diante de uma plateia em que estava Krylienko, do Comitê Central bolchevique, que havia repreendido severamente os soldados e cuja advertência havia exasperado os radicais.

Dois dias depois, em um encontro com o CC e o corpo executivo do Comitê de Petersburgo, a OM propôs novamente uma manifestação armada. A essa altura, Lênin era favorável; Kámeniev, sempre cauteloso, era contra, assim como Zinóviev e outros do Comitê de Petersburgo. Krúpskaia, estranhamente, adotou uma linha diferente da de Lênin – em sua opinião, era pouco provável que a manifestação fosse pacífica, portanto, dado o risco de que fugisse do controle do partido, era melhor não levá-la adiante.

No fim, os líderes não tomaram nenhuma decisão. Mas em breve uma decisão seria tomada por eles.

Os bolcheviques eram o maior grupo da extrema esquerda, e o mais organizado, mas não eram o único. À esquerda deles havia grupos anarquistas de diversos tamanhos, inclinações e graus de influência. Embora fosse decididamente uma corrente minoritária, o anarquismo tinha apoio em todo o império, e vários redutos – como Odessa e Petrogrado.

Na capital, os mais radicais e influentes eram os anarcocomunistas. Alguns de seus líderes eram admirados, comoIóssif Bleikhman, uma figura intensa, desgrenhada e carismática que falava o russo materno com o que Trótski descreveu como um "sotaque judeo-americano" que o público apreciava, e Shlema Asnin, militante respeitado no 1º Regimento de Metralhadoras, um ex-ladrão de barba escura que se vestia como um caubói gótico, com chapéu de abas largas, revólver e tudo o mais.

Na mesma onda caótica de expropriação provocada pela Revolução de Fevereiro, durante a qual os bolcheviques se mudaram para a mansão Kchessínskaia, os revolucionários ocuparam e reformaram a casa de verão do oficial P. P. Durnovó, em Vyborg. Os jardins viraram um parque, com brinquedos para as crianças das redondezas, e do edifício pendiam faixas nas quais se lia "Morte a todos os capitalistas". A casa era o quartel-general de vários grupos, inclusive do sindicato dos padeiros de Vyborg, alguns SRs maximalistas de extrema esquerda e um grupo bolchevique anarquista pomposamente autodenominado "Soviete da Milícia do Povo de Petrogrado". Em 5 de junho, esse grupo, querendo uma estrutura melhor para produzir seus folhetos, decidiu mandar, com uma ousadia descomunal, oito membros armados para ocupar a gráfica do *Rússkaia Vólia*. Apenas um dia depois, dois regimentos os expulsaram com facilidade. Mas as autoridades estavam irritadas. E decidiram que não tolerariam esses anarquistas.

No dia 7, o ministro da Justiça, P. N. Pereviérzev, deu ao grupo um prazo de 24 horas para que desocupasse a mansão. Os anarquistas recorreram aos trabalhadores de Vyborg. O dia seguinte deu a medida do momento e do respeito que esses anarquistas inspiravam: houve grandes manifestações armadas em seu apoio. Milhares de trabalhadores entraram em greve e fecharam 28 fábricas.

As contradições do Soviete imediatamente vieram à tona. O Ispolkom, seu Comitê Executivo, pressionado pelas delegações de trabalhadores, pediu a Pereviérzev que retirasse o ultimato enquanto ele analisava a matéria; também pediu aos trabalhadores que voltassem ao trabalho. Enquanto isso, os delegados do Congresso dos Sovietes de Toda a Rússia aprovaram por maioria a cooperação e o apoio totais ao governo de Lvov e proibiram manifestações armadas sem autorização do Soviete.

Tal acordo pela manutenção da ordem foi, para os bolcheviques, uma oportunidade irresistível para a agitação: às pressas, o partido antecipou para aquela mesma noite de 8 de junho um debate sobre a proposta da OM, com a participação do CC, do Comitê de Petersburgo, da OM e dos representantes de regimentos, sindicatos e fábricas. Por 131 votos a 6, com 22 abstenções, eles concordaram que o momento era propício para a realização de uma manifestação.

A dimensão dessa maioria, no entanto, escondeu um mal-estar. Quando houve a votação perguntando se havia entre as pessoas uma inclinação geral para sair às ruas e se as massas fariam isso com a oposição do Soviete, os resultados foram menos inequívocos. Na primeira pergunta, o sim venceu, mas apenas por 58 votos a 37, com o número de abstenções quase idêntico ao de votos afirmativos (52). Na segunda pergunta, a margem foi minúscula: 47 votos a 42. E, dessa vez, em um grupo pouco propenso a se abster, houve quase tantas abstenções quanto votos sim e não *somados*: oito. Isso evidenciava uma imensa incerteza quanto à possibilidade de haver uma manifestação diante da desaprovação do Soviete.

Ainda assim, a decisão foi tomada. A manifestação seria às duas horas da tarde do sábado, 10 de junho, o que lhes dava apenas um dia para organizá-la. A convocação foi divulgada na manhã do dia 9. Uma edição especial do jornal diário da OM, o *Soldátskaia Pravda* – uma publicação mais clara e direta do que o *Pravda* e menos preocupada em agradar ao leitor intelectualizado –, foi preparada às pressas, com rotas, orientações e palavras de ordem. A principal reivindicação seria o fim do *dvoevlástie*, o poder dual, e a transferência de todo o poder ao Soviete.

Naquela noite, em uma ação de repressão contra militantes, sem nenhuma relação com o caso dos anarquistas, as autoridades prenderam Kaustov, editor do jornal de frente da OM bolchevique, o *Okópnaia Pravda*, sob acusação de traição por ter escrito contra uma ofensiva militar. Como veremos, a prisão de Kaustov teria consequências.

Os anarcocomunistas, é claro, deram total respaldo à iminente manifestação. No fim da tarde, o Mejraióntsy foi informado dos planos e, com o apoio de Trótski e as objeções de Lunatchárski, votou a favor da participação nos preparativos. Em toda a capital, nas fábricas e nos quartéis, agitadores bolcheviques apresentaram moções a favor da participação – e, na maioria das vezes, elas eram aprovadas, sobretudo porque, embora os bolcheviques fossem minoria ali, a reivindicação de que todo o poder fosse dado ao Soviete não pareceria ser sectária.

Contudo, um grupo importante ficou na sombra. Por incrível que pareça, por um descuido lamentável ou uma maquinação mal planejada, o partido não alertou os delegados bolcheviques presentes no Congresso dos Sovietes de Toda a Rússia sobre a manifestação iminente.

Por volta das três horas da tarde do dia 9, os folhetos do partido bolchevique sobre a manifestação chegaram às ruas. Imediatamente, o governo de coalizão fez um apelo pela lei e pela ordem e avisou que violência seria combatida com violência inflexível. Só então, quando a notícia se espalhou, é que os delegados bolcheviques se inteiraram dos planos do partido. Um pouco mais à direita do que seus camaradas de Petrogrado, muitos estavam preocupados com a política por trás daquela decisão: além do mais, como era de se esperar, estavam furiosos com o tratamento que haviam recebido.

Em uma reunião de emergência com representantes do CC, entre os quais Víktor Noguin, eles deixaram claro que estavam com raiva. "Eu, um representante, só agora descobri que está sendo organizada uma manifestação", disse um deles. Insistiram que Noguin, ele mesmo contrário a essa mobilização, dissuadisse o CC.

O Comitê Executivo do Soviete também estava fazendo o máximo para evitar a manifestação. Muitos dentro do Soviete estavam apavorados com ideia de que essa provocação armada pudesse levar a um confronto sangrento com a direita, numa reação que a fortalecesse; também temiam que fosse o presságio de uma tentativa bolchevique de assumir o controle. E, de fato, uma minoria da ala esquerda do partido – inclusive os velhos bolcheviques Látsis, Smilga e Semáchko – perguntava-se se a ação não era, na verdade, uma maneira de tomar as comunicações da cidade – e talvez o poder.

A noite caiu em meio a um turbilhão de discussões apressadas, informações equivocadas e preparativos. Houve boatos de que Keriénski havia mobilizado as forças militares para reprimir a marcha. Tchkheidze, Gots, Tseretiéli e Fiódor Dan, do *presidium* do Congresso do Soviete, fizeram um apelo desesperado pela ordem. Lunatchárski e outros do Mejraióntsy tentaram impedir o congresso de declarar uma ação contra a manifestação para retardá-la, aparentemente com a esperança de que a cautela prevalecesse entre os bolcheviques.

Às oito e meia da noite, Zinóviev, Noguin e Kámeniev chegaram à mansão Kchessínskaia e relataram a fúria dos delegados do partido. A liderança bolchevique convocou uma assembleia às pressas. Tendo em vista a tensa situação, aqueles que eram contrários à manifestação aconselharam que fosse cancelada. Mas, apesar da crescente oposição, a assembleia aprovou, por catorze votos a dois, que a manifestação fosse mantida.

Em poucas horas, o Congresso do Soviete, em um encontro tardio e do qual bolcheviques e mejraióntsy foram excluídos, condenou unanimemente os bolcheviques por seus planos. Decidiu que "nem uma única manifestação deve ser feita hoje" e proibiu qualquer ação semelhante por três dias. Para fiscalizar, o congresso criou um comitê, brilhantemente batizado de Comitê de Oposição à Manifestação. As forças que discordavam dos planos cresciam em raiva e força.

Por fim, às duas da madrugada do próprio dia 10, os cada vez mais agitados Lênin, Zinóviev e Sverdlov reuniram-se mais uma vez com Noguin, Kámeniev e a delegação bolchevique do congresso, que exigiu do restante do CC – apenas cinco membros – o cancelamento dos planos.

O CC votou. Kámeniev e Noguin se mantiveram firmes em sua oposição. Zinóviev havia mudado de lado um pouco antes para aprovar a proposta, mas nos tumultuados últimos minutos havia trocado de lado novamente. Sverdlov e Lênin se abstiveram.

Provavelmente com um alívio impaciente, o Comitê Central cancelou a manifestação, por três votos a zero, com essas duas abstenções cruciais.

A votação era ridiculamente pequena. Nenhum membro do Comitê de Petersburgo ou da OM estava presente. Se houvesse qualquer objeção a essa segunda decisão, o processo poderia ser anulado fácil e sensatamente por falta de *quorum* ou ação antidemocrática. Mas Lênin não fez nenhuma objeção. A manifestação estava anulada.

Uma correria indigna e tumultuada. Descontentes, os bolcheviques espalharam-se para informar as organizações e os quadros do partido, além dos próprios anarcocomunistas, de que a ação estava cancelada. Às três da madrugada, os tipógrafos do partido receberam a notícia. Eles rediagramaram às pressas o *Pravda* e o *Soldátskaia Pravda*, misturando e reconfigurando as matérias, retirando as orientações para a manifestação. Ao amanhecer, os militantes do partido correram às fábricas e aos quartéis para argumentar contra o que haviam promovido com tanta intensidade poucas horas antes.

Delegados do Congresso do Soviete também se espalharam por Petrogrado, suplicando a trabalhadores e soldados que não saíssem às ruas. Alguns comitês locais aprovaram resoluções sublinhando que, embora eles tivessem se retirado, haviam feito isso em resposta a uma solicitação dos bolcheviques, não do Congresso do Soviete ou do governo de coalizão.

Não que os bolcheviques pudessem evitar a censura. Em pátios, fábricas e quartéis de Vyborg, os militantes estavam furiosos com essa volta-face e se queixavam veementemente contra o partido. Membros incrédulos declararam ao *Izviéstia*, órgão dos próprios bolcheviques, um amontoado de insultos contra os seus líderes. O *Soldátskaia Pravda* lavou as mãos: a ordem, enfatizou, veio de cima. Stálin e Smilga renunciaram ao CC como protesto à votação altamente questionável da qual não participaram (as renúncias foram rejeitadas). Desgostoso, Látsis relatou que membros do partido rasgaram suas carteirinhas. Em Kronstadt, um proeminente bolchevique, Fleróvski, descreveu a indignação dos marinheiros naquela manhã como "as mais desagradáveis" horas de sua vida. Ele só conseguiu dissuadi-los de fazer uma manifestação unilateral ao sugerir que uma delegação navegasse até Petrogrado para saber do CC exatamente o que estava se passando.

A liderança bolchevique tinha muito que explicar.

Em 11 de junho, em uma comissão especial de mencheviques e SRs, Tseretiéli deu voz a todos os tipos de moderados. Os eventos recentes, disse, eram a evidência de uma virada na estratégia bolchevique, de simples propaganda para uma tentativa de tomada do poder pelas armas, e por isso exigiu a supressão do partido.

O debate prosseguiu em uma reunião do congresso.

Fiódor Dan estava na casa dos quarenta anos, era um menchevique influente e dedicado, um médico que havia servido na guerra como cirurgião, embora tivesse sido um "zimmerwaldiano"* antibelicista, intelectual e pessoalmente próximo da esquerda menchevique – sua esposa, Lydia, era irmã de Martov. Após fevereiro, no entanto, ele adotara uma posição defensista revolucionária, sustentando que aquela Rússia recém-revolucionária tinha o direito e o dever de se manter na guerra. Apesar de certas inclinações de esquerda, Dan também era, como ele percebeu por força das circunstâncias, um defensor de que a "democracia" – a democracia de massas – trabalhasse com o governo provisório, tendo apoiado a ascensão de Tseretiéli ao Ministério dos Correios e Telégrafos em maio. Mas, a despeito dessa solidariedade com seu colega de partido e dos ataques virulentos por parte dos bolcheviques que isso lhe rendeu, Dan agora, junto com Bogdánov, Khintchuk e vários outros membros do partido, opôs-se a Tseretiéli a partir de uma posição de esquerda.

Pelos princípios da democracia revolucionária, mais do que por qualquer apoio específico aos bolcheviques, ele criticava a postura punitiva de Tseretiéli. O grupo de Dan propunha uma solução de compromisso. Manifestações armadas deviam ser proibidas, e os bolcheviques deviam ser condenados, mas não oficialmente suprimidos.

Na ausência de Lênin, foi Kámeniev quem respondeu pelos bolcheviques – uma escolha interessante, dada sua oposição firme à manifestação que nunca aconteceu. Agora ele insistia, de modo não muito convincente, em que a marcha fora concebida para ser pacífica e nunca faria nenhum chamado à tomada do

* O termo está relacionado à Conferência de Zimmerwald, que reuniu na Suíça, entre 5 e 8 de setembro de 1915, os líderes da Segunda Internacional Socialista, entre os quais Lênin e Trótski. Considerada um divisor de águas do movimento socialista internacional por influenciar tanto a Revolução Russa como a criação da Terceira Internacional, a conferência produziu um manifesto que preconizava uma postura pacifista e antibelicista em relação à guerra, mas também o combate ao defensismo revolucionário. Os exilados e ex-exilados russos que adotavam essa postura ficaram conhecidos como "zimmerwaldianos". (N. T.)

poder. Além do mais, ela fora cancelada a pedido do congresso. Por que tanto estardalhaço? – admirava-se, tentando parecer sincero.

Entre a sugestão de Dan de repreender duramente o partido e a ingenuidade surpresa de Kámeniev, a situação parecia estar se acalmando. Mas então, contra todas as regras, Tseretiéli tomou a palavra novamente.

"Ele está branco como papel", relatou o *Pravda*, "e muito agitado. Reina um silêncio tenso."

Tseretiéli lançou-se em um ataque brutal. Os bolcheviques eram conspiradores, ele disse. Para barrar seus planos, ele pediu mais uma vez que fossem desarmados e legalmente suprimidos.

Os ânimos estavam exaltados. Todos os olhos se voltaram para Kámeniev quando ele se levantou para responder. Se Tseretiéli mantivesse aquelas acusações, exclamou com certa pompa, então que o prendesse e julgasse imediatamente. Com essa resposta, os bolcheviques deixaram a sala.

Na sua ausência, o debate ficou tenso. Ao lado de Tseretiéli estavam Avkséntiev, Známenski, Líbier e outros socialistas de direita – inclusive Keriénski. Contra eles estavam o centro e os SRs de esquerda, os trudoviques, os mencheviques e o Mejraióntsy, de extrema esquerda. Alguns, como Dan, defenderam a questão a partir dos princípios da democracia; outros afirmaram que a acusação de conspiração feita por Tseretiéli não fora comprovada; outros – e mais enfaticamente Martov – destacaram que a massa de trabalhadores apoiava os bolcheviques em vários pontos e que a missão dos socialistas à direita deles era conquistar o apoio dos trabalhadores, e não produzir mártires de esquerda.

Quando chegou a hora da decisão, os SRs e os mencheviques concordaram, por uma pequena margem, com Dan. A resolução de supressão de Tseretiéli foi retirada.

Em uma reunião de emergência do Comitê Bolchevique de Petersburgo, Lênin tentou não tocar na questão do cancelamento. Reforçou mais uma vez a necessidade de "máxima calma, cautela, contenção e organização", mas agora ele insinuava também – assim como fizera Tseretiéli de uma posição política muito diferente – que a revolução estava entrando em uma nova fase.

Exceto do modo mais abstrato possível, Lênin não se desculpou nem admitiu ter cometido um erro. Isso nunca fez seu estilo. Ao contrário, ele argumentou que o CC não tivera "nenhuma alternativa" a não ser suspender a ação, por dois motivos: porque o próprio Soviete já a "anulara formalmente" e porque, de acordo com fontes confiáveis, um imponente grupo dos Centúrias Negras planejava uma resposta violenta para desencadear uma contrarrevolução.

O primeiro motivo era peculiar, vindo de um homem que nunca havia hesitado em descumprir uma ordem ou lei se considerasse vantajoso fazê-lo. Quanto ao segundo, Látsis salientou que todos estavam cientes da possibilidade de uma manifestação contrária. "Se não estávamos prontos para isso", ele disse, "deveríamos ter abordado a questão da manifestação negativamente desde o princípio."

O fato é que Lênin vacilou. E abster-se na votação do cancelamento não só foi atípico como foi atipicamente uma fuga de suas responsabilidades: se, como agora alegava, não havia escolha, por que ele não votara contra a manifestação? Se a intenção por trás da abstenção era não ser criticado por voltar atrás, não dera certo.

Volodárski, Slútski, o irrepreensível Látsis e vários outros zombaram do CC por, nas palavras de Tomski, ser "culpado de uma intolerante hesitação". Naumov, da delegação bolchevique do Soviete, foi otimista ao expressar o estado de espírito da ultraesquerda, enfatizando que estava feliz pelo fato de a liderança ter sido abalada, porque "é necessário confiar apenas em si mesmo e nas massas". "Se o cancelamento era o certo", acrescentou, "onde foi que erramos?"

A pergunta era pertinente. Embora não estivesse sozinha nisso, a esquerda socialista sempre teve tendência a exagerar seus sucessos – a ácida humorista Nadiéjda Téffi brincou: "Se Lênin tivesse de falar sobre um encontro em que estivessem presentes ele, Zinóviev, Kámeniev e cinco cavalos, ele diria: 'Nós oito'" – e também não era conhecida por assumir seus fracassos. Talvez tivesse medo de que a falibilidade solapasse a autoridade. O método típico da esquerda era manter-se impassível diante de seus erros; e, se fosse possível, após a poeira baixar, comentar *en passant* que, "é claro", todo o mundo sabe que "erros foram cometidos" no passado.

Em 12 de junho, contra a oposição dos bolcheviques e outros, Keriénski persuadiu o Congresso dos Sovietes de Toda a Rússia a determinar que "a democracia revolucionária russa é obrigada a manter seu Exército em condições de agir tanto ofensiva como defensivamente [...] [o que deve] ser decidido de um ponto de vista puramente militar e estratégico". Tratava-se de uma permissão para retomar as operações militares – incluindo os avanços. Em outras palavras, o "defensismo", mesmo em sua forma revolucionária, mesmo levado a cabo com a boa intenção de proteger as conquistas da revolução, podia se transformar em uma guerra "tradicional". Tchernov foi muito claro a esse respeito: "Sem ataque", disse, "não há defesa".

Isto posto, o congresso passou à aprovação da censura de Dan aos bolcheviques. Então, Dan, Bogdánov e Khintchuk sugeriram outro modo de cortar as asas da esquerda. Os moderados do Soviete estavam empenhados em atrair o radicalismo da cidade para a sua própria causa, e afastá-lo dos radicais, através de uma saída sancionada que mobilizaria e moldaria o estado de espírito da população. Assim, o congresso programou para o domingo, 18 de junho, uma manifestação de massa. Isso, decidiram os moderados, mostraria aos bolcheviques quem liderava as massas de Petrogrado.

No *front*, a guerra se arrastava. Uma estranha infraestrutura de morte.

Para além dos campos de centeio e batata e dos pastos, pelas matas fechadas adentro, os acampamentos da Cruz Vermelha surgiam nas clareiras das florestas. Abrigos subterrâneos e cabanas de madeira, rústicas capelas improvisadas e o zumbido *staccato* dos morteiros. Soldados entrincheirados, da cor da terra escavada, descansavam nas horas em que podiam, bebendo chá em canecas de estanho. Tédio e terror em ritmos alternados, tiros subindo para encontrar aviões alemães que espalhavam pelos ares tanto propaganda como seus próprios tiros. A graça desesperada da confraternização, gritos num russo ou num alemão titubeante, indo e vindo por aqueles metros de terra de ninguém. A fúria das metralhadoras, a visita dos maus espíritos, granadas de doze polegadas apelidadas com o nome da bruxa Babá Iagá, estourando para destroçar o mundo.

Os soldados tropeçavam, presos nas armadilhas predatórias da guerra, em arames farpados que os agarravam como se tivessem vida própria. Por trás das linhas amontoavam-se homens aterrorizados – e um pequeno número de mulheres combatentes também – de todas as partes do império, num degradante cosmopolitismo de recrutas, manuseando baionetas naqueles túmulos premonitórios.

O tempo todo, na retaguarda, inflação e suprimentos inadequados significavam que as condições de sobrevivência estavam desmoronando. A impaciência dos camponeses era cada vez mais violenta. As expropriações cresciam lentamente, cada vez menos baseadas em algum senso de justiça rude e cuidadoso e cada vez mais na força bruta, na destruição, nos incêndios premeditados e, não raro, nos assassinatos.

O colapso era generalizado. Em 1º de junho, em Baku, mil azeris lotaram a prefeitura reivindicando grãos, enquanto as relações entre eles e os armênios azedavam. Na Letônia, camponeses sem terra pressionavam o Conselho da Terra, reivindicando a expropriação das propriedades baroniais. Na Ucrânia, no dia 13, após recorrentes tentativas de negociação com Petrogrado, a Rada (Parlamento) da Ucrânia lançou sua "Primeira Universal", proclamando a "República Autônoma Ucraniana" – uma separação não formal, mas ruim o bastante para os interesses da direita russa. O governo de coalizão, entretanto, não tinha escolha a não ser permiti-la.

Alguns da esquerda eram pouco sensíveis às confusas tensões locais. Em Baku, o *Izviéstia*, do Soviete, polemizou contra o nacionalismo muçulmano, sem mencionar seus similares entre armênios, judeus ou russos. Os bolcheviques locais, embora se opusessem às reivindicações federalistas nacionalistas "burguesas" do Comitê Nacional Muçulmano, criticaram a miopia do Soviete e tentaram manter o diálogo com o movimento muçulmano "democrático".

As duas grandes alas da social-democracia se afastavam cada vez mais. No início de junho, os bolcheviques de Baku, seguindo seus camaradas georgianos de Tbilisi, acabaram com qualquer associação com os mencheviques. Finalmente as organizações regionais começavam a apoiar o apelo de Lênin por um cisma.

Em parte para dissolver no patriotismo russo a perigosa energia do nacionalismo e do radicalismo, em parte para convencer os Aliados, o governo apressou seus planos para aquilo que seria agora uma ofensiva militar autorizada pelo Congresso do Soviete. Em 16 de junho, no *front* sul, perto de Lviv, a artilharia russa começou um ataque pesado que durou dois dias. Keriénski, mais uma vez na posição de convencedor em chefe, avisou as tropas russas na Galícia de que a ofensiva estava prestes a começar. Ela começaria no dia 18 – no mesmo dia da marcha planejada pelo Soviete.

Os mencheviques e os SRs criaram outro comitê de organização, e seus jornais fizeram forte pressão a favor da manifestação. Por um breve período, e demonstrando uma perversidade impressionante, os anarquistas tentaram promover uma manifestação própria, marcada para o dia 14. O *Pravda*, irritado, declarou tais planos "nocivos" e eles acabaram em nada.

Os bolcheviques e os membros do Mejraióntsy, seguindo as aspirações do CC bolchevique, também se esforçaram "para transformar a manifestação, contra a vontade do Soviete, em uma expressão de apoio à transferência de todo o poder ao Soviete". Eles esperavam pelo que Zinóviev chamou de "uma manifestação dentro de uma manifestação". Para sua sorte, de 16 a 23 de junho seria realizada em Petrogrado a Conferência das Organizações Militares Bolcheviques de Toda a Rússia, emprestando ao partido as habilidades de cerca de cem experientes militantes.

As palavras de ordem um tanto vagas do Soviete para a marcha declaravam apoio à "República Democrática", à "paz universal" e à "convocação imediata da Assembleia Constituinte". Os bolcheviques recuperaram as palavras de ordem combativas concebidas para a marcha abortada de 10 de junho: "Abaixo a Duma tsarista!", "Abaixo os dez ministros capitalistas!" (os não socialistas que compunham o gabinete), "Abaixo a política de ofensiva!", "Pão! Paz! Terra". No dia 14, o *Pravda* anunciou que os apoiadores dos bolcheviques deviam sair às ruas com essas palavras de ordem, mesmo que o restante das fábricas não o fizesse. A liderança do Soviete, para escárnio da esquerda, fez uma tentativa pouco entusiasmada de frisar que apenas as palavras de ordem oficiais seriam admitidas. O bolchevique Fedorov criou embaraço ao alardear que o lema do partido deveria ser: "Todo o poder aos sovietes!".

Ainda assim, os moderados eram combativos. No dia 17, Tseretiéli zombou de Kámeniev. "Amanhã", provocou, "não serão grupos isolados, mas toda a classe trabalhadora da capital que se manifestará, não contra a vontade do Soviete, mas a convite dele. Agora vamos ver quem a maioria segue, nós ou vocês."

De fato.

Domingo, 18 de junho: uma manhã clara, de muito vento. Trabalhadores e soldados se reuniram cedo. Naquele dia, manifestações similares foram programadas em Moscou, Kiev, Minsk, Riga, Helsingfors (Helsinque), Cracóvia e em todo o império.

Às nove horas da manhã, uma banda toca a Marselhesa, o hino nacional francês, que havia se tornado o cântico da liberdade. A parada começou a desfilar na Avenida Niévski.

O tamanho colossal da marcha tornou-se pouco a pouco evidente. Ela ocupava quilômetros da extensa paisagem. Cerca de 400 mil pessoas tomaram as ruas.

A grande coluna traçou uma rota que passava em frente ao túmulo dos mártires da Revolução de Fevereiro para prestar a sua homenagem. À frente caminhavam os organizadores do Ispolkom, os mencheviques e os SRs do *presidium* do Congresso de Toda a Rússia, entre os quais Tchkheidze, Dan, Gegechkori, Bogdánov e Gots. Eles saíram da formação quando se aproximaram do Campo de Marte. Um palanque havia sido montado perto dos túmulos. Eles subiram nele para observar a multidão.

O horror se apoderou deles.

Sukhánov observou a massa de cartazes embaralhados. "De novo os bolcheviques", lembrou-se depois de ter pensado. "E, bem atrás deles, outra coluna de bolcheviques [...] E pelo visto a seguinte também." Ele arregalou os olhos. Virou a cabeça para lentamente captar tudo aquilo. Aqui e ali, avistou as palavras de ordem do SR ou o lema oficial do Soviete. Mas eles estavam "submersos na massa". A esmagadora maioria de cartazes que avançavam na direção dos organizadores perplexos – como, disse ele, Birnam Wood na direção de Macbeth – era bolchevique.

Marés de "Abaixo os dez ministros capitalistas!". Ondas e mais ondas de "Paz! Pão! Terra!". E – numa estranha provocação aos conciliadores do Soviete – uma infinita repetição de "Todo o poder ao Soviete!".

Tseretiéli havia aguardado ansiosamente que a marcha do Soviete fosse "um duelo a céu aberto". Agora, o tiro saía pela culatra, e com força. As consequências foram devastadoras, inequívocas, esmagadoras. "A manifestação de domingo", disse o *Nóvaia Jizn*, o jornal de Górki, "revelou o triunfo do bolchevismo entre o proletariado de Petersburgo."

Ao passar por eles, bolcheviques e mais bolcheviques se separavam de seus companheiros para se precipitar contra Tchkheidze. Exigiam que soltassem Kaustov, editor do jornal do partido que havia sido preso recentemente. Tchkheidze fazia ruídos para apaziguá-los. Em breve o caso estaria em suas mãos.

Início da tarde. Uma extraordinária coluna de trabalhadores marchava no horizonte, tão precisa quanto soldados altamente treinados.

"Que distrito é esse?", ergueu-se um grito.

"Por quê? Não consegue ver?", respondeu orgulhosamente o líder do grupo. "Ordem exemplar! Isso quer dizer que é Vyborg."

O combativo distrito veio liderado por seu soviete maciçamente bolchevique. As bandeiras vermelhas de Vyborg se misturavam às bandeiras pretas dos irreprimíveis anarquistas: "Abaixo o governo e o capital!". Ignorando as ordens oficiais, muitos trabalhadores de Vyborg estavam armados.

Às três horas da tarde, 2 mil anarcocomunistas e soldados simpatizantes se afastaram da marcha e se dirigiram ao sombrio amontoado de tijolos da famigerada prisão de Kresty, às margens do rio. Nos portões de entrada, apontaram as armas para os guardas e exigiram que deixassem Kaustov sair. Os assustados carcereiros mergulharam nos labirintos da fortaleza para soltá-lo. Liberado de sua cela, Kaustov, de cabeça erguida e sem hesitar, exigiu que vários outros presos políticos também fossem soltos. Os audaciosos anarquistas só se dispersaram quando seus camaradas apareceram.

Naquela tarde, enquanto a esquerda exultante celebrava o dia, o ministro da Justiça, Pereviérzev – um dos dez ministros capitalistas contra os quais os cartazes se insurgiram – convocou uma reunião de emergência. Ele queria poder total para recapturar todos os prisioneiros que haviam sido soltos. Exigia o direito de empregar quaisquer meios necessários para isso. E conseguiu.

Às três horas da madrugada seguinte, 19 de junho, cossacos e veículos blindados cercaram o solar de Durnovó. Apontaram as lanternas para os muros naquela misteriosa noite branca que cobria a cidade com um céu escuro, mas debilmente resplandecente, uma névoa que mais parecia um pôr do sol maculado. Por um megafone, os soldados gritaram para os sessenta anarquistas que estavam lá dentro que entregassem aqueles que haviam fugido da prisão no dia anterior. A maioria havia partido havia muito tempo, inclusive Kaustov, mas, ainda assim, os anarquistas se recusaram a colaborar. Eles se agacharam debaixo das janelas e arremessaram bombas que não explodiram. Os soldados derrubaram as portas.

Houve barulho, confusão. Asnin, segundo consta no inquérito oficial, tentou agarrar o rifle de um soldado. Houve um tiro. Asnin morreu.

A notícia desse martírio se espalhou rapidamente pelo distrito. Naquela manhã, trabalhadores das fábricas mais próximas da mansão – Rozenkrants, Fenisk, Metalist, Promet, Parviainen, entre outras – saíram às ruas em um combativo protesto. As massas se reuniram. Camaradas desconsolados velaram o corpo de Asnin e enlutados fizeram fila na porta do solar para prestar suas homenagens.

Trabalhadores furiosos pressionaram o Ispolkom, que pediu calma e implorou aos grevistas que voltassem ao trabalho. Foi aberta uma investigação. O Ispolkom solicitou ao governo que soltasse todas as pessoas que haviam sido presas na noite anterior e não eram acusadas de nenhum crime específico. Mas essas medidas não aplacaram os ativistas. Anarquistas da fábrica Rozenkrants enviaram representantes ao radical 1º Regimento de Metralhadoras e ao Regimento Moskóvski para propor uma manifestação conjunta contra o governo. Os soldados recusaram a proposta, mas a ideia havia sido plantada, e a raiva, alimentada. A partir daí, teve início uma onda de protestos em Petrogrado.

Aquele 19 de junho também mostrou quão dividida e politicamente febril estava a cidade. A mesma Avenida Niévski que no dia anterior estremecera sob as palavras de ordem bolcheviques e sob centenas de milhares de botas assistia agora a um desfile organizado por cadetes. Era em grande parte uma manifestação da classe média, apenas uma fração da manifestação colossal do dia 18, mas ainda assim indicava um crescimento genuíno do entusiasmo patriótico. Os manifestantes cantavam e aplaudiam os soldados. Entoavam canções nacionalistas e agitavam retratos de Keriénski. Aos olhos da direita, a honra russa estava prestes a ser restaurada: eles saíram às ruas para celebrar um evento cujos ecos haviam acabado de chegar à cidade: o avanço do Exército. Uma virada na guerra, uma aposta longamente debatida feita por aqueles no comando. A ofensiva de junho, ou de Keriénski.

Na Galícia, o VIII Exército atravessou as linhas das desmoralizadas tropas austríacas ao longo dos 32 quilômetros do *front*. A ofensiva, empreendida para convencer os Aliados, mudar a guerra, disciplinar uma retaguarda inquieta e problemática, deu a impressão de ter sido um sucesso devastador. Nos *fronts* norte e central, o VII e o XI Exército fizeram mais de 18 mil prisioneiros. À medida que a ofensiva avançava, o patriotismo arrebatava o país, inclusive muitos socialistas do Soviete. Uma declaração oficial do Congresso de Toda a Rússia exalava entusiasmo, exigindo pão para os camponeses e apoio dos cidadãos aos heroicos soldados russos.

Mas esse entusiasmo não durou muito. Do *front* chegavam notícias de que as coisas não estavam saindo como o planejado.

Nas regiões onde a classe trabalhadora predominava, a inquietação começou a voltar. Vários regimentos e comitês de fábrica chegaram a condenar explicitamente a ofensiva na imprensa bolchevique.

Em 20 de junho, o 1º Regimento de Metralhadoras de Petrogrado recebeu ordens para enviar quinhentas metralhadoras ao *front*. O comitê do regimento concordou, mas a assembleia geral chegou a uma opinião diferente. Eles não estavam dispostos a perder armas na capital revolucionária, mesmo que para ajudar seus colegas soldados. Com a vigorosa aprovação da extrema esquerda, os soldados votaram a favor de uma nova manifestação contra o governo, a ser realizada o mais breve possível. Consultaram outras guarnições e, às cinco da tarde, tinham o apoio do Regimento dos Granadeiros.

O Soviete acusou imediatamente essas ações de "uma punhalada pelas costas" dos camaradas no *front*. E pediu aos operadores de metralhadoras que reconsiderassem. Na manhã seguinte, quando recebeu ordens de enviar dois terços dos seus soldados para o *front*, o regimento concordou em enviar somente dez de seus trinta destacamentos, e apenas quando "a guerra tivesse assumido um caráter revolucionário". Pela Ordem Número 1, insistiram os operadores de metralhadoras, a transferência forçada de unidades de Petrogrado para o *front* era ilegal, e a ordem era uma tentativa deliberada de destruir a guarnição radical de Petrogrado. Com uma determinação ameaçadora, acrescentaram: "Se o Soviete [...] ameaça este e outros regimentos revolucionários com a dissolução forçada, nós, em resposta, não nos deteremos [...] ao usar a força armada para acabar com o governo provisório e outras organizações que o apoiam".

Eles não se deixaram intimidar pela autoridade do Soviete. Mas, naquele mesmo dia, decidiram reduzir a agitação – talvez a pedido dos bolcheviques, embora contraintuitivamente. Porque, durante todo o tumulto, Lênin e uma cautelosa liderança partidária se esforçavam na Conferência das Organizações Militares Bolcheviques para inibir ações "excessivamente" insurgentes de seus militantes. Após arrastar o partido para a esquerda em abril, agora Lênin tentava puxá-lo para a direita.

No vigésimo dia do mês, um Lênin agitado e perturbado discursou na conferência. Surpreendendo aqueles que presumiam que ele aprovaria o "espírito revolucionário" dos participantes, enfatizou que qualquer conversa sobre uma tomada imediata de poder era prematura. Os inimigos estavam tentando enganá-los em um momento em que eles não tinham o apoio das massas do qual precisariam para um empreendimento tão arriscado. A prioridade, ele disse, era ampliar esse apoio – para aumentar a influência no Soviete.

"Isto não é mais uma capital", escreveu Górki, sentindo a lenta aproximação do apocalipse, "isto é uma fossa [...]. As ruas estão imundas, há pilhas de lixo malcheiroso nos pátios [...]. Há uma crescente indolência e covardia nas pessoas, e todos aqueles instintos primitivos e criminosos [...] estão destruindo a Rússia."

A onda de greves continuava. No dia 22 de junho, delegados bolcheviques do VTsIK – o Ispolkom, ou Comitê Executivo dos Sovietes de Toda a Rússia – avisou que os trabalhadores da Metalúrgica Putilov estavam prestes a ocupar as ruas, e eles não os impediriam. No dia 23, representantes de várias organizações operárias decidiram que, como o aumento dos salários não compensava a alta dos preços, eles queriam controlar a produção. Em repetidas assembleias gerais, os marinheiros de Kronstadt resolveram libertar os soldados que haviam sido presos com os anarquistas. Essas não eram conspirações sigilosas: no dia 25, os marinheiros alertaram o ministro da Justiça de seus planos.

Enquanto isso, a ofensiva exigia mais e mais homens. Soldados com mais de quarenta anos que já haviam servido no *front* e se licenciado começaram a ser reconvocados. Arriscar a vida uma vez não era suficiente. Nas pequenas cidades de província, como Astracã e Ielets, a convocação provocou motins.

Os bolcheviques estavam ocupados preparando seu VI Congresso, bem como a II Conferência Municipal do Comitê de Petersburgo, programada para o início de julho. Enquanto isso, os debates intrapartidários continuavam. No Comitê de Petersburgo, Kalínin e outros moderados conseguiram aprovar, por dezenove votos a dois, uma resolução que rejeitava ações revolucionárias isoladas e fortalecia a influência política no movimento e no Soviete. Mas Dátsis conseguiu modificar a resolução: "se fosse impossível" conter as massas, os bolcheviques deveriam tomar o movimento em suas próprias mãos.

Nas páginas do *Pravda*, Lênin e Kámeniev enfatizavam a cautela, o cuidado, o lento fortalecimento das forças; ao mesmo tempo, o *Soldátskaia Pravda* atiçava as chamas de uma cada vez mais impaciente dissidência, recusando-se explicitamente a validar o que seus líderes descreviam como uma necessidade de superar as "ilusões pequeno-burguesas". No dia 22 de junho, em uma reunião informal de membros do CC, da OM e do Comitê de Petersburgo com os regimentos que apoiavam o partido bolchevique, Semáchko – comandando de modo competente 15 mil atiradores radicais – reprovou o CC por subestimar a força do partido.

Durante os últimos e turbulentos dias de junho, a força impetuosa dos grupos mais combativos de Petrogrado, em particular do 1º Regimento de Metralhadoras, cada vez mais famoso, emergiu em um projeto coletivo experimental. A ideia incipiente se tornou mais definida com o passar dos dias.

Determinado a fortalecer a onda de agitação e provocado pela indisciplina do 1º Regimento de Metralhadoras, no dia 23 o Congresso dos Sovietes de Toda a Rússia convidou todas as unidades de guarnição a obedecer imediatamente às ordens. Mas a manobra do Soviete foi hesitante. Naquele mesmo dia, sua indecisão em relação ao Império Russo ficou evidente quando o Parlamento Finlandês divulgou um *Valtalaki* – uma "lei de poder" – em que declarava sua intenção de legislar sobre questões internas. Os finlandeses estavam exultantes, mas ficaram atônitos quando os líderes do Soviete, tendo aprovado previamente a negociação de um tratado de independência – em relação ao qual a lei deixava a desejar – reagiram com indignação. Declarações unilaterais de autonomia, mesmo que limitada, não eram o que eles tinham em mente.

Enquanto isso, no último dia da Conferência da Organização Militar Bolchevique, seu *Biulletén* informava sobre uma séria disputa entre os radicais e os moderados – nesse caso, os leninistas! – para decidir se deveriam alimentar a agitação no *front* enquanto a ofensiva era bem-sucedida. A simples premissa do debate, entretanto, estava equivocada. A ofensiva não era bem-sucedida.

Depois de dois ou três dias de ofensiva intensa, a degeneração foi rápida. Os abutres do *front* se amontoavam no que estava se tornando uma catástrofe.

Em 20 de junho, os soldados russos – exaustos e mal equipados – pararam de avançar. Eles se recusaram a obedecer à ordem de atacar. No dia seguinte, começou o contra-ataque alemão. O pânico se alastrou nas forças russas. No dia 24, um desolado Keriénski telegrafou ao governo provisório:

> em muitos casos, o avanço se revelou instável e, depois dos primeiros dias de batalha, ou, em alguns casos, até das primeiras horas, houve uma mudança de espírito e os ânimos baixaram. Em vez de fortalecer o sucesso inicial, as unidades [...] começaram a redigir resoluções com exigências de retirada imediata para a retaguarda.

Nos diários que escreveu em seus anos de licença não autorizada, *Anotações de um desertor*, o jovem ucraniano Aleksandr Dneprόvski execra a imprensa patriótica dos meses imediatamente anteriores à ofensiva, chamando-a de "balde de lama impressa [...] derramado sobre a cabeça de uma humanidade que sofre há muito tempo". Apesar das bobagens patrióticas recicladas respeitosamente pelos jornais, a triste verdade dos fatos vazou com rapidez pelo país. E muitas vezes em primeira mão.

Há muito tempo a situação havia deixado de ser um problema de indivíduos, ou mesmo batalhões, que descumpriam ordens. Agora havia um movimento em massa dos soldados russos em duas direções: para a frente das trincheiras, não de modo beligerante, mas fraterno, saudando e abrindo caminho no cenário de cataclismo para beber e conversar com os alemães que eles supostamente deveriam matar; e, para a retaguarda, com um grande número deles batendo em retirada. Deserções em massa. Milhares simplesmente iam embora.

Naquele verão, o grande poeta e crítico Víktor Chklóvski, comissário do Exército do Soviete, partiu para a zona de guerra na Galícia. Ele percorreu os últimos quilômetros a pé, através de campos alagados, perto das linhas austríacas.

> Enquanto eu atravessava a floresta, continuava encontrando soldados desgarrados, armados, a maioria jovens. Eu perguntava: "Para onde você está indo?".
> "Estou doente."
> Em outras palavras, estava abandonando o *front*. O que se podia fazer com eles? Mesmo sabendo que seria inútil, dizia: "Volte. Isso é indigno". Eles continuavam andando.

A escala era espantosa. Um crescimento em números que já eram enormes. Em uma única noite, perto de Volotchinsk, batalhões de choque do XI Exército prenderam 12 mil desertores que se escondiam ou vagavam entorpecidos na escuridão. Tratava-se de um movimento de massa. Oficialmente, 170 mil soldados fugiram durante a ofensiva: o número real é bem mais alto.

Soldados invadiam trens no *front*. As locomotivas rangiam sob o seu peso, chiavam nos trilhos enquanto eles se agarravam ao teto e às laterais, exaustos e mal-humorados ao mesmo tempo, sacolejando nos lentos vagões. Próximo ao *front* norte, milhares de desertores estabeleceram o que eles declararam ser uma "república de soldados", uma estranha nova ordem política nos arredores do hipódromo de Petrogrado. Eles inundaram a capital, envolvendo-se em fraudes por dinheiro. Nos dias quentes de julho, mais de 50 mil desertores estavam na cidade.

Eles faziam bicos. Revolviam a terra. Tornaram-se bandidos violentos, rasgando e recosturando os velhos uniformes com uma insolência esfarrapada. A deserção era resultado do medo, é claro, mas isso nem sempre era tudo.

"As deserções em massa", escreveu Trótski, "estão deixando de ser, nas condições atuais, o resultado de desejos pessoais degenerados" – o que seria uma afirmação severa e antipática em qualquer época – "e se tornando uma expressão da total incapacidade do governo de unir o exército revolucionário com uma unidade interna de objetivos." Entre essas centenas de milhares, um número cada vez maior era influenciado pelo eloquente Dnepróvski, que se inspirou na própria deserção para escrever. Em sua análise da odiada guerra, ele combinava um desejo desesperado de não morrer num rio malcheiroso de sangue com raiva, desespero político e lucidez crítica.

Em uma carta a Keriénski, um certo "trabalhador Zemskov" descreveu a si mesmo – com naturalidade, sem se desculpar – como "um desertor [...] escondido nas estepes de Kuban por mais de dois anos". "Que tudo isso vá para o inferno", protestou:

> que espécie de liberdade é essa, em que milhões de escravos sem voz ainda são levados como ovelhas para os canhões e metralhadoras e o oficial ainda trata o escravo como se ele fosse simplesmente uma coisa, em que apenas a coerção bruta contém os muitos milhões do exército de escravos cinza, em que o novo governo (exatamente como o antigo) tem autoridade para enviar toda a população masculina para esse abismo sangrento (a guerra)?

Agora, alguns desertores desfilavam por Petrogrado com cartazes, reivindicando o que chamavam de "libertação". Era a deserção como movimento social.

Mesmo antes da ofensiva, tanto a aversão engendrada pela guerra como o sentimento dos soldados, de seus familiares e defensores, um grande número de trabalhadores e camponeses, de que ela devia cessar imediatamente deram força à política dos bolcheviques. A partir de junho, em particular, eles intensificaram a propaganda no combalido Exército: sua rede de oradores e agitadores estava chegando a quinhentos regimentos ao longo do *front*.

A intenção de Lênin sempre foi forjar uma percepção dos bolcheviques como uma oposição absoluta e destemida à guerra, mas talvez, como os críticos à sua esquerda haviam advertido, os detalhes de seu derrotismo revolucionário fossem de fato ambíguos. Talvez eles tenham sido evasivos e tenham omitido suas posições distintas, e talvez isso tenha confundido algumas audiências. Seja como for, a fraseologia especificamente "derrotista" (e ambígua) havia sido, desde o retorno de Lênin, menos enfática. Mas a reputação antibelicista do partido certamente ainda estava crescendo.

Isso podia, às vezes, ser associado à própria pessoa de Lênin: assim, mesmo antes da ofensiva, os soldados do V Exército, no *front* norte, declararam que ele era a única autoridade que reconheciam. À medida que aumentava o ódio à guerra, as pessoas se lembravam da oposição inabalável do partido bolchevique a ela.

Isso aconteceu, em particular, graças ao trabalho generoso dos quadros bolcheviques e, em especial, dos subestimados ativistas de nível médio. Eles eram a espinha dorsal das organizações do partido em todo o império. Eles trabalhavam duro e se especializavam cada vez mais. De Moscou, Eduard Dune viajava com seus camaradas até os distritos vizinhos para dar palestras. Poucos entre os muitos integrantes de seu partido local eram oradores natos. Mas, depois de fevereiro, eles se aprimoraram, passaram a conhecer melhor seu público – e sua própria força. "Começamos a nos especializar", escreveu Dune. O camarada Sapronov se sentia à vontade em reuniões com milhares de pessoas; uma alma gentil chamada Kalmykov, em farrapos como um pedinte, visitava pequenas oficinas para fazer pregações afetuosas e muito eficazes; e o camarada Artamanov, "ou porque tinha uma voz grave impressionante, ou porque falava o dialeto dos subúrbios de Moscou, ou talvez por outro motivo qualquer [...] fazia muito sucesso com o público camponês".

E eram em particular os aldeões que "ouviam com toda a boa vontade os discursos contra a guerra e a favor da paz".

Até o mais perspicaz dos inimigos do partido podia perceber o apelo e a lógica de sua antinomia inflexível em relação à guerra, em comparação com as negociações dos moderados. O general Brusílov, que era um homem ponderado, mas não intelectualizado, lembraria mais tarde:

> A posição dos bolcheviques eu conseguia entender, porque eles pregavam: "Abaixo a guerra, paz imediata a qualquer preço", mas não conseguia entender as táticas dos SRs e dos mencheviques, que foram os primeiros a romper com o Exército, como se isso pudesse evitar a contrarrevolução, e ao mesmo tempo queriam que a guerra continuasse até a vitória final.

Em 26 de junho, delegados do Regimento de Granadeiros, um dos muitos que se recusaram a avançar contra os alemães, retornaram à capital. Eles contaram ao batalhão dos reservistas o que estava acontecendo de verdade no *front* – inclusive que os próprios comandantes os fizeram combater sob a mira das metralhadoras. Eles imploraram por ajuda, e exigiram todo o poder aos sovietes. O *Soldátskaia Pravda* prometeu-lhes apoio total.

Pela cidade e pelo império afora, à medida que as notícias da calamitosa ofensiva que levava seu nome se espalhavam, os últimos vestígios do culto a Keriénski viraram pó.

Depois de tantas intervenções urgentes e frenéticas, o cansaço de Lênin se transformou em doença. Sua família estava preocupada. Seus companheiros o convenceram a descansar. No dia 27, acompanhado por sua irmã Maria, ele deixou Petrogrado. Eles atravessaram a fronteira rumo a Neivola, uma aldeia finlandesa onde seu camarada Bontch-Bruiévitch tinha uma casa de campo. Lá eles passaram os dias relaxando, nadando no lago, caminhando ao sol.

Enquanto isso, os operadores de metralhadoras recebiam novas ordens de um deslocamento substancial de homens e armas. No último dia do mês, a seção militar do Soviete de Petrogrado enviou G. B. Skalov para discutir o assunto com eles.

Provocado pela fúria de seus homens, o Comitê do Regimento – controlado por SRs e mencheviques – foi obrigado realizar conversações nos corredores do Palácio de Táurida. Ali, os próprios soldados, muitos deles anarquistas ou bolcheviques – incluindo Golovin, um dos luminares da rebelião frustrada dos dias 20 e 21 –, protestaram, dizendo que as novas ordens eram um prenúncio de deslealdade ou traição à causa.

Os operadores de metralhadoras não permitiriam que o regimento fosse desarmado ou dissolvido. Todos tinham a mesma opinião. Suas declarações ecoavam na sala. Eles começaram a discutir claramente como não cumprir as novas ordens. No ambiente entorpecido do palácio, os soldados discutiam a necessidade de pôr a força das armas nas ruas da cidade.

7
JULHO: DIAS QUENTES

No centro do distrito Vyborg, uma multidão barulhenta arrastava um homem pelas ruas acidentadas. Ele gritava e deixava um rastro vermelho por onde passava. Não era apenas sangue. Ele era um atravessador, um trambiqueiro, um especulador de comida em uma cidade faminta. A carne que ele vendia era velha e estragada. Os moradores o haviam capturado, espancado e besuntado com suas próprias mercadorias estragadas, de modo que ele deixava atrás de si um rastro rançoso de carne e sangue. "A onda está chegando à superfície", escreveu Látsis em seu diário no início do mês. "Está começando. Há agitação no distrito."

"Os russos estão voltando, os *russos*, veja bem, simplesmente levantam as mãos e já descrevem isso como o caos." *Swallows and Amazons* [Andorinhas e amazonas] ainda estava para nascer na imaginação de Arthur Ransome: naquela época, ele era correspondente do *British Daily News*, um homem ávido por expressar o delírio de Petrogrado. Agitação nos distritos. "Vive-se o tempo todo em uma atmosfera de conflito mental do tipo mais violento."

Em 1º de julho, o Soviete divulgou um apelo lamurioso aos operadores de metralhadoras do 1º Regimento para que retornassem a seus alojamentos e aguardassem instruções. Mas os atiradores continuaram a fazer planos para uma manifestação armada com insurgência. Naquele dia, enquanto a tensão crescia na forma de crimes, revoltas operárias e conflitos violentos devido à falta de comida e combustível, tinha início a II Conferência Bolchevique da Cidade de Petrogrado na mansão Kchessínskaia.

A tensão entre as alas do partido estava se tornando mais aguda. Os entusiastas e a ultraesquerda confrontavam os cautelosos. A OM havia descoberto os planos dos operadores de metralhadoras e insistiu acaloradamente com o CC que eles podiam derrubar o governo. Em todo caso, o movimento dos soldados era inevitável; portanto, a questão não era se ele deveria "ser permitido", mas como o partido deveria se vincular a ele.

Os líderes, convencidos de que o momento não era oportuno para uma insurreição, continuaram a insistir na repressão. Ordenaram que a OM tentasse evitar qualquer revolta.

Anos mais tarde, Niévski, que era da OM, contou como se desincumbiu dessa missão:

> Quando a Organização Militar, já sabendo da manifestação dos operadores de metralhadoras, me mandou como orador mais ou menos popular da Organização Militar para convencer as massas a não sair às ruas, eu falei com eles, mas de um modo que apenas um tolo chegaria à conclusão de que não deveria fazer a manifestação.

Ele não foi o único camarada da OM a levar a cabo esse *ca'canny* de esquerda, cumprindo as ordens à risca contra sua intenção original. Os anarcocomunistas, é claro, não recorreram a subterfúgios: foram bastante francos quanto ao seu apoio a uma insurgência armada.

Na tarde do dia 2, houve um concerto no prédio da prefeitura, conhecido como Casa do Povo. Não era o habitual adeus às tropas que estavam indo para o *front*: o evento era patrocinado pelos próprios bolcheviques a fim de angariar fundos para comprar livros antibelicistas que os soldados *levariam para o front*. Uma provocação surpreendente.

Diante de um público de 5 mil pessoas, músicos e poetas se apresentaram, alternando-se com discursos de importantes militantes bolcheviques e do Mejraióntsy – estes últimos agora ligados tão intimamente aos bolcheviques que se tornaram indistinguíveis. O evento se tornou um comício feroz contra o governo, a guerra e Keriénski. Para o deleite da multidão, Trótski e Lunatchárski exigiram todo o poder aos sovietes. Encontros desse tipo só podiam insuflar a determinação dos operadores de metralhadoras.

Naquela noite, o gabinete de governo se reuniu para discutir a declaração de independência da Ucrânia. A Rada havia jurado lealdade à Rússia revolucionária e concordado em renunciar a um exército permanente, mas, tendo adquirido ampla legitimidade, era agora implicitamente reconhecida como a voz dos ucranianos – e isso era demasiada perda de autoridade para os ministros do Kadet.

Após um debate longo e cheio de rancor que durou até tarde da noite, um kadet chamado Nekrásov votou a favor da proposta de aceitar a proposta ucraniana, retirando-se do partido para isso. Os outros quatro votaram contra, e abandonaram o gabinete.

Seis socialistas moderados e cinco "capitalistas" permaneceram. A coalizão estava desmoronando.

Desde os primeiros instantes do dia 3 de julho, o clima estava rígido e tenso como pele esticada. Logo nas primeiras horas, os trabalhadores dos correios de Petrogrado começaram uma greve por causa do pagamento. No meio da manhã daquele dia quente, houve um protesto de milhares de soldados "acima dos quarenta": aqueles soldados que estavam sendo reconvocados para a guerra marcharam em protesto descendo a Avenida Niévski.

A principal manifestação do dia começou por volta das onze horas da manhã. Enquanto o Comitê do 1º Regimento de Metralhadoras discutia a transferência de armas e soldados, preparando-se para negociar com o Soviete, uma assembleia de milhares de atiradores combativos, sob o comando de Golovin e apoiada pela OM bolchevique, formulou sua própria posição.

Bleikhman, um enérgico anarcocomunista, exortava os soldados. Ele insistia que estava na hora de derrubar o governo provisório e tomar o poder – diretamente, sem passar pelo Soviete. E quanto à organização? "A rua", disse, "vai nos organizar." Ele sugeriu uma manifestação às cinco horas da tarde. Em uma atmosfera de combativo entusiasmo, a sugestão foi aprovada por unanimidade.

Os soldados elegeram rapidamente um Comitê Revolucionário Provisório sob o comando do popular agitador bolchevique A. I. Semáchko, em franca desobediência às ordens do partido. Os delegados dos soldados foram de barco até Kronstadt e desfilaram pela cidade em veículos blindados, agitando cartazes pelas janelas e espalhando a notícia. Eles queriam o apoio do Regimento Moskóvski e dos Granadeiros, da 1ª Infantaria e da Divisão de Blindados – bem como dos trabalhadores das fábricas de Vyborg. Nem todos os apelos foram recompensados com apoio explícito: algumas vezes eles depararam com uma "neutralidade benevolente". Entretanto, não havia sinal visível de um movimento contrário, de uma oposição ativa.

Meio da tarde. Uma massa agitada, irritada, começou a se reunir nos subúrbios da cidade e a se dirigir para o centro.

Os moradores da parte elegante da cidade haviam desaparecido. Poucos entre os presentes eram os mesmos manifestantes ricos e bem-vestidos que haviam participado das marchas de fevereiro. Tratava-se da fúria armada dos trabalhadores, dos soldados – aqueles a quem Bontch-Bruiévitch havia chamado para formar a Guarda Vermelha.

Quando as manifestações começaram a convergir para o Palácio de Táurida, às três horas da tarde, a delegação bolchevique do Soviete convocou a seção dos trabalhadores sem aviso prévio. Os membros do partido apareceram em peso, superando os mencheviques e os SRs – que haviam corrido para participar. Os bolcheviques conseguiram aprovar imediatamente uma moção que exigia todo o poder ao Soviete. Em desvantagem, os oponentes deixaram a sala em protesto.

Na mansão Kchessínskaia, a II Conferência Municipal Bolchevique entrava em seu terceiro dia. Os desentendimentos acalorados continuavam. Quando o Comitê de Petersburgo começou a debater a neutralização da oposição a Lênin e a criação de um jornal separado – alegando que o *Pravda* não atendia suas necessidades –, dois operadores de metralhadoras da OM invadiram o salão e anunciaram que os manifestantes estavam marchando para o governo provisório.

O caos se instalou. Volodárski criticou severamente os soldados por agirem contra o desejo do partido; de modo contundente, eles responderam que era melhor deixar o partido do que se voltar contra o próprio regimento. Dito isso, saíram da sala, e a reunião terminou bruscamente.

O Comitê Executivo Central do Soviete de Deputados Operários e Soldados de Toda a Rússia e seu homólogo camponês já estavam reunidos em assembleia no Palácio de Táurida: eles estavam tentando resolver qual seria a melhor maneira de oferecer apoio ao governo provisório, agora sem os kadets. Por volta das quatro horas da tarde, os primeiros relatos sobre a inflamada manifestação chegaram até eles. A liderança do Soviete compreendeu imediatamente que se tratava de uma ameaça concreta à sua autoridade – e possivelmente à sua integridade física.

Rapidamente mandaram o intelectual menchevique Vladímir Voitínski organizar a defesa do palácio. Despacharam telegramas a todas as tropas da guarnição e à base de Kronstadt, reiterando duramente a proibição de manifestações. Esboçaram uma declaração acusando a marcha de traição e advertindo que agiriam com "todos os meios disponíveis". Os membros do Soviete se espalharam por toda Petrogrado para tentar acalmar as ruas.

As notícias da manifestação chegaram ao CC bolchevique, que também estava reunido no Táurida, a algumas portas de distância. Houve uma discussão rápida e turbulenta. O CC, que a essa altura incluía Trótski, manteve sua cautelosa linha "leninista" – de que o momento escolhido para essa aventura não era adequado – e votou contra se juntar a ela. A liderança enviou militantes para tentar conter urgentemente os operadores de metralhadoras. Zinóviev e Kámeniev prepararam um comunicado de primeira página que sairia no *Pravda* do dia seguinte, pedindo comedimento às massas. O CC transmitiu sua decisão à II Conferência Municipal.

Na conferência, contudo, estourou a discórdia.

Embora expressões de apoio aos rebeldes tenham sido derrotadas e a posição do CC aprovada, houve críticas de muitos delegados influentes. A esquerda da conferência convocou uma reunião com representantes de fábricas, militares, membros do Mejraióntsy e mencheviques internacionalistas para "medir a temperatura" da cidade. Essa exigência era – e assim foi compreendida – uma forma de pressionar o CC a se inclinar para a esquerda.

Um acordo foi costurado às pressas, mas, embora tenha sido formulado na dura linguagem do partido, na verdade era um fracasso formalizado. Os radicais levaram dias, semanas, para compreender o que estava por vir – acontecimentos que os levaram a mudar de posição, desistir do lema que clamava pelo poder ao Soviete e criar algo novo, ainda mais combativo.

"Veremos", anunciou Tomski, expressando a posição vacilante do partido naquele momento, "como o movimento evolui." Enquanto isso, nem incendiários nem bombeiros, os bolcheviques apenas observavam. "Veremos."

O protesto foi violento desde o princípio. Manifestantes aos gritos se uniram para derrubar os bondes, tirá-los dos trilhos e deitá-los sobre suas janelas estilhaçadas. Nas pontes, soldados revolucionários montaram bases para as metralhadoras. O clima era de insurreição.

E não apenas entre a esquerda. "Centúrias Negras, vândalos, provocadores, anarquistas e desesperados criaram muito caos e absurdo na manifestação", disse

Lunatchárski. Entre rajadas de tiros, murros frenéticos e vidros quebrados e arremessados, a esquerda e a extrema direita se enfrentavam. Na cidade ecoavam os sons dos tiros e dos cascos de cavalos. Em frente ao Conselho Municipal, na Avenida Niévski, um tiroteio sangrento irrompeu.

As balas das metralhadoras derrubavam os homens. Manifestantes feridos cambaleavam em fuga pelas ruas impassíveis e pelas colunatas arredondadas de Petrogrado. As cabeças de leão observavam das fachadas, com a boca entalhada fechada, mas o ar sujo da cidade lhes manchava a língua. Nos canais, deslizando sob as pontes, as barcas carregadas de madeira tirada de florestas sem fim continuavam a fazer as suas entregas, como se as ruas não estivessem cheias de gritos e relinchos, como se os veículos blindados não passassem a toda a velocidade pelas pontes e os barqueiros não tivessem de se proteger ao ouvir o zumbido dos mísseis. Aldeões de barbas negras franziam a testa para o alto, enquanto vagavam em seus barcos de costado baixo.

Às 7h45 da noite, um caminhão cheio de armas parou na Estação do Báltico: trazia homens que vinham prender Keriénski, que, segundo tinham ouvido, estaria ali. Desencontraram-se por pouco. Keriénski havia deixado a cidade. Três batalhões do Regimento de Metralhadoras partiram para Vyborg. "Abaixo os dez ministros capitalistas!", lia-se em seus cartazes. A informação da renúncia dos kadets do gabinete ainda não havia chegado até eles – sem os kadets, restavam apenas seis no gabinete. Uma turba de militantes confiscou a munição da Escola de Artilharia Mikháilovski e tomou a Ponte Litéini, onde parte da multidão se juntou ao VI Batalhão de Engenheiros e seguiu para o Palácio de Táurida – outra parte se separou e rumou para a mansão Kchessínskaia.

Lá, os líderes bolcheviques ainda estavam discutindo o que fazer quando chegou a notícia de que massas armadas estavam se aproximando. Na sala, alguém suspirou: "Sem a sanção do Comitê Central?".

Ser radical era fazer os outros mudarem de ideia, convencê-los a seguir um caminho, sem ir muito longe ou muito rápido nem ficar para trás. "Explicar pacientemente." Como era fácil esquecer que as pessoas não precisam nem esperam permissão para agir.

Uma grande multidão se espalhou no ponto em que a estrada e o rio se encontravam, ocupando o espaço entre a mesquita e a mansão. Em nome do partido, Podvórski, Lachkévitch e Niévski apareceram na pequena sacada inferior da mansão. Em pé, a apenas alguns palmos acima do povo, eles saudaram a multidão – e então, absurdamente, exortaram milhares de pessoas furiosas a voltar a Vyborg.

Mas o movimento não podia ser revertido. Portanto, a dúvida dos bolcheviques era se deviam distanciar-se dele, unir-se a ele ou tentar liderá-lo.

O momento da virada: a combativa OM conseguiu finalmente o que queria quando o partido, tentando recuperar o tempo perdido, deu a sua bênção apressada e confusa a uma marcha no Palácio de Táurida, em um esforço de divulgar sua responsabilidade pelo fato consumado. Os manifestantes retornaram do sul pelas pontes da cidade e do leste pelas margens do rio. Não demoraram muito para chegar ao palácio e cercá-lo.

Dentro do palácio, um agitado Soviete realizava uma sessão de emergência. Não havia como refrear aquele mar de manifestantes armados, e uma delegação do 1º Regimento de Metralhadoras entrou na sala à força. Trovejando pelos corredores com suas botas pesadas, eles encontraram Tchkheidze. Quando, em choque, ele encarou os visitantes indesejados, os homens o informaram friamente que ficaram preocupados ao saber que o Soviete cogitava participar de um novo governo de coalizão. Isso, eles disseram, era algo que não podiam permitir.

Na multidão, algumas pessoas estavam dispostas a ser menos educadas. Da cidade lá fora, além das defesas do palácio, chegavam vozes que gritavam pela prisão dos líderes do governo de coalizão. A prisão do próprio Soviete!

Mas não havia plano nem orientação. As ruas, apesar da confiança de Bleikhman, não organizaram ninguém.

Finalmente escureceu, e, embora a tensão não tivesse diminuído, a multidão se dispersou. Por enquanto.

Naquela noite, os "ministros capitalistas" remanescentes da coalizão se reuniram com o general Polovtsev no quartel-general do Stavka, perto da Praça do Palácio. O Palácio de Inverno e o Stavka eram guardados pelos únicos soldados que havia à disposição: os legalistas feridos na guerra. Os reforços que se juntariam a eles eram aguardados para a manhã seguinte. Era muito tempo.

A noite foi longa. Alguns poucos destacamentos cossacos percorreram a cidade, recrutando insurgentes. Voitínski, responsável pela proteção do Ispolkom, estava tenso: a guarda era inadequada para enfrentar um ataque sério ao Táurida, e ele sabia disso. E os mencheviques e SRs também sabiam, não obstante certo grau de hesitação dos regimentos menos radicais que haviam saído às ruas, que a manhã viria com mais protestos e incertezas. Eles acusaram os bolcheviques, condenaram as manifestações "contrarrevolucionárias", protestaram contra "esses nefastos sinais de desintegração".

Quando a alvorada se aproximou, os delegados do Soviete saíram para enfrentar as ruas. Eles tinham a missão nada invejável de ir aos regimentos e às fábricas para tentar demovê-los.

Na madrugada, o CC bolchevique enviou M. A. Savéliev com urgência à casa de verão de Bontch-Bruiévitch para trazer Lênin de volta. Às quatro horas da madrugada, eles estavam distribuindo um panfleto redigido por Stálin e impresso às pressas que, na verdade, parecia ter sido concebido para enfatizar a relevância do partido. Num tom de ambígua imprecisão – "Convidamos esse movimento [...] a se tornar uma expressão pacífica e organizada da vontade dos trabalhadores, soldados e camponeses de Petrogrado" –, o documento simulava certa unidade de propósito e análise, além de uma influência que o partido não possuía.

Em desvantagem, os bolcheviques sentiram que não tinham muita escolha e deram autonomia à combativa OM, deixando-a livre para participar do que quisesse. É claro que, agora que a linha do partido tinha sido trocada, o comunicado de Zinóviev e Kámeniev que seria publicado no *Pravda* contra a manifestação, mais do que ineficaz, foi um constrangimento. Mas não houve nem tempo nem objetividade para substituí-lo. E quem poderia saber com certeza o que colocar no lugar? Qual era a orientação do partido? Diante da ausência de respostas, eles apenas cortaram as palavras ofensivas.

No dia 4, o segundo e mais violento das Jornadas de Julho, o *Pravda* foi publicado e o centro da primeira página estava vazio. Um buraco branco, sem texto.

Dia 4. Um amanhecer quente e úmido. Do outro lado da cidade, as lojas não abriram. Os caminhões dos insurgentes corriam pelas ruas. Os soldados adotaram uma postura defensiva contra inimigos reais ou imaginários; tiros ressoavam repetidamente no silêncio da manhã. As ruas começaram a ficar lotadas. No meio da manhã, Petrogrado estava novamente tomada pelos manifestantes. Meio milhão de pessoas sairiam às ruas naquele dia.

Às nove horas, o deteriorado trem que trazia Lênin, sua irmã Maria e os camaradas Bontch-Bruiévitch e Savéliev cruzou o rio Sestra, na divisa entre a Finlândia e a Rússia, passando pela cidade fronteiriça de Belo-Óstrov. Embora fizesse parte do Império Russo, a fronteira finlandesa tinha postos de controle. Bontch-Bruiévitch prendeu a respiração quando um inspetor examinou seus documentos. Com Petrogrado em tamanha agonia, ele temia que eles fossem detidos. Mas o homem acenou para que passassem e o conclave seguiu de volta à cidade.

À medida que se aproximavam, uma miscelânea naval fazia o mesmo na foz do Neva. Um louco mosaico em forma de flotilha. Oito rebocadores, um torpedeiro, balsas de passageiros, três traineiras, três canhoneiras, um par de barcaças, um pequeno número de embarcações civis. No convés de cada uma delas, acenando da amurada e com as armas apontadas para o alto, os marinheiros de Kronstadt seguiam a corrente. Eram milhares, sob o comando do ativo bolchevique Raskólnikov, editor do *Pravda* de Kronstadt. Seguiam para o continente para se juntar ao que acreditavam ser o auge de sua revolução. A fúria de Kronstadt, reduto da revolução, chegou a bordo de tudo de que conseguiu se apoderar.

À medida que eles avançavam e mudavam de direção para desembarcar, o Comitê Executivo do Soviete enviou seu próprio rebocador para receber os bizarros recém-chegados. No convés havia um mensageiro, implorando que partissem, gritando por sobre as águas que o Soviete não os queria ali. A heterogênea armada passou por ele, fazendo-o balançar no seu rastro.

O fevereiro de Kronstadt tinha sido sangrento e desesperado, um ato de fé revolucionária em uma ilha isolada, à espera de uma contrarrevolução ao amanhecer. Mas, agora, nenhum oficial dominava a base. O soviete dos marinheiros não teve escrúpulos em completar sua própria revolução local, e sua chegada significava muito mais do que apenas um novo contingente de homens em Petrogrado. Ao contrário, eles eram emissários de uma fortaleza vermelha. Um coletivo vivo, um presságio político.

Os navios rumavam para a cidade. Os homens de Kronstadt atracaram perto da Ponte Nikoláievski e levantaram os braços para saudar a cidade. Os manifestantes, à beira da água, observavam e aplaudiam, exortando os recém-chegados a derrubar o governo. Mas Raskólnikov ainda não estava pronto para se dirigir ao Palácio de Táurida. Primeiro, anunciou que lideraria os marinheiros em terra, atravessaria a ponte norte e passaria pelos longos muros brancos da Fortaleza de Pedro e Paulo; de lá, seguiria para a mansão Kchessínskaia, do lado oposto do rio até o palácio. Mas antes, na Kchessínskaia, ele apresentaria as fileiras aos bolcheviques, ou vice-versa.

Quando os marinheiros desembarcaram, estava lá Maria Spiridónova, aguardando ansiosamente para se dirigir a eles.

Spiridónova, a quase lendária SR que havia matado pelo povo e pagado o preço: sua tortura e prisão, em 1906, chocaram até as consciências liberais. A coragem, a sinceridade, o sacrifício e, sem dúvida, a beleza impressionante de Maria Spiridónova fizeram dela uma espécie de santa popular. Ainda implacavelmente na dura e rebelde esquerda do partido, ela era uma oponente feroz de Keriénski e do governo.

Foi por um momento desnecessário de insignificante sectarismo que Raskólnikov não deu a Spiridónova – a grande Spiridónova! – a chance de falar aos marinheiros de Kronstadt. Em vez disso, ele a deixou em pé, humilhada e ofendida, enquanto conduzia seus homens para longe, sob o ritmo da banda.

Os marinheiros atravessaram a Ilha Vassiliévski e a Ponte da Bolsa de Valores, carregando bandeiras que diziam "Todo o poder aos sovietes". A coluna chegou finalmente à mansão, onde, da varanda, Sverdlov, Lunatchárski e Niévski se dirigiram a eles. Os anarquistas e os SRs de esquerda da congregação, furiosos com o tratamento desdenhoso e nada camaradesco que fora dado a Spiridónova, deixaram a reunião em protesto.

Raskólnikov e Fleróvski abriram caminho para entrar na mansão, onde encontraram o recém-chegado Lênin – que se escondera ali.

Os dois bolcheviques de Kronstadt insistiram para que ele discursasse, saudasse os visitantes. Lênin, porém, estava preocupado.

Ele não estava feliz com os acontecimentos do dia e tentou recusar, insinuando que desaprovava aquela enorme e precipitada provocação. Mas os manifestantes não se dispersariam nem partiriam, muito menos deixariam de gritar seu nome. O clamor podia ser ouvidos através das paredes da mansão.

Por fim, antes que a tensão atingisse um ponto perigoso, Lênin se rendeu à insistente multidão. Ele saiu para a varanda sob uma aclamação ensurdecedora.

Sua hesitação, porém, era evidente. De maneira atípica, Lênin não fez um discurso mal-humorado. Ele saudou os marinheiros com uma suavidade surpreendente, esperando – e não exigindo – que o lema "Todo o poder aos sovietes" se tornasse realidade. Pediu comedimento e vigilância.

Mesmo os membros mais fiéis do partido ficaram desconcertados. Em particular, como disse um bolchevique de Kronstadt, eles ficaram perplexos com a ênfase de Lênin na necessidade de uma manifestação pacífica, diante de "uma coluna de homens armados, ansiosos para se precipitar na batalha".

★

"Olhando para eles", disse a filha do embaixador britânico a respeito dos soldados insurgentes de Kronstadt, "eu me perguntava qual seria o destino de Petrogrado se aqueles selvagens barbados, brutos e desengonçados tivessem a cidade à sua mercê". Realmente, qual? Na verdade, eles já não a tinham? Mas aquilo era mais do que uma manifestação e menos do que uma insurreição.

A OM fez uma campanha entre a guarnição da Fortaleza de Pedro e Paulo, onde, entre gritos e brigas, atraiu 8 mil homens para o seu lado. Os radicais, de armas nas mãos, espalharam-se pela cidade, assumiram o controle dos jornais antibolcheviques e montaram guarda nas estações. O zunido das balas continuou, enquanto direita e esquerda se enfrentavam numa luta sangrenta.

Meio da tarde. Cerca de 60 mil pessoas protestavam em frente a uma igreja na esquina das ruas Sadóvaia e Apráksina. Do alto, vinha uma bateria de tiros que fez com que os manifestantes se dispersassem, em pânico. Cinco mortos ficaram caídos no chão.

Às três horas da tarde, a manifestação dos marinheiros obstruiu o canal entre as elegantes fachadas das avenidas Niévski e Litéini, onde vitrines exibiam um apoio orgulhoso à ofensiva do Exército e ao governo. Endinheirados curiosos assistiam à manifestação. Um tiro foi disparado de algum lugar. Um anarquista que carregava uma bandeira preta caiu morto. A multidão fugiu em debandada novamente, esquivando-se e ziguezagueando em busca de segurança no meio do fogo cruzado e do caos. Marinheiros invadiram violentamente as casas que davam para a avenida em busca de armas, e às vezes as encontrando. Sangue foi derramado, e sangue subiu à cabeça; mais sangue foi derramado para se vingar, e alguns derrotados foram linchados.

Exaltados, atirando e levando tiros, os manifestantes convergiram para o Palácio de Táurida. Repetidas vezes eles gritaram sua exigência: "Todo o poder aos sovietes". Os céus enviaram uma chuva torrencial, trazendo um clima de fim dos tempos entre os muitos que não se dispersaram. Quando a escuridão começou a cair, alguém disparou um tiro contra o palácio, espalhando pânico. Os marinheiros de Kronstadt exigiram ver Pereviérzev, ministro da Justiça, para ouvir dele por que o anarquista Jelezniakov, que havia sido detido em Durnovó, não fora libertado.

No exato momento em que a multidão começou a arrombar as portas para procurá-lo, Pereviérzev estava no seu escritório, cumprimentando jornalistas e representantes das unidades militares de Petrogrado. Queria mostrar uma coisa, disse ele. Evidências que o governo vinha recolhendo havia algum tempo. Evidências que pretendiam provar que Lênin era um espião alemão.

Sitiados no Palácio de Táurida, os líderes do Soviete entraram em pânico. Depois de uma rápida conferência, enviaram o líder do SR, Tchernov, para acalmar os manifestantes, que urravam e cantavam para Pereviérzev. Homem amável e erudito, antigamente merecedor do respeito de todos, Tchernov, eles acreditavam, podia acalmar os manifestantes com um discurso típico, recheado de citações.

Mas, quando ele apareceu, alguém gritou: "Ele é um dos que atiram nas pessoas!". Os marinheiros tentaram agarrá-lo. Perplexo e alarmado, Tchernov subiu no alto de um barril e, tomando coragem, começou a discursar.

Ele deve ter pensado que agradaria à multidão se mencionasse os quatro kadets que haviam deixado o governo e declarasse: "Até que enfim!".

Um grito no meio da multidão respondeu: "Por que você não disse isso antes?".

O clima ficou feio. Tchernov recuou como pôde quando homens e mulheres suspeitos se aproximaram do barril em que ele se equilibrava. Um trabalhador enorme forçou passagem até Tchernov, agitando o punho na cara dele: "Tome o poder, seu filho da puta", gritou, em uma das frases mais famosas de 1917, "quando ele lhe for dado!".

No palácio, os camaradas de Tchernov perceberam que ele estava em perigo. Em desespero, enviaram vários esquerdistas respeitados – Martov, Kámeniev, Steklov, Voitínski – para resgatá-lo. Mas, no meio do empurra-empurra, com Raskólnikov ao lado, foi Trótski quem o alcançou primeiro.

Uma trombeta soou e a multidão fez silêncio. Trótski abriu caminho até o carro para onde alguém havia empurrado Tchernov. E fez um longo discurso para a multidão agitada, exigindo que o ouvissem. Trótski subiu no capô.

"Camaradas de Kronstadt!", gritou. "Orgulho e glória da revolução! Vocês vieram declarar sua vontade e mostrar ao Soviete que a classe trabalhadora não quer mais a burguesia no poder. Mas por que manchar sua própria causa com pequenos atos de violência contra indivíduos ocasionais? Indivíduos não são dignos de sua atenção."

Ele encarou aqueles que, em fúria, o interrompiam. Estendeu a mão para um marinheiro particularmente loquaz. "Me dê sua mão, camarada", gritou. "Sua mão, irmão!"

O homem não queria lhe dar aquele gosto, mas sua confusão era perceptível.

"Aqueles que aqui estão e são a favor da violência", gritou Trótski, "levantem a mão".

Nenhuma mão foi levantada.

"Cidadão Tchernov", disse Trótski, abrindo a porta do carro, "você pode ir."

Magoado, aterrorizado, humilhado, Tchernov correu para o palácio. O fato de provavelmente dever a vida a Trótski não o impediu de se sentar naquela mesma noite para escrever virulentos ataques aos bolcheviques.

Por volta das seis horas da tarde, os membros dos comitês executivos do Soviete se reuniram em uma assembleia conjunta. Os moderados recorreram ao Exército em busca de ajuda. Enviaram um pedido ao general reacionário Polovtsev para que tropas leais estacionadas nos subúrbios os defendessem – uma vez que os debates políticos não haviam influenciado todas as tropas da região. "Naquele momento", declarou Polovtsev recordando-se da ironia, "eu era livre para assumir o papel de salvador do Soviete."

Do lado de fora, dezenas de milhares de pessoas ainda gritavam, agora por Tseretiéli em pessoa. Zinóviev, um bolchevique popular, saiu para acalmá-las com brincadeiras e camaradagem e pedir que se dispersassem. Mas não conseguiu dissuadir todas elas de seus objetivos e um grupo resoluto entrou de repente no Salão de Catarina, onde os membros aterrorizados dos comitês estavam reunidos.

Em resposta à invasão, alguns membros do Soviete, nas refinadas palavras de Sukhánov, "não revelaram coragem e autocontrole suficientes" e se esconderam daqueles que insistiam furiosamente para que tomassem o poder.

Com uma presença de espírito impressionante, desconcertando e silenciando o homem, Tchkheidze entregou a um dos invasores um pedido oficial para que fossem para casa.

"Por favor, leia com atenção", disse ele, "e não interrompa nosso trabalho."

Além do Exército, o Soviete apelou para a esquadra. Pouco depois das sete horas da noite, Dudorov, assistente do ministro da Marinha, solicitou quatro destróieres para intimidar os marinheiros de Kronstadt. Em um recrudescimento surpreendente, ele ordenou que "qualquer navio que tentasse partir de Kronstadt sem ordens específicas fosse afundado pela frota submarina".

Mas a ordem foi interceptada pela extrema esquerda do Comitê Central da Frota Báltica, Tsentrobalt, que forçou o comandante, Veriévski, a responder: "Não posso seguir suas ordens".

No Campo de Marte, os cossacos agrediram marinheiros de Kronstadt.

O Soviete continuava em discussões. Assim como os manifestantes, os bolcheviques, a esquerda do SR de Spiridónova e os mencheviques internacionalistas de Martov insistiam que o arranjo atual não podia continuar. Por outro lado, as correntes dominantes e moderadas dos SRs e dos mencheviques continuavam inflexíveis na posição de que o país, com um capitalismo pouco desenvolvido, uma fase burguesa inacabada e um movimento de trabalhadores proporcionalmente pequeno, precisava de um governo que tivesse integrantes não socialistas, ou acabaria em desastre. Tal coalizão era indispensável naquela fase.

No salão do Palácio de Táurida, representantes dos trabalhadores e dos soldados pediram terra para os camponeses, pediram a paz e o controle nas mãos dos trabalhadores.

"Nós confiamos no Soviete, mas não naqueles em quem o Soviete confia", disse um delegado. "Agora que os kadets declararam que se recusam a trabalhar conosco", disse outro, "nós perguntamos: com quem mais vocês vão negociar?"

Do lado de fora, os tiros e o impasse continuavam. Emboscadas, fuzilamentos repentinos e cheiro de fumaça. Metralhadoras arrancavam cavaleiros de suas montarias. Um estouro de cavalos sem cavaleiros, cobertos de sangue humano, precipitou-se pelas margens do rio, batendo os cascos, apavorados.

Era início de noite e o céu ainda estava claro. De repente, o 176º Regimento chegou e entrou no palácio.

Partidário do Mejraióntsy, o regimento tinha recebido um apelo em "defesa da revolução" e viera de Krásnoe Seló. Por acaso, a primeira autoridade que encontraram foi o menchevique Dan. Ele estava – como quase sempre estava – com o seu uniforme militar e, ao ver os recém-chegados armados, teve a presença de espírito de ordenar que fossem imediatamente para o serviço de sentinela. O 176º Regimento obedeceu.

Mais tarde, Sukhánov zombaria deles por obedecerem a um inimigo, um dos moderados a quem se opunham. Trótski, no entanto, insistiria em que a jogada tinha sido estratégica, permitindo que eles impusessem certo grau de ordem enquanto descobriam onde estavam os oponentes. De qualquer modo, trata-se de uma curiosidade: a extrema esquerda, que defendia "todo o poder aos sovietes", foi incumbida por um oponente do Soviete de defender um Soviete que naquele momento discutia contra a tomada do poder que ela queria que ele tomasse.

As discussões sobre a tomada do poder se arrastaram. Às oito horas da noite, na Ponte Litéini, os cossacos entraram em confronto com os trabalhadores: não era fevereiro. Uma saraivada de tiros, gritos de feridos e moribundos, sangue escorrendo pelo vão que separa as duas metades levadiças da ponte. Dois mil marinheiros armados de Kronstadt saíram de barco da mansão Kchessínskaia e aportaram na entrada da Fortaleza de Pedro e Paulo, assumindo o controle do complexo militar. Um ato espetacular e gratuito: eles não sabiam o que fazer com ela, agora que a dominavam. E o Soviete continuava a discutir. As tropas leais finalmente começaram a chegar a Petrogrado. Cavalos mortos jaziam entre cartuchos dispersos e estilhaços de vidro.

À meia-noite, três posições foram apresentadas ao Soviete. À direita, Avram Gots sugeriu apoiar o que restava do governo provisório até que o plenário do Comitê Executivo do Soviete se reunisse. Para Martov, à esquerda de Gots, "a burguesia russa havia definitivamente passado ao ataque contra a democracia dos camponeses e dos trabalhadores", "a história exige que tomemos o poder em nossas mãos" – e ele convocava agora um novo governo provisório radical, dessa vez com os representantes do Soviete como maioria. Lunatchárski, à extrema esquerda, exigia pleno poder para o Soviete.

Um a um, os delegados se levantaram para votar. Declararam apoio a Gots: Dan pelos mencheviques; Kondratiénko pelos trudoviques; Tchaikóvski pelo Partido Popular Socialista; Saakian pelo SR, e outros, um a um, grupo por grupo. A esquerda lutou para continuar defendendo seu ponto de vista, sabendo agora que perderia.

Quase uma da madrugada, Tseretiéli falava da tribuna quando soaram passos pesados. Os deputados se levantaram, novamente pálidos de medo.

Então, Dan gritou de alívio. "Regimentos leais à revolução chegaram", disse, "para defender o Comitê Executivo Central!"

O Regimento Izmáilovski entrou, depois os regimentos Preobrajiénski e Semenóvski. As bandas tocavam a Marselhesa, e os mencheviques e os SRs cantavam com prazer. O Soviete fora salvo, era seguro não assumir o poder.

Os soldados que os libertaram estavam carrancudos, ainda consternados com uma informação que lhes fora dada recentemente, mas ainda não era pública: a chocante notícia de que Lênin era um espião.

As Jornadas de Julho repercutiram pelas grandes cidades provinciais, refletindo as instabilidades locais – sobretudo naquelas onde houve ameaça de transferência das guarnições para o *front*: Sarátov, Krasnoiársk, Taganrog, Níjni Nóvgorod, Kiev, Astracã. Em Níjni Nóvgorod, uma ordem de revista do 62º Regimento de Reserva da Infantaria na noite do dia 4 provocou um confronto entre os soldados leais e os descontentes, resultando em várias mortes. No dia 5, os amotinados elegeram um Comitê Provisório e, por um curto período, assumiram o poder local. Em Ivánovo-Voznessiénsk, uma cidade de combativos trabalhadores do setor têxtil, o Soviete manteve brevemente a autoridade total.

Para a maior parte das pessoas, no entanto, tais eventos não passavam de jogadas apressadas. Na segunda maior cidade, por exemplo, ao ouvir notícias das ações em Petrogrado, os bolcheviques de Moscou emitiram uma convocação morna para uma marcha no dia 4 de julho para exigir poder ao Soviete, o que foi prontamente proibido pelo Soviete de Moscou. A maioria dos trabalhadores obedeceu. Muitos bolcheviques também se teriam contentado em deixar o assunto de lado, mas, percebendo que os bolcheviques mais jovens, mais entusiasmados, que haviam adotado recentemente uma postura radical, provavelmente dariam continuidade à ação, eles os reuniram em uma manifestação um tanto patética e desastrosa.

Entre duas e três da madrugada, em Petrogrado, o CC bolchevique fez o que descreveu como um "apelo" para que os trabalhadores e os soldados encerrassem as manifestações de rua: era, mais precisamente, um reconhecimento *post factum* do inevitável, já que o movimento havia enfraquecido.

Na manhã do dia 5, a última página do *Pravda* explicava, de forma nada convincente, a "decisão" do partido de encerrar a manifestação – como se ela dependesse de uma decisão, ou coubesse ao partido tomá-la. O partido procedeu assim porque "o objetivo da manifestação havia sido alcançado", isto é, "as palavras de ordem da vanguarda do proletariado e do Exército foram proclamadas digna e imponentemente". Imponentemente, talvez – mas os bolcheviques haviam hesitado longamente sobre a conveniência de "proclamá-las" dessa forma.

Em todo caso, os objetivos expressos por elas não foram atingidos.

★

Alvorecer do dia 5. As autoridades levantaram as pontes. Seus extremos apontavam para o céu, separando os rebeldes. Lênin havia acabado de sair da gráfica do *Pravda* quando soldados legalistas chegaram para prendê-lo. Então, no lugar dele, prenderam os trabalhadores, saquearam os arquivos e destruíram o equipamento, em meio a gritos sobre espiões, agentes alemães, traição.

No dia anterior, enquanto Pereviérzev espalhava histórias sobre a suposta traição de Lênin, um simpatizante bolchevique que trabalhava no ministério enviou a informação ao CC, que imediatamente solicitou ao Ispolkom que desse fim à calúnia. Por solidariedade residual, preocupação com o processo ou para evitar que a situação na cidade se agravasse, Tseretiéli e Tchkheidze telefonaram para os jornais de Petrogrado. Deram ordem para que não publicassem acusações não comprovadas.

A maioria concordou. Mas, na manhã do dia 5, a manhã em que os soldados se apresentaram, a primeira página de um jornaleco sensacionalista de extrema direita, o *Jívoe Slovo* [*Palavra viva*] alardeou: "Lênin, [e seus companheiros] Ganiétski, Kozlóvski: espiões alemães!".

A partir daí, nada poria fim aos rumores.

Keriénski rapidamente se desvinculou da informação: no dia 4, ele escreveu do *front* para Lvov (que discordava), afirmando que era "necessário acelerar a publicação da informação que temos nas mãos". Os detalhes bizantinos da calúnia se baseavam nas alegações de certo tenente, Iermólenko, e de um comerciante, Z. Burstein. Este último alegou que uma rede de espionagem alemã, criada em Estocolmo e liderada pelo patriota marxista naturalizado alemão Párvus, mantinha conexões com os bolcheviques. Iermólenko, por sua vez, afirmou ter sido informado do papel de Lênin pelo Estado-Maior alemão, quando ele, Iermólenko, era prisioneiro de guerra e os alemães (possivelmente por uma complicada cadeia de confusão de identidades) tentaram recrutá-lo – o que, segundo ele, os alemães tiveram a impressão de ter realizado com sucesso.

Essas afirmações eram um emaranhado de mentiras, invenções e parcialidades. Iermólenko era um personagem estranho ou, na melhor das hipóteses, um fantasiador; Burstein foi descrito – até mesmo por quem tratou com ele no governo – como um tipo muito suspeito. O dossiê fora preparado por Aleksínski, um ex-bolchevique amargurado, que tinha uma reputação tão grande de fofoqueiro e mal-intencionado que sua entrada no Soviete havia sido negada. Nenhuma pessoa séria, mesmo à direita, acreditaria naquelas informações, o que explica por que alguns membros menos desonestos ou mais cautelosos da direita ficaram furiosos quando o *Jívoe Slovo* publicou a informação.

No entanto, de imediato, as consequências foram devastadoras.

Cinco de julho foi um dia de reação fria. O pêndulo balançou. Naquele dia, Petrogrado não era uma cidade segura para a esquerda. Um entregador do *Pravda* foi morto na rua. Cossacos e outros legalistas mantinham o controle por intimidação e selvageria. A extrema direita estava exultante.

Entretanto, o perigo não vinha apenas da direita, e estava entranhado até mesmo no que deveria ser um reduto da esquerda. Uma militante do partido, E. Tarásova, entrou em uma fábrica de Vyborg que ela conhecia bem e imediatamente as trabalhadoras com quem ela havia conversado nos dias anteriores gritaram ofensas, chamando-a de espiã alemã e atirando porcas e parafusos: ela sofreu cortes profundos nas mãos e no rosto. Quando o pânico diminuiu, elas explicaram, envergonhadas, que uma menchevique havia feito campanha contra os bolcheviques.

E não eram apenas os bolcheviques que tinham motivos para ter medo naquele dia: o menchevique de esquerda Voitínski qualificou o clima como uma "orgia contrarrevolucionária", marcada pela "devassidão dos Centúrias Negras". Esses justiceiros sádicos percorriam as ruas, invadindo as casas à procura de "traidores" e "criadores de caso". E não lhes faltava apoio popular. "A opinião pública", observou Voitínski sombriamente, "exigia medidas drásticas."

A esquerda bolchevique, como Raskólnikov, por exemplo, preparou-se para defender a mansão Kchessínskaia. Alguns tinham esperança de voltar à ofensiva. Mas a maioria das lideranças compreendia a gravidade da situação. Naquela tarde, Zinóviev exigiu enfaticamente que os últimos manifestantes da Fortaleza de Pedro e Paulo se rendessem. Qualquer outro rumo seria uma provocação absurda e predestinada ao fracasso.

Por segurança, e para se preparar para a perseguição, os bolcheviques começaram a se dispersar. Muitos dos principais líderes se dirigiram a esconderijos, enquanto tentavam fazer planos.

Três jovens ativistas, Liza Pylaeva, Nina Bogoslovskaia e Elizaveta Kokcharova fugiram da Fortaleza de Pedro e Paulo disfarçadas de enfermeiras, carregando fundos partidários e documentos debaixo de bandagens. Elas foram rapidamente interceptadas por forças do governo, que exigiram saber o que estavam carregando nas cestas. Pylaeva sorriu e disse: "Dinamite e revólveres!". Os homens a repreenderam pela piada de mau gosto e deixaram que passasse.

O CC bolchevique votou a favor de "não reverter a decisão de encerrar as manifestações" – como se a decisão tivesse sido sua, ou como se a decisão de reverter a "decisão" pudesse ter algum efeito.

As Jornadas de Julho estavam terminadas.

Os líderes bolcheviques, com certo nervosismo, enviaram um representante ao Soviete para averiguar qual era sua posição em relação ao partido; o Soviete, por sua vez, enviou representantes executivos à mansão Kchessínskaia, prometendo que nenhuma outra medida repressiva seria tomada contra o partido e que os manifestantes que não fossem acusados de crimes específicos seriam liberados. Os bolcheviques concordaram em chamar de volta os veículos blindados de seus apoiadores, entregar a Fortaleza de Pedro e Paulo (como Zinóviev exigia, embora lá dentro os ocupantes continuassem hesitantes) e enviar os marinheiros de volta a Kronstadt.

Mas, se o Soviete, teoricamente, se comprometeu a não adotar mais medidas punitivas, esse não era o caso do governo provisório.

Na madrugada no dia seguinte, o general Polovtsev enviou uma força de ataque impressionante à mansão Kchessínskaia e à Fortaleza de Pedro e Paulo. Oito carros blindados, o Regimento Petrográdski, marinheiros, cadetes e a Academia de Aviação tiveram respaldo de uma assustadora artilharia pesada. Na linha de frente, havia também uma brigada de bicicletas. Na época, a ideia de usar bicicletas não era tão cômica como é hoje: elas evocavam velocidade e modernidade. Todas as grandes potências estavam testando a bicicleta: um major de brigada da Grã-Bretanha, ao elogiá-la, chamou-a de "a mais nova excrescência" militar. Antes de partir, a força de ataque foi encorajada com discursos: alguns dos que estavam lá para exortá-la eram claramente dignitários do Soviete.

Às sete da manhã, o comandante deu uma hora para que os ocupantes da mansão se rendessem. A OM ainda estava em negação. Alguns membros conseguiram se afastar rapidamente pela Ponte Sampsónievski rumo à Fortaleza de Pedro e Paulo. Imaginavam que, uma vez lá, conseguiriam opor resistência. Os quinhentos membros da OM que permaneceram na mansão Kchessínskaia não resistiram. O poder de fogo contra eles era assombrosamente desproporcional. Quando os soldados do governo entraram para prendê-los, encontraram sete membros queimando às pressas os arquivos do partido. Pouco depois, até mesmo os marinheiros que conseguiram chegar à Fortaleza de Pedro e Paulo concordaram, com tristeza, em se entregar.

Como advertência ao resto do Exército, as autoridades não só puniram como humilharam o Regimento de Metralhadoras, desarmando os soldados e fazendo--os desfilar pelas ruas. Krúpskaia testemunhou a cena. "Enquanto conduziam os cavalos pelas rédeas, muito ódio queimava em seus olhos, e havia muito mais ódio naquela marcha lenta; estava claro que não poderia ter sido inventado um método mais estúpido" – isto é, se o objetivo do governo era a paz social.

Mesmo naquele momento, alguns extremistas do Comitê de Petersburgo, reunidos nas profundezas do distrito de Vyborg, queriam continuar a luta. Naquela tarde, Látsis e alguns camaradas se esgueiraram pela cidade hostil até a fábrica Reno. Lá, escondido na guarita de um vigia, Lênin aguardava.

Látsis, entusiasmado, sugeriu a hipótese de convocar uma greve geral. Incrédulo, furioso, Lênin disse algumas verdades desagradáveis, insistindo para que examinassem cuidadosamente a quantidade de obstáculos para compreender a natureza da situação. Ele repreendeu Látsis como a uma criança travessa. Por último, desconfiando de que o Comitê de Petersburgo pudesse fazer isso por si mesmo, redigiu em seu nome um apelo de retorno ao trabalho.

Naquela noite, em um pequeno apartamento de Vyborg, Zinóviev, Kámeniev, Stálin, Lênin e Podvóiski avaliaram a difícil situação em que se encontravam. Os SRs e os mencheviques, disse Lênin, deixaram claro que não aceitariam o poder – nem que viesse de bandeja: escolheriam cedê-lo à burguesia. O lema "Todo o poder aos sovietes", portanto, estava obsoleto. Era o momento de exigir, de forma peremptória, se não incômoda, "Todo o poder ao proletariado liderado por seu partido revolucionário – os bolcheviques".

Naquele momento, porém, os bolcheviques não estavam em condições de exigir nada. A questão mais urgente era a segurança: na mesma noite, o gabinete mandou prender todos os "organizadores" dos tumultos, inclusive Lênin, Zinóviev, Kámeniev, Kollontai e Lunatchárski. Trótski, com sua arrogância típica, exigiu ser incluído na lista, um pedido que foi atendido pelo governo.

Na noite de sexta-feira, 7 de julho, ainda se podiam ouvir tiros na cidade, mesmo com os bondes chacoalhando de novo pelas pontes e as luzes de seus reflexos ondulando no Neva. Tiros em Vyborg, uma saraivada repentina perto da Ilha Vassiliévski, o estampido seco de uma arma automática. Rotas secretas contorcendo-se na parte alta de Petrogrado, um mundo de telhados sobre os pátios, passagens secretas no horizonte: "Talvez os patifes estejam disparando de novo dos telhados", escreveu Harold Williams para o *Daily Chronicle*. Ele sabia que os estouros que estava ouvindo eram operações de limpeza. Vermelhos e rebeldes sendo desarmados, ou coisa pior.

Alguns bolcheviques da lista de procurados agiram abertamente, desafiando o governo a prendê-los. Outros se entregaram. No início, Lênin decidiu que enfrentaria um julgamento público. Foi dissuadido por vários camaradas – inclusive sua irmã Maria –, que sentiram que a dura reação na capital poderia tornar sua situação perigosa. Então, ele permaneceu escondido. Foi uma decisão polêmica: Kámeniev e outros estavam preocupados com que isso o fizesse parecer culpado da espionagem da qual fora acusado.

Lênin alternava entre as casas dos camaradas. Ele se refugiou no apartamento de uma certa Margarita Fofánova, depois no último andar do número 17 da Rua Rojdiéstvenskaia, com a família Allilúiev. Raspou sua icônica barba, vestiu uma túnica de trabalhador e um chapéu inverossímil e tentou desaparecer na multidão. No dia 9 de julho, ainda procurado pela polícia, ele deixou Petrogrado.

Foi a primeira de uma série de fugas com o coração na boca.

Tarde da noite, Lênin e Zinóviev foram à Estação Primórski para se encontrar com o camarada Emeliánov, operário de uma fábrica de armas. Abrindo passagem às cotoveladas entre os viajantes usualmente bêbados e atrasados, ignorando as canções ébrias, eles pretendiam pegar o último trem, às duas horas da madrugada. Aninharam-se nos degraus do último vagão, agarrando-se às alças enquanto o trem estrepitava na noite fresca. Estavam tensos, prontos para saltar em um instante, caso alguém gritasse seus nomes ou os reconhecesse. Não importava a velocidade do trem, eles decidiram que não arriscariam continuar a bordo. Prefeririam saltar. Mas conseguiram chegar a Razliv, aldeia natal de Emeliánov, pouco depois da cidade, sem percalços.

Permaneceram ali alguns dias, escondidos no celeiro, mas, quando a polícia estendeu as buscas para aquela área, os fugitivos atravessaram a mata até uma choça rústica, na deserta costa sudeste do lago Razliv. Zinóviev e Lênin se disfarçaram de camponeses finlandeses, enchendo com um monte de feno a frente do abrigo rudimentar. Eles esperaram dias. Lá, usando um toco de árvore como mesa e outro como cadeira, Lênin desapareceu de vista – como um mártir dos implacáveis mosquitos e da chuva, ele escreveu.

Os eventos de julho deixaram marcas. O índice de criminalidade em Petrogrado continuava aumentando. No entanto, após a quase revolução de julho, houve uma onda de assassinatos muito específicos, um sinistro sintoma social. Assassinatos originados por discussões políticas. As rotineiras controvérsias mal-humoradas degeneraram em brigas e até em violência armada. Depois de fevereiro, as discussões políticas eram acaloradas, excessivas. Agora, elas podiam ser mortais.

Em todo lugar havia confrontos, às vezes sórdidos. Ameaças estranhas. As páginas do *Petrográdski Lístok* traziam uma insólita advertência contra a justiça das ruas e os bandos de linchadores, um ultimato e um pacto cruel dos criminosos conservadores entre si. Eles não se restringiriam mais ao roubo, disse um porta-voz daquela infâmia, "mataremos qualquer um que encontrarmos no canto escuro das ruas". O roubo seria um prenúncio da matança. "Quando invadirmos uma casa, não vamos apenas saquear, vamos matar todo o mundo, até as crianças, e não vamos parar nossa vingança sangrenta até que os atos de violência do crime organizado cessem."

Parecia que a catástrofe das Jornadas de Julho tinha levado os bolcheviques de volta no tempo. Steklov foi preso. As autoridades vasculharam a casa de Anna Elizarova, irmã de Lênin. No dia 9, prenderam Kámeniev. Nos últimos dias do mês, Lunatchárski e Trótski se juntaram a vários líderes bolcheviques e outros ativistas na prisão de Kresty, onde os guardas muniam os criminosos contra os "espiões alemães".

Não obstante, os prisioneiros políticos conseguiram tempo, espaço e condições para escrever e debater. Alguns jornais moderados de esquerda – *Izviéstia*, *Vólia Naroda*, *Gólos Soldata* – ainda evitavam comentar as acusações de espionagem. Até mesmo o jornal do Kadet, o *Rech*, afirmou com certa cautela que os bolcheviques eram inocentes até que sua culpa fosse provada. Isso, é claro, não o impediu de apoiar mencheviques de direita e SRs que pediam medidas punitivas contra eles. Afora tais exemplos de contenção, Lênin foi denunciado por toda a mídia russa. Em 11 de julho, quando tentou refutar as acusações em um texto enviado ao jornal de Górki, o *Nóvaia Jizn*, o clamor foi ensurdecedor.

"A contrarrevolução venceu", escreveu Látsis tristemente em 12 de julho. "Os sovietes estão sem poder. Os nobres correm soltos, e começam a atacar os mencheviques" Os SRs de esquerda também eram perseguidos pela polícia.

O Comitê Regional Bolchevique de Moscou relatou demissões do partido, "desordem nas fileiras". Em Vyselki, na Ucrânia, havia um "clima de *pogrom*", e o partido "estava em chamas", dividido por rachas e enfraquecido por deserções. Não havia mais recrutamentos. Os trabalhadores, segundo um ativista de Kólpinsky, "se viraram contra nós." Em seis distritos, os bolcheviques foram expulsos das fábricas por colegas de trabalho. Em 16 de julho, em um macabro ritual punitivo, um comitê de fábrica da Ilha Vassiliévski forçou os representantes dos bolcheviques locais a acompanhar o funeral de um cossaco morto durante os tumultos.

O fato de o Mejraióntsy ter finalmente se juntado ao partido não compensou a retração. Mesmo alguns grupos de bolcheviques se declararam contra sua própria liderança. O Comitê Executivo do partido em Tbilisi e, sobretudo, em Vyborg prometeu apoio total ao Soviete e exigiu que a liderança bolchevique se entregasse.

Entre tantos recuos, houve alguns triunfos. Nenhum foi mais importante do que o deslocamento à esquerda da Letônia, onde os bolcheviques controlavam os sovietes de trabalhadores e de camponeses sem terra, aferrando-se a uma linha inflexível. Lá, as Jornadas de Julho ecoaram em um confronto em Riga entre os fuzileiros letões e um dos "Batalhões da Morte" (tropas de choque do regime), causando várias baixas em ambos os lados. A V Conferência Social-Democrata da Letônia aconteceu logo depois, entre os dias 9 e 19 de julho, e os bolcheviques consolidaram seu comando, pondo em prática medidas de controle sobre a sociedade em geral – distribuição de alimentos, administração local etc. O partido letão já se comportava como futuro governo. Mas o excesso de confiança o tornava marginal.

O mais sinistro em todo o país, porém, foi o nítido crescimento dos pogromistas antissemitas de ultradireita. Um grupo denominado Santa Rússia criou o *Grozá* [Trovoada], apelando repetidamente à violência. Agitadores de esquina atacavam com crueldade os judeus.

De seu esconderijo, ao longo desses péssimos dias, Lênin enviava artigos aos seus camaradas, reiteradamente declarando sua inocência. Recebeu contatos que percorreram a trilha até a costa solitária, enquanto o filho de Emeliánov montava guarda perto da água escura, pronto para imitar o piado do pássaro que era o sinal de alerta caso estranhos aparecessem.

Lênin se preparou para morrer nas mãos dos reacionários. "Estritamente *entre nous*", ele escreveu a Kámeniev, "se chegar o meu fim, publique meu caderno 'Marxismo e o Estado'."

Seu fim não chegou e, pouco depois, na Finlândia, ele teria a chance de aperfeiçoar esse caderno, escrevendo sobre o Estado e a revolução.

★

As brigas de rua da direita podem ter se fortalecido depois das Jornadas de Julho, mas o governo provisório não. Ao contrário, os rachas eram incontroláveis.

Em 8 de julho, diante do abismo que se criou entre ele e os socialistas do gabinete, o primeiro-ministro, o príncipe Lvov, renunciou. Para substituí-lo, ele convidou a única figura que parecia remotamente capaz de preencher essa lacuna, um homem da Duma e do Soviete – Keriénski.

Keriénski aceitou, é claro. E iniciou o processo nada invejável de organizar um novo governo de união.

Nos primeiros e loucos dias de culto a Keriénski, a poeta Marina Tsvetáieva comparou o objeto de devoção a Napoleão:

> E quem, ao cair do mapa,
> Não dorme em sonho vão.
> Soprou tal Bonaparte
> Em minha nação.*

---

* Poema traduzido diretamente do russo por Paula Vaz de Almeida para esta edição. (N. E.)

Agora, meses depois, Lênin também defendia no *Rabochy I Soldat* que o governo de Keriénski era o bonapartismo – mas, vindo dele, isso não era um elogio. Ele usou o termo tecnicamente, à maneira de Marx e Engels, para descrever "a manobra do poder de Estado que se escora na camarilha militar [...] para buscar apoio entre duas classes e forças hostis que mais ou menos equilibram uma à outra". Para Lênin, o bonapartismo degenerado de Keriénski foi um ato de equilíbrio entre forças sociais opostas.

A catástrofe no *front* não podia mais ser escondida. No dia em que se tornou primeiro-ministro, Keriénski nomeou o temível general Kornílov comandante do *front* sudoeste, onde as tropas russas estavam se esfacelando a um ritmo dramático. Ele foi fortemente encorajado pelo representante do governo no *front*, o extraordinário Boris Sávinkov.

Sávinkov desempenhou um papel político importante naqueles meses turbulentos. Era um homem com uma trajetória política impressionante. Era um SR, mas, nos anos anteriores à revolução de 1905, fora um ativista brilhante da ala terrorista do SR, a Organização de Batalha, e se envolveu no assassinato de vários oficiais tsaristas. Depois de 1905, tornou-se escritor de romances sensacionalistas. O advento da guerra despertou nele um chauvinismo e um militarismo sem limites: no exílio, juntou-se ao Exército francês, retornando à Rússia em abril de 1917, quando se aproximou de Keriénski. Embora acreditasse no uso prudente de comissários, ou representantes do povo, para fazer a mediação entre os oficiais e os soldados, em seu patriotismo autoritário e fervoroso, Sávinkov também defendia medidas implacáveis contra a indisciplina – inclusive, ao que parece, a ditadura militar.

Ao ser nomeado, Kornílov, o disciplinador de ferro, exigiu autoridade para executar soldados em fuga. Mas, mesmo antes de receber esse pedido nada deferente, Keriénski já havia autorizado os comandantes a abrir fogo contra soldados desertores, e em alguns dias o governo restabeleceria a pena capital no *front*, conforme exigido. Apesar disso, quando os detalhes da conversa entre Kornílov e Keriénski foram divulgados, a reputação de Kornílov como um homem duro de direita cresceu entre amigos e inimigos.

Em 16 de julho, acompanhado de Sávinkov e de um colaborador próximo, Maksimilian Filonienko, comissário da ala direita do SR no VIII Exército, Keriénski se reuniu com o alto-comando russo no Stavka, em Mahilou, para fazer um balanço da situação militar. Kornílov não estava presente – de modo revelador, o caos e a desintegração das tropas em sua área não o permitiram – e ele telegrafou seu próprio, e bastante conciliador, relatório. No entanto, a maioria dos generais presentes, inclusive Alekséiev, o comandante em chefe Brusílov e Deníkin, do *front* ocidental, não foram tão comedidos.

Deníkin, em particular, destilou todo o seu veneno contra a revolução, culpando-a pelo colapso do Exército. Ele amaldiçoou os comissários diante do aturdido Keriénski, criticou a Ordem Número 1, denunciou o desmantelamento da autoridade. Os generais insistiram em que todas essas particularidades do poder dual tinham de ser derrubadas.

No trem de volta a Petrogrado, onde presidiria com seu histrionismo habitual o funeral dos cossacos mortos nas Jornadas de Julho, o abalado Keriénski decidiu que a gravidade da situação tornava imperativa a substituição de Brusílov por Kornílov como comandante em chefe. Em dois dias, ele tirou o Exército das mãos de um oficial de carreira ponderado e relativamente tolerante e o entregou a um contrarrevolucionário ambicioso e linha-dura.

Encorajados pelos desdobramentos recentes, indignados com o estado do país, descontentes com a ânsia reacionária da direita, sonhando cada vez mais com uma ditadura.

Em 18 de julho, o governo de Keriénski se mudou para o Palácio de Inverno. Em uma afronta nada sutil, o governo pediu ao Soviete que saísse do Palácio de Táurida para ceder espaço à Quarta Duma Estatal. Esse não era um pedido que pudesse ser recusado.

Em 19 de julho, o Congresso de Comércio e Indústria criticou o governo por ter “permitido o envenenamento do povo russo”. Exigiu “uma ruptura radical [...] com a ditadura do Soviete” e perguntou abertamente se “um poder ditatorial não é necessário para salvar a terra natal”. Clamores semelhantes contra o Soviete só aumentavam. Tome o poder, exigiam as ruas, e o Soviete recusou o convite. E, naquele momento, estava sendo sangrado do poder que tinha.

Por insistência dos kadets, Keriénski aprovou leis que restringiam duramente as reuniões públicas. O breve período de tolerância com o nacionalismo ucraniano e finlandês acabou: a Rússia estava organizando as tropas em solo finlandês desde que fora declarada a sua semi-independência e agora, em 21 de julho, o Parlamento foi dissolvido – o que levou a uma aliança entre os sociais-democratas finlandeses (que tinham maioria) e os bolcheviques. “O governo provisório russo", disse enfurecido o jornal social-democrata *Työmies*, "juntamente com a burguesia reacionária da Finlândia, apunhalou o Parlamento e toda a democracia finlandesa pelas costas."

A reação chegou a Petrogrado quando a violência das revoltas camponesas começava a aumentar em todo o país e a anarquia persistia, especialmente contra a odiada guerra e a catastrófica ofensiva que havia ceifado centenas de milhares de vidas. Em 19 de julho, em Atarsk, capital de distrito em Sarátov, um grupo de cadetes furiosos que aguardava o trem para o *front* destruiu as luminárias da estação e saiu à caça de seus superiores, com as armas engatilhadas, até que um dos mais populares assumiu o comando e ordenou a prisão dos oficiais. Soldados rebeldes prenderam, ameaçaram e até mataram seus oficiais.

Talvez o telegrama relativamente ameno de Kornílov, no dia 16, tenha levado Keriénski a acreditar que o general seria colaborador. Suas esperanças foram rápida e amplamente frustradas. No dia 19, o novo comandante em chefe exigiu, sem meias palavras, total independência para os procedimentos operacionais, com referência apenas à "consciência e ao povo como um todo". O pessoal interno vazou a mensagem para a imprensa, para que o público pudesse maravilhar-se com sua dureza.

Keriénski começou a temer que tivesse criado um monstro. E tinha.

Ele não estava sozinho nessa crescente sensação de alerta. Naquele mês, pouco depois da nomeação de Kornílov, um "verdadeiro amigo e camarada" anônimo enviou uma mensagem lacônica e profética ao Comitê Executivo do Soviete: "Camaradas, por favor, expulsem aquele maldito filho da puta do general Kornílov, ou ele vai pegar as metralhadoras dele e expulsar vocês".

Por um momento, Keriénski se esqueceu dessa confusão de direta porque estava preocupado em criar um governo. Fez várias tentativas, mas, em 25 de julho, finalmente conseguiu inaugurar o segundo governo de coalizão. Era constituído por nove ministros socialistas, uma pequena maioria, mas todos, com exceção de Tchernov, vieram da ala direita de seus partidos. Além disso, e sobretudo, eles entraram para o gabinete como indivíduos, não como representantes dos partidos ou do Soviete.

Na verdade, o novo governo – bem como os ministros – não reconhecia a autoridade do Soviete. O poder dual havia acabado.

Foi nesse clima nitidamente hostil que os bolcheviques realizaram seu adiado VI Congresso.

Em 26 de julho, em um salão privado em Vyborg, 150 bolcheviques de toda a Rússia se reuniram. Eles se encontraram em um estado de extrema tensão e semi-ilegalidade, à deriva, com seus líderes presos ou em fuga. Dois dias após o início do encontro, o governo proibiu assembleias consideradas prejudiciais à segurança pública ou à guerra, e o congresso se transferiu discretamente para um clube de trabalhadores no subúrbio sudoeste.

Sob ataque, os bolcheviques eram gratos por qualquer manifestação de solidariedade que conseguissem obter. A recepção que deram aos mencheviques presentes, como Larin e Martov, foi entusiasmada, apesar das críticas que os convidados fizeram durante as saudações.

Mas, à medida que os dias passavam e a convenção prosseguia, furtiva, restrita e ansiosa como o partido, algo começou a ficar claro. O apocalipse não havia realmente acontecido. O clima estava tenso, mas era mais lúcido do que duas semanas antes. As Jornadas de Julho haviam prejudicado os bolcheviques – mas a ferida não era profunda e cicatrizou rápido.

O medo dos ataques da direita, mesmo entre os socialistas mais moderados, significava que os sovietes distritais haviam começado a cerrar fileiras em resposta à visível contrarrevolução, mesmo protegendo os bolcheviques como a seu próprio, ainda que ressentido, flanco esquerdo. Em abril, o partido tinha 80 mil membros em 78 organizações locais; depois da crise de julho e de uma curta e desmoralizante hemorragia de membros, somava 200 mil integrantes, em 162 organizações. Só em Petrogrado eram 41 mil membros, com números de força semelhante na região mineira do Ural, embora em Moscou e nas redondezas o número de bolcheviques fosse menor (e politicamente mais "moderado"). Em compensação, os mencheviques – o partido do Soviete, ainda uma instituição crucial – tinham 8 mil membros.

Nos últimos dois dias de julho, depois de um prolongado debate, de acordo com a análise e a solicitação de Lênin, os bolcheviques abandonaram o lema "Todo o poder aos sovietes". Eles começaram a traçar um novo rumo. Um rumo que não se baseava na força e no potencial dos sovietes, mas na tomada direta do poder pelos trabalhadores e pelo partido.

8

AGOSTO: EXÍLIO E CONSPIRAÇÃO

Naqueles últimos dias de verão, enquanto a direita planejava uma limpeza, uma indulgência milenarista florescia. Música e dança a noite toda, vestidos e gravatas de seda tingida, moscas rondando bolos quentes, vômito e bebida entornada. Longos dias, quentes noites orgíacas. Um sibaritismo de fim de mundo. Em Kiev, disse a condessa Speránski, havia "jantares com bandas e corais ciganos, bridge e até tango, pôquer e romances". Assim como em Kiev, também nas cidades Rússia afora, entre os ricos sonhadores.

Em 3 de agosto, o VI Congresso do Partido Operário Social-Democrata Russo – o Congresso Bolchevique – aprovou por unanimidade a resolução em favor de um novo lema. Um meio-termo entre os impacientes "leninistas", que enxergavam a revolução entrando em uma nova fase, pós-Soviete, e os moderados, que ainda acreditavam que podiam trabalhar com os socialistas à sua direita para defender a revolução. Mesmo assim, a importância simbólica da mudança de palavras era imensa. As lições passadas deram calma, os apelos mudaram. Julho havia cumprido sua missão. Os bolcheviques não pediam mais "Todo o poder aos sovietes". Em vez disso, eles aspiravam ao "fim da ditadura da burguesia contrarrevolucionária".

★

O Soviete mudou de endereço, conforme solicitado. O Instituto Smolni foi construído no início dos anos 1800: um grandioso edifício neoclássico no distrito de Smolni, a leste do centro da cidade, às margens do Neva, de corredores cavernosos, assoalho branco, iluminação elétrica pálida. No térreo havia um grande refeitório entre os corredores alinhados e repletos de escritórios sempre cheios de secretários, deputados e facções dos partidos do Soviete, suas organizações militares, seus comitês e seus conclaves. Pilhas de jornais, panfletos, pôsteres cobriam as mesas. Metralhadoras se projetavam das janelas. Soldados e trabalhadores se comprimiam nas passagens, dormiam em cadeiras e bancos, faziam a segurança das reuniões, sob a vigilância de molduras douradas vazias, das quais retratos imperiais haviam sido cortados.

Até pouco antes da revolução, o instituto havia sido um estabelecimento de ensino para as filhas da nobreza. Antigo fiador do poder estatal, o Soviete foi rebaixado a grileiro de uma escola de etiqueta para moças. Quando o Soviete inteiro se reunia, o evento tinha lugar no que antes fora o salão de bailes.

No dia 3, Kornílov foi encontrar Keriénski e, mais uma vez, fez várias exigências ao homem que tecnicamente era seu chefe. Elas incluíam, num endurecimento de sua atitude anterior, uma rígida restrição aos comitês de soldados. Embora concordassem amplamente com sua essência, Keriénski, Sávinkov e Filonienko reformulariam o documento apresentado por Kornílov a fim de encobrir seu menosprezo incendiário. A repulsa do general ao governo só aumentou quando, no momento em que se preparava para informar o gabinete sobre a situação militar, Keriénski discretamente o aconselhou a não ser muito específico – e insinuou que alguns membros do gabinete, em particular Tchernov, poderiam representar perigo.

Durante o encontro, Keriénski fez uma pergunta intrigante a Kornílov. "Suponha que eu tenha de renunciar", ele disse, "o que acontecerá? Você ficará sem saída, as ferrovias pararão, o telégrafo deixará de funcionar."

A resposta contida de Kornílov – de que Keriénski deveria permanecer no cargo – foi menos interessante do que a própria pergunta. A intenção por trás dessa melancolia é obscura. Estaria Keriénski buscando se certificar de que Kornílov continuaria a apoiá-lo? Estaria ele, talvez, cautelosamente sondando a possibilidade de uma ditadura de Kornílov?

Há uma multidão em cada um de nós, e em Keriénski havia uma multidão maior do que a da maioria. A pergunta lamuriosa poderia expressar tanto o horror quanto a esperança na ideia de desistir, de se entregar ao intimidador comandante em chefe. Uma pulsão de morte política.

O ódio à guerra continuava crescendo. De todo o país vinham inúmeros relatos de soldados que resistiam à transferência.

Uma batalha propagandística se intensificou em torno de Kornílov, refletindo a crescente separação entre a extrema direita do país, em torno da qual gravitavam os kadets, e o reduzido poder dos socialistas moderados. No dia 4 de agosto, o *Izviéstia* fez alusão a planos de substituir Kornílov por Tcheremísov, um general relativamente moderado que acreditava na colaboração com os comitês de soldados. No dia 6, o Conselho da União de Tropas Cossacas reagiu, dizendo que Kornílov era "o único general que poderia restaurar o poder do Exército e tirar o país dessa situação de extrema dificuldade". O conselho, por sua vez, deu a entender que haveria uma rebelião caso Kornílov fosse removido.

A União dos Cavaleiros de São Jorge deu seu apoio a Kornílov. Conservadores importantes de Moscou, sob o comando de Rodzianko, enviaram-lhe telegramas veementes, dizendo que, naquele "momento ameaçador, de dura provação, o pensamento da Rússia se volta para o senhor com esperança e fé".

Kornílov exigiu de Keriénski o comando do Distrito Militar de Petrogrado. Para deleite de uma direita sequiosa de golpe, ele ordenou que o chefe do Estado-Maior, Lukómski, concentrasse as tropas nas proximidades de Petrogrado – o que permitiria que fossem rapidamente enviadas à capital.

O pano de fundo dessa manobra não era apenas a catastrófica e cada vez mais grave situação econômica e social, mas um aumento consciente e deliberado das tensões em certos setores da direita punitiva. Em um encontro de trezentos magnatas dos setores industrial e financeiro no início de agosto, o discurso inaugural foi de Pável Riabuchínski, poderoso empresário do setor têxtil. "O governo provisório possui apenas a sombra do poder", disse. "Na verdade, um bando de charlatães políticos está no controle [...]. O governo está concentrado nos tributos, impondo-os primeira e cruelmente à classe comerciante e industrial [...]. Não seria melhor, em nome da salvação da pátria, nomear um guardião acima dos perdulários?"

Em seguida demonstrou um sadismo tão espantoso que atordoou a esquerda: "A mão descarnada da fome e da destituição nacional vai agarrar os amigos do povo pelo pescoço".

Esses "amigos do povo" que ele sonhava ver ao alcance de esqueléticos dedos predadores eram os socialistas.

Não foi apenas pela direita, entretanto, que a pressão se acumulou. Além disso, no dia 6, em Kronstadt, 15 mil trabalhadores, soldados e marinheiros protestaram contra a prisão dos líderes bolcheviques Steklov, Kámeniev, Kollontai e outros. Em Helsingfors, uma assembleia de proporções semelhantes aprovou uma resolução a favor da transferência do poder aos sovietes. É claro que essa reivindicação agora era ultrapassada no que dizia respeito aos bolcheviques, mas representava uma guinada à esquerda para a maioria dos trabalhadores. Impulsionada pelos bolcheviques e pelos militantes da ala esquerda do SR, no dia seguinte a seção dos trabalhadores do Soviete de Petrogrado criticou a prisão dos líderes de esquerda e a volta da pena de morte militar. Eles conquistaram votos. Mencheviques e SRs começaram a reclamar de deserções à esquerda – em suas próprias seções maximalistas ou mais além.

Tais sinais de recuperação da esquerda eram inconsistentes e irregulares: em 10 de agosto, nas eleições em Odessa, por exemplo, os bolcheviques conquistaram apenas três das cem cadeiras. Mas nas eleições municipais de Lugansk, no início de agosto, os bolcheviques conquistaram 29 das 75 cadeiras. Em Reval (hoje Talin), obtiveram mais de 30% dos votos, quase o mesmo que em Tver, pouco tempo depois, e em Ivánovo-Voznessiénsk conquistaram o dobro disso. Por todo o território do império, a tendência era nítida.

Encolhido em sua choça, em um dia de chuva forte, Lênin foi surpreendido por palavrões. Um cossaco estava se aproximando pela mata molhada.

O homem suplicou para se abrigar do aguaceiro. Lênin não tinha muita escolha exceto afastar-se e deixá-lo entrar. Enquanto estavam sentados ali, ouvindo o tamborilar dos pingos, Lênin perguntou ao visitante o que o trazia àquele lugar tão fora de mão.

Uma perseguição, o cossaco disse. Ele estava atrás de alguém chamado Lênin. Para levá-lo de volta, vivo ou morto.

E o que o condenado havia feito, perguntou Lênin com cautela.

O cossaco fez um gesto com a mão, impreciso quanto aos detalhes. O que ele sabia, enfatizou, era que o fugitivo estava "encrencado", era perigoso e estava nas redondezas.

Quando o céu finalmente se abriu, o visitante agradeceu ao seu anfitrião temporário e partiu pelo mato encharcado para continuar as buscas.

Depois desse incidente alarmante, Lênin e o CC, com o qual ele continuava a se comunicar em segredo, concordaram que ele deveria se mudar para a Finlândia.

Em 8 de agosto, Zinóviev e Lênin abandonaram a choça acompanhados por Emeliánov, Aleksandr Chótman – um "velho bolchevique" finlandês – e Éino Riákha, um ativista vistoso, de bigode extravagante. Os homens atravessaram o pântano às margens do lago até uma estação local, numa longa, árdua e úmida caminhada, cheia de retornos errados e má vontade, até saírem finalmente, arrastando-se, em frente à ferrovia de Dibuny. Mas os problemas não haviam acabado: ali, na plataforma, um cadete do Exército, desconfiado, provocou Emeliánov e o prendeu. Mas Shotman, Riákha, Zinóviev e Lênin pegaram rapidamente um trem com destino a Udelnaya, nos arredores de Petrogrado.

Dali, Zinóviev seguiu para a capital. A jornada de Lênin ainda não havia acabado.

No dia seguinte, o trem 293 para a Finlândia chegou à estação de Udelnaya. O condutor era Guro Jalava, ferroviário, conspirador e marxista engajado.

"Parei na beira da plataforma", ele se lembrou depois, "quando um homem saiu do meio das árvores a passadas largas, subiu na plataforma e entrou na locomotiva. Era Lênin, claro, embora eu mal o tivesse reconhecido. Ele acabou sendo meu foguista."

A fotografia no passaporte falso com que Lênin – "Konstantin Petróvitch Ivánov" – viajou se tornou famosa. Com um quepe pousado no alto de uma peruca encaracolada e os cantos da boca, pouco familiar no rosto sem barba, ironicamente repuxados para cima, seus olhos profundos e pequenos são tudo o que se pode reconhecer.

Lênin arregaçou as mangas. E pôs mãos à obra com tanto entusiasmo que o trem lançou nuvens de fumaça generosas. O condutor se lembrava de que Lênin usou a pá com gosto, alimentando a locomotiva, fazendo com que andasse rápido, levando-o para longe por trilhos e dormentes.

Quando finalmente desembarcou, o foguista Lênin ainda tinha uma tortuosa jornada clandestina à sua frente. Foi apenas às onze horas da noite do dia 10 de agosto que ele chegou ao apartamento pequeno e simples da Praça Hakaniemi, no norte de Helsingfors. Ali era a residência dos Rovios. Como a sua esposa estava fora, visitando a família, Kustaa Rovio, militante social-democrata, havia concordado em abrigar o marxista russo.

A carreira de Rovio, um homem grande e imponente, havia dado uma guinada improvável e extraordinária. Socialista de longa data, ele também era, agora, chefe de polícia de Helsingfors. Como exatamente ele conseguiu conciliar esse papel com a militância revolucionária é algo incerto. Sobre o hóspede que, poucos anos antes, havia defendido manter reservas de "bombas, pedras etc. ou armas químicas" para jogar contra seus colegas, o chefe de polícia Rovio disse: "Nunca conheci um camarada tão amistoso e encantador".

A única exigência de Lênin – e nisso ele era inflexível – era que Rovio devia conseguir jornais russos todos os dias e dar um jeito de entregar secretamente as cartas que ele trocava com seus camaradas do partido. Isso o anfitrião fez até mesmo quando sua esposa retornou e Lênin teve de se mudar para o apartamento de um casal socialista, os Blomqvists, próximo a Telekatu.

Percorrendo rotas arriscadas, subindo a pé pela floresta até a fronteira, Krúpskaia visitou o marido mais de uma vez. O próprio Lênin passeava por Helsingfors com uma liberdade fora do comum. "Para me pegar", disse com prazer, na mesa da cozinha dos Blomqvists, enquanto lia sobre a caçada do governo, "é preciso ser rápido, Keriénski."

Acima de tudo, ao longo de agosto, assim como havia feito em julho e faria em setembro, Lênin escrevia. Mensagens, cartas e instruções aos camaradas, e outra longa obra. Já no primeiro dia em que o hospedou, Rovio encontrou Lênin adormecido na escrivaninha, com a cabeça sobre os braços e um caderno cuidadosamente escrito diante de si. "Tomado pela curiosidade", relatou Rovio, "comecei a virar as páginas. Era o manuscrito de *O Estado e a revolução*."

O livro é uma extraordinária e vigorosa negociação entre o antiestatismo implacável e a necessidade temporária do "Estado burguês sem a burguesia", sob o domínio do proletariado. O texto histórico, descrito por Lucio Colletti como "a maior contribuição de Lênin à teoria política", foi escrito em cima de um tronco às margens de um lago infestado de mosquitos e, depois, na mesa de um policial. E não estaria concluído quando as circunstâncias mudaram e Lênin pôde retornar à Rússia. O texto termina com um famoso resumo: "É mais prazeroso e útil passar pela experiência da revolução do que escrever sobre ela".

Em 10 de agosto, mesmo dia em que Lênin chegou ao apartamento dos Rovios, Kornílov foi novamente encontrar Keriénski em Petrogrado, por insistência de Sávinkov. Eles deveriam discutir as novas reivindicações do general: agora ele queria o controle das ferrovias e da indústria bélica. Também solicitou, categoricamente, o direito de empregar repressão extraordinária quando considerasse necessário, inclusive realocando trabalhadores no *front*.

A desconfiança entre o primeiro-ministro e o general era tanta que Kornílov foi ao encontro com uma escolta numerosa e provocadora. Tratava-se de um corpo de combatentes turcomanos da chamada Divisão Selvagem, formada por soldados voluntários da região do Cáucaso – figuras altamente mitificadas, escolhidas para intimidar. Enquanto Keriénski observava alarmado do Palácio de Inverno, os guerreiros – vestidos de vermelho e trotando pelas largas ruas ao lado do carro de Kornílov – brandiam cimitarras e metralhadoras. Posicionaram-se na porta do palácio como inimigos que se preparavam para atacar.

O encontro foi gélido. Kornílov tinha ouvido rumores de que poderia ser substituído e advertiu Keriénski, ameaçadoramente, de que não o fizesse. Quando Keriénski não concordou com tudo o que ele exigia, Kornílov insistiu em um encontro com o gabinete para expor seu caso; Keriénski, porém, reuniu apenas um grupo informal, sem os kadets. O grupo concordou, em princípio, com a maior parte das exigências de Kornílov, mas foi ambíguo em relação aos prazos e continuou a se opor à militarização das ferrovias e indústrias. O general foi embora profundamente mal-humorado.

Na verdade, o desesperado Keriénski não se opunha completamente nem mesmo às medidas que foram rejeitadas devido ao contexto de colapso social. No entanto, ele tinha receio, e com razão, de que elas pudessem provocar reações no Soviete e em geral. Sua estratégia de "equilíbrio" agora provocava a fúria tanto dos que estavam à sua esquerda quanto dos que estavam à sua direita.

Em um esforço tenso para reconciliar divisões sociais cada vez mais profundas, o governo provisório pelejou para organizar uma assembleia consultiva simbólica. Quase 2,5 mil delegados participariam da Conferência de Estado de Moscou, representando sindicatos, Dumas, comércio e sovietes. O evento deveria ser realizado no esplêndido edifício neoclássico da segunda maior cidade do país, o Teatro Bolshói, de 12 a 14 de agosto.

Por serem membros do Soviete e do VTsIK, os bolcheviques estavam habilitados a se apresentar como delegados. Inicialmente, planejaram fazer uma declaração desdenhosa e sair ostensivamente da reunião em sinal de protesto, mas Tchkheidze foi informado e se recusou a permitir algo semelhante. O partido decidiu então que não participaria.

O Bureau Regional Bolchevique de Moscou, de extrema esquerda, convocou greve de um dia na abertura da conferência. O Soviete de Moscou, no qual os SRs e os mencheviques tinham uma pequena maioria, opôs-se à ação, ainda que por pouca diferença, mas, após debates e discussões nas fábricas, num sinal de força dos bolcheviques, a maioria dos trabalhadores manteve a paralisação. Os delegados desceram às ruas, onde os bondes elétricos não circularam e os restaurantes não abriram. Mesmo a cafeteria do teatro estava fechada: a greve obrigou os participantes dessa exibição de unidade nacional e interclasses a preparar a própria comida. E a fazer isso no escuro: as lâmpadas a gás não foram acesas.

É preciso admitir, escreveu o *Izviéstia*, órgão do Soviete de Moscou, "que os bolcheviques não são um grupo irresponsável, mas um dos elementos da democracia revolucionária organizada e seguidos por amplas massas".

Esse reconhecimento relutante veio em um momento de cooperação incomum entre mencheviques, SRs e bolcheviques. Não se tratava exatamente de uma colaboração revolucionária: poderia ser mais bem descrita como uma colaboração relutante contra a contrarrevolução. Os socialistas moderados eram espertos o suficiente para compreender que, por mais que discordassem dos que se encontravam à sua esquerda, se os impacientes reacionários triunfassem no país, os bolcheviques poderiam ser os primeiros na linha de fogo – e isso talvez não fosse uma simples metáfora –, mas eles próprios não seriam poupados.

O fato era que os boatos sobre as intenções de Kornílov e da direita haviam se tornado tão preocupantes que o Soviete de Moscou se sentiu obrigado a formar um Comitê Revolucionário Provisório para a defesa do governo e do Soviete, mobilizando suas bases populares vigilantes. E, para isso, além de dois mencheviques e dois SRs, o Soviete indicou dois bolcheviques importantes: Noguin e Muralov. Em um surpreendente reconhecimento dos limites de seu poder de persuasão, em comparação com o dos bolcheviques, o Soviete lhes deu acesso temporário aos quartéis de Moscou – mesmo tão pouco tempo depois das Jornadas de Julho – para que argumentassem a favor dessa defesa.

Era nesse contexto de temor político que a conferência se propunha a suavizar as tensões entre a direita e a esquerda. E nisso ela não foi apenas um fracasso: ela foi também grotescamente contraproducente.

A Conferência de Estado de Moscou foi aberta para uma plateia literal e visivelmente dividida. À direita do salão, ligeiramente preponderante em termos numéricos, estava a elite – industriais, kadets, empresários, políticos de carreira, soldados de alta patente. À esquerda estavam a *intelligentsia* socialista moderada, advogados e jornalistas mencheviques, dirigentes sindicais, oficiais e soldados de baixo escalão. E, exatamente no meio, com sábia precisão, estava Keriénski.

"Saibam todos aqueles que já tentaram usar a força das armas contra o poder do povo que tais tentativas serão esmagadas com ferro e sangue", declarou, e com esse ataque violento contra os bolcheviques, pela primeira e última vez, todo o salão aplaudiu. "Aqueles que acreditam que o momento é oportuno para derrubar o governo revolucionário com baionetas", continuou ele, "devem ser mais cuidadosos." Diante desse alerta a Kornílov, apenas a esquerda aplaudiu.

Durante duas horas, carregado de emoção, Keriénski divagou trêmulo, agitado e teatral. "Ele parecia querer assustar alguém e dar a impressão de força e poder", relatou Miliúkov com desdém. "Só inspirou pena."

Um observador ingênuo, que ansiasse pela paz social, poderia ver em alguns momentos razões para ser otimista, como quando Tseretiéli fez questão de estender a mão para cumprimentar o grande industrial Bublikov. Mas esses momentos foram raros e pouco convincentes. Quando o kadet Maklakov exigiu que o governo "ousasse dar os passos necessários [...] [porque] o dia do julgamento se aproximava", a direita ovacionou e a esquerda permaneceu calada. Quando Tchkheidze leu em voz alta a plataforma do VTsIK, a esquerda aplaudiu e a direita olhou com desdém. Um lado aplaudia, o outro permanecia imóvel, como estátuas. O segundo lado ovacionava, o primeiro vaiava.

No dia 12, Kornílov chegou a Moscou, novamente escoltado por seus guardiões turcomanos. Foi recebido na estação por uma multidão de cadetes militares, uma banda e representantes dos Batalhões Femininos da Morte. Essas unidades femininas, totalmente voluntárias, foram organizadas a pedido de Keriénski. Estavam sob o comando de uma jovem de Nóvgorod, a admirável soldada Maria Bochkareva, que pedira permissão real para se juntar ao Exército e se destacara em um combate sangrento. Kornílov passou pela comitiva militar sob uma chuva de pétalas arremessadas por uma frenética multidão de alta classe.

Em seu discurso de boas-vindas, o kadet Rodichev suplicou a Kornílov: "Salve a Rússia, e um povo agradecido o coroará". Em um gesto de pesado simbolismo, a primeira parada de Kornílov foi na capela de Iversky, onde tradicionalmente se cultuavam os tsares. Entre os visitantes que recebeu naquele dia, mais de um discutiu com ele a questão de uma deposição armada do governo: a Sociedade para a Reabilitação Econômica da Rússia, um grupo empresarial de direita representado por Putilov e Vishnegradsky, chegou a oferecer fundos especificamente para um regime autoritário.

No dia seguinte, 13, Kornílov foi ao Bolshói para discursar.

Quando se preparava para subir à tribuna do abarrotado salão da Conferência de Moscou, Keriénski o deteve. Ele rogou ao general que limitasse suas observações a assuntos militares.

"Farei meu discurso", disse Kornílov, "à minha maneira."

Kornílov subiu. A direita se levantou para ovacioná-lo. "Gritos ressoaram", afirmam os registros históricos. "Mal-educados!" "Levantem!" Ninguém da esquerda obedeceu.

Para profundo alívio de Keriénski, Kornílov, que nunca foi um orador autoconfiante, fez um discurso tanto ineficaz como surpreendentemente brando. Os urros de aprovação da direita eram dirigidos a ele na condição de autoridade simbólica, e não devido a qualquer coisa específica que tivesse dito.

Depois de Kornílov, um orador após o outro condenou a revolução por ter destruído a Rússia e desejou em voz alta que a ordem fosse restaurada. Para o deleite da direita, o general Kaliédin, líder eleito – *ataman** – dos cossacos da região do Don, anunciou que "todos os sovietes e comitês deviam ser abolidos". Um jovem oficial cossaco, Nagaev, apressou-se em dizer que os cossacos em atividade discordavam de Kaliédin, despertando euforia equivalente na esquerda.

Enquanto ele falava, alguém da direita o interrompeu aos gritos de "Marcos alemães!". A acusação de traição provocou caos. Como o acusador não quis se identificar, Keriénski declarou que "o tenente Nagaev e todo o povo russo [...] ficam bastante satisfeitos com o silêncio de um covarde". Foi um raro momento

* *Ataman*, ou *hetman*, era o título dado ao mais alto posto (depois do tsar) em forças militares cossacas, especialmente durante o período imperial da Rússia. (N. T.)

de boa performance teatral de esquerda vinda do homem que já fora considerado a esperança da Rússia.

Seu discurso de encerramento, em compensação, foi uma mistura lastimável e quase incompreensível de longos trechos enfadonhos com sentimentalismo. "Que meu coração vire pedra, que todos os acordes de minha fé nos homens silenciem, que todas as flores de meus sonhos para os homens murchem e morram", gemeu. "Vou arremessar para longe as chaves deste coração que ama o povo e pensar apenas no Estado."

Da plateia, alguns sentimentalistas condescendentemente responderam de modo gentil – "Você não pode! Seu coração não permitirá" –, mas, para a maior parte das pessoas, o espetáculo foi apenas torturante. Stepun, um dos poucos que ainda defendiam Keriénski, admitiu com certa relutância que "se podia ouvir a agonia não só do seu poder, mas também de sua personalidade".

Assim, a lenta morte do governo provisório continuava.

As tropas se radicalizaram, ou abandonaram as esperanças, ou ambas as coisas, naquela guerra dolorosa. O soldado Kuchlavok e seu regimento enviaram ao *Izviéstia* um longo sermão desesperado, quase glossolálico, em que diziam que a revolução fora em vão, um apocalipse perdido, uma catástrofe sem retorno.

> Outro salvador do mundo terá de nascer para salvar o povo de todas as calamidades da criação sobre a terra e pôr fim aos dias sangrentos, para que não seja exterminada nenhuma besta de nenhum tipo vivente sobre a terra, criada não por príncipes e governantes, mas pela natureza divina, pois Deus é um ser invisível que vive em qualquer pessoa que tenha consciência e nos diga para vivermos fraternalmente, mas não, há pessoas más que semeiam a discórdia entre nós e nos envenenam uns contra os outros, empurrando-nos para o assassínio, e desejam aos outros o que não desejam para si [...] Dizem que a guerra nos foi imposta por Nicolau. Se Nicolau foi derrubado, quem está impondo a guerra agora?

As deserções em massa, políticas ou não, continuavam – e eram até eram anunciadas previamente. Com uma delicadeza cheia de ódio, um grupo de soldados "de vários regimentos" escreveu anonimamente a Keriénski com um aviso: "Vamos continuar nas trincheiras e repelir o inimigo, talvez até atacar, mas só até os primeiros dias do letal outono". Se a guerra continuasse além desse ponto, avisaram, eles simplesmente iriam embora.

Outro grupo de soldados enviou ao Comitê Executivo do Soviete um pedido inacreditavelmente ingênuo: "Todos nós [...] pedimos que vocês, como nossos camaradas, nos expliquem quem são esses bolcheviques [...]. Nosso governo provisório se declarou muitas vezes contra os bolcheviques. Mas nós [...] não vemos nada de errado com eles". Anteriormente tinham sido contra os bolcheviques, eles explicaram, mas agora pendiam cada vez mais para o lado deles. Para ter certeza de que entendiam perfeitamente essa opção, pediam ao Soviete que lhes enviasse explicações.

Ainda havia relatos de camponeses ocupando terras, com cada vez mais violência e contundência. Em algumas regiões, renegaram e desobedeceram aos *zemstvos*, as organizações locais do governo provisório. "Chamem nosso futuro governo como quiserem, mas não usem a palavra *zemstvo*", dizia a citação publicada em um jornal sobre as andanças deprimentes dos ativistas do governo local no sudeste da Rússia. "Nós ficamos enojados dessa palavra". Em Kursk, durante um julgamento de invasão de terras, os camponeses expulsaram o reclamante – *e a corte*. "A anarquia reina soberana", lia-se em um relatório oficial sobre uma das aldeias do distrito de Tambovsk. "Os camponeses estão invadindo as plantações e realizando saques."

Em muitas regiões, a pressão pela independência se intensificava. Os preços dos itens essenciais dispararam. A situação alimentar em Petrogrado passou de grave para desesperadora.

O que restou do centro não conseguia se manter. Os mencheviques defendiam o que chamavam de "Congresso da Unidade" em Petrogrado: o nome era uma piada de mau gosto. Os internacionalistas de Martov tinham um terço dos delegados, mas os dois terços remanescentes seguiram a liderança, deslocando-se mais um pouco no sentido da colaboração – que Tseretiéli chamou de "cooperação com as forças vivas do país". O abismo era maior do que nunca, e a direita mantinha a autoridade formal.

Meados de agosto e misteriosas explosões sacudiram as fábricas de munição de Petrogrado e Kazan. Aparentemente, tratava-se de uma ação de sabotadores pró-Alemanha.

Na Letônia, os alemães estavam se aproximando e Riga corria o risco de cair. A probabilidade de a cidade resistir a um ataque sério era nula: na conferência, Kornílov alertou sobre o fato de que, se não houvesse um esforço para proteger o Golfo de Riga, eles o perderiam, e o caminho para Petrogrado ficaria livre para os alemães. Enquanto ele falava, os alemães já se preparavam.

Petrogrado seguiria Riga? – diziam os rumores.

E, mais, o governo ao menos lutaria por Petrogrado?

Dos onze moscovitas abastados com quem o jornalista estadunidense John Reed se encontrou certa noite para jantar, dez disseram que, se fosse o caso, preferiam Guilherme aos bolcheviques. No jornal *Utro Rossii*, Rodzianko escreveu com uma sinceridade espantosa: "Digo a mim mesmo: 'Que Deus proteja Petrogrado'. Eles temem que, caso Petrogrado caia, as organizações revolucionárias centrais sejam destruídas [...]. Eu me alegro de que todas essas organizações sejam destruídas, pois não trarão nada além de desastre para a Rússia".

"Quero seguir o caminho do meio", desesperou-se Keriénski, "mas ninguém quer me ajudar."

Apesar de todos os rumores sobre golpes incipientes, depois da Conferência de Moscou Keriénski estava disposto a aceitar o controle esmagador dos direitos políticos que Kornílov exigia, esperando assim deter a onda de anarquia. Ele não gostava do fato de que isso significaria, inevitavelmente, um rompimento com o Soviete, mas era um homem que percebia quando não tinha escolha.

Kornílov fez pressão para obter vantagem. Em 19 de agosto, telegrafou a Keriénski para "reafirmar insistentemente a necessidade" de lhe ser concedido o comando do Distrito Militar de Petrogrado, da cidade e das áreas circunvizinhas. Quanto a isso, porém, Keriénski ainda impunha limites.

Às margens do rio Mazā Jugla, na Letônia, os lendários fuzileiros letões entraram em ação naquela que viria a ser conhecida como a Batalha do Jugla. Eles lutaram com uma coragem fadada ao fracasso para manter Riga a salvo dos alemães. No dia seguinte, a 1ª Divisão de Cossacos do Don e a Divisão Selvagem se deslocaram para Pskov e arredores, ameaçadoramente perto da polarizada Petrogrado.

No dia 20, nas eleições da Duma Municipal de Petrogrado, os kadets conquistaram 114 mil votos, e os mencheviques, ridículos 24 mil. Os SRs venceram, com 205 mil votos – mas, espantosamente, os bolcheviques estavam a uma distância mínima deles, com 184 mil votos.

"Em comparação com as eleições de maio", escreveu Sukhánov, a eleição dos SRs não representava uma vitória, "mas um grande retrocesso". Por outro lado, ele, que não era um defensor do partido de Lênin, deixou claro que "os únicos vencedores reais [...] eram os bolcheviques, há pouco tempo pisoteados na lama, acusados de traição e venalidade, completamente destroçados [...] Quando se pensava que estavam acabados para sempre [...]. E então de onde ressurgiram? Que feitiço estranho e diabólico era esse?"

No dia seguinte a esse feitiço estranho e diabólico, depois de horas de bombardeio alemão que fizeram estremecer as casas de contos de fadas da capital letã, as tropas russas fugiram. Colunas de alemães marcharam para o centro da cidade, submarinos alemães tomaram o golfo e bombardearam as aldeias costeiras, arrasando-as a partir do mar gelado.

Riga havia caído.

Observando de seu exílio finlandês, Lênin estava louco de raiva com o que ele considerou como colaboracionismo da parte dos bolcheviques de Moscou. Seu pecado? Participar do Comitê Revolucionário Provisório do Soviete, ao lado de mencheviques e SRs.

Lênin desdenhava do medo contrarrevolucionário com que o comitê se justificava. Em 18 de agosto, ele escreveu "Rumores de uma conspiração", no qual sugeria que esse medo era inventado pelos moderados para enganar as massas e conseguir o seu apoio. "Nenhum bolchevique honesto que não tenha perdido completamente o bom senso concordaria com um bloco" com os SRs ou os mencheviques, ele escreveu, "mesmo na eventualidade de um ataque contrarrevolucionário parecer genuíno", o que não era o caso, ele deu a entender.

Lênin estava errado.

Na verdade, evidências dispersas e incertas sugerem que toda aquela confusão se devia, em parte, ao fracasso de uma contrarrevolução conjunta – havia *mais de uma conspiração* sendo lentamente preparada na direita.

Vários grupos obscuros – a União dos Oficiais, o Centro Republicano e a Liga Militar – estavam se encontrando para discutir os planos da lei marcial. Eles decidiram que os comícios programados pelo Soviete para comemorar os seis meses da Revolução de Fevereiro, no dia 27, poderiam ser usados para justificar a imposição de um regime comandado pelo cano das armas dos kornilovistas.

E, se os comícios não acabassem em desordem, os conspiradores usariam provocadores para garantir que ela se estabelecesse.

Em 22 de agosto, o chefe do Estado-Maior do Exército convocou vários oficiais a Mahilou, aparentemente para treinamento. Mas logo na chegada eles foram informados sobre os planos, antes de serem enviados a Petrogrado. Quanto, exatamente, o próprio Korníłov estava ciente desses detalhes é incerto, mas não o fato de que ele estava se preparando para avançar sobre seus inimigos à esquerda – e no governo.

E não era apenas a extrema direita que considerava impor lei marcial sob o comando de Korníłov. Angustiado, o próprio Keriénski se agarrava lúgubre, incoerente e estranhamente a essa possível saída.

Em 23 de agosto, Sávinkov foi ao Stavka, em nome de Keriénski, para ver Korníłov. A reunião se iniciou num tom de hostilidade pouco promissor.

Sávinkov apresentou três solicitações a Korníłov: seu apoio para desarticular a União dos Oficiais e o departamento político do Stavka, ambos suspeitos de envolvimento na incitação ao golpe; a exclusão de Petrogrado do controle direto de Korníłov; e, em seguida, surpreendentemente, uma unidade de cavalaria para Petrogrado.

Diante desse último pedido, Korníłov ficou visivelmente mais cordial. Os soldados montados se destinavam, segundo Sávinkov confirmou, à "instauração efetiva da lei marcial em Petrogrado e à defesa do governo provisório contra qualquer tentativa do que quer que fosse". Como o general Alekséiev confirmaria depois, "a participação de Keriénski [no planejamento da lei marcial] não deixa dúvida [...]. O avanço da divisão do 3º Corpo de Cavalaria sobre Petrogrado aconteceu de acordo com instruções de Keriénski [...] transmitidas por Sávinkov".

Keriénski, ao que parece, ofereceu-se para sancionar a operação contrarrevolucionária planejada por Korníłov.

Na medida em que é possível reconstituir os fatos a partir da densa escuridão do momento, parece que Keriénski, preocupado com a possibilidade de uma insurgência bolchevique, estava dividido entre a oposição à lei marcial e a crença de que ela era necessária. E até mesmo de que era necessária uma ditadura coletiva ou individual.

E Kornílov, por sua vez, era igualmente flexível: estava absolutamente disposto a derrubar Keriénski, mas também estava disposto a lhe dar espaço, sob determinadas condições. Agora, tranquilizado por Sávinkov de que o governo concordava com seu modo de pensar, ele estava bem mais tranquilo para aceitar os outros pedidos de Keriénski, bem como sua oposição, "por razões políticas", a colocar o general de extrema direita Krimov no comando da cavalaria. Assim, Sávinkov confirmou que Kornílov não estava tramando contra Keriénski – a quem o general jurou lealdade, ainda que não muito enfaticamente, quando Sávinkov o sondou.

Parecia que poderiam chegar a um denominador comum, e uma lei marcial poderia ser aceita por todos, após cautelosa reflexão. Mas o que Sávinkov e Kornílov não sabiam é que, na noite anterior, Keriénski havia recebido uma visita. E assim começou a sinistra comédia de trapaças e erros da reação.

Vladímir Nikoláevitch Lvov – que não deve ser confundido com o ex-premiê – era um moscovita ingênuo, tolo e enxerido, um imbecil de classe alta. Deputado liberal da Terceira e da Quarta Duma, Lvov fazia parte de um grupo de industriais moscovitas que acreditavam que a Rússia precisava de um "gabinete nacional" autoritário de direita. Até aí, tudo normal. O que não era tão normal é que ele também tinha certo respeito por Keriénski. Quando chegaram aos seus ouvidos rumores de uma conspiração no Stavka, vindos de um grupo ao qual estava ligado, ele teve esperança de poder evitar um confronto entre Keriénski e Kornílov.

Em um encontro com Keriénski, Lvov expôs várias banalidades sobre a necessidade de o governo ter mais conservadores e ofereceu-se para sondar figuras políticas fundamentais para esse fim. Agourentamente, admitiu representar "certos grupos importantes, com força significativa". Afora isso, os testemunhos posteriores divergem.

Lvov disse que Keriénski o autorizara a agir como seu representante; Keriénski, bem mais displicente, disse que "considerou impossível abster-se de novas conversas com Lvov, pois esperava uma explicação mais precisa do que ele tinha em mente". Ao encorajar Lvov a voltar para informá-lo sobre discussões informais, Keriénski pensou que poderia saber mais das conspirações mencionadas pelo visitante. Por isso, encorajou Lvov a sondar esses círculos misteriosos.

É possível que Lvov, que nunca foi um homem muito perspicaz, tenha compreendido mal a intenção de Keriénski, ou que, cheio de orgulho por sua missão, tenha se convencido de que tinha uma função oficial. De um jeito ou de outro, como Keriénski não conseguia consolidar um Estado que se encontrava em colapso, Lvov correu para o Stavka.

Enquanto isso, o terror generalizado de um golpe aumentou, assim como os planos da esquerda para detê-lo. No dia 24 de agosto, a Conferência Interdistrital dos Sovietes de Petrogrado (um órgão liderado pelo menchevique Gorin, fortemente influenciado pelos bolcheviques) exigiu que o governo declarasse a Rússia uma república democrática e anunciou a formação de um "Comitê de Segurança Pública", mobilizando pelotões de trabalhadores e desempregados armados para defender a revolução. Os bolcheviques de Vyborg, insatisfeitos com a resposta inadequada do partido à ameaça de uma contrarrevolução, programaram uma reunião de emergência do Comitê de Petersburgo.

Esse era precisamente o tipo de ideia que Lênin acusava de alarmismo. E, enquanto os ativistas sucumbiam a ele, Kornílov pôs em marcha uma verdadeira conspiração contrarrevolucionária.

Kornílov enviou instruções a Krimov para seguir para Petrogrado, em resposta ao boato de que haveria uma "insurreição bolchevique".

Foi no momento em que tais intrigas se desenrolavam que Lvov chegou ao Stavka para cumprir a importante missão que inventara em sua cabeça.

Apresentando-se como emissário de Keriénski, Lvov se reuniu com Kornílov e um de seus conselheiros, um homem alto, robusto e grisalho chamado Zavoiko – que era um conspirador de tipo mais sério, embora Lvov não soubesse disso. Rico, oportunista e de extrema direita, estava envolvido em ações parapolíticas e, havia meses, enxergava em Kornílov um ditador em potencial, por isso tratou de se tornar o indispensável conselheiro do general.

Lvov perguntou a Kornílov qual era sua opinião a respeito da formação de um novo governo. Kornílov respondeu com cautela, mas, como a pergunta de Lvov veio após a solicitação de uma unidade de cavalaria em Petrogrado, ele acreditou que se tratava de mais uma evidência de que o governo estava disposto a estabelecer um compromisso e se deixava influenciar por suas ideias.

Após aquela reunião com Sávinkov, a direita de Mahilou começou a discutir abertamente quem assumiria qual ministério no governo autoritário que planejavam. Agora, Kornílov e Zavoiko davam a Lvov alguns detalhes desses planos – aquilo a que eles aspiravam. Petrogrado deveria ser colocada sob lei marcial. Quanto a isso, não havia controvérsias. A questão era: lei marcial a mando de quem?

Lvov sugeriu três possibilidades: Keriénski poderia ser o ditador; poderia haver um diretório, um pequeno gabinete ditatorial, que incluísse Kornílov e, provavelmente, Keriénski; ou o próprio Kornílov poderia ser o ditador.

Com prudência, Kornílov expressou sua preferência pela terceira opção. Afinal de contas, seria mais simples se todas as autoridades civis e militares do país dependessem do comandante em chefe, e humildemente acrescentou: "Quem quer que seja ele".

Kornílov trouxe à baila a possibilidade de Keriénski e Sávinkov ocuparem cargos nesse governo e pediu que Lvov os aconselhasse vivamente, para o próprio bem deles, a se dirigirem a Mahilou dali a dois dias. Lvov permaneceu despreocupado e sereno durante o resto da conversa, sugerindo vários outros nomes para o gabinete. Mas, quando a reunião terminou e Lvov já se preparava para embarcar no trem de volta a Petrogrado, talvez por julgar mal as lealdades do visitante, talvez por não se importar, Zavoiko, com arrogante superioridade, fez um comentário chocante.

"Keriénski é necessário como um nome favorável aos soldados por uns dez dias, mais ou menos", ele disse, "depois dos quais será eliminado."

Lvov estava atônito quando se sentou no vagão. Ele finalmente se deu conta de que as aspirações de Keriénski e Kornílov talvez não fossem, digamos, perfeitamente coincidentes.

Kornílov pôs o 3º Corpo – a cavalaria solicitada por Sávinkov – em alerta. Fez Krimov redigir um folheto, que seria distribuído quando ele entrasse em Petrogrado, anunciando a imposição da lei marcial, toque de recolher e proibição de greves e reuniões. A desobediência, dizia o folheto, seria punida severamente: "Os soldados não vão atirar para o alto". Mais soldados avançaram para Petrogrado, preparando-se para ocupar e policiar a cidade.

Conforme previamente acordado, Kornílov telegrafou para Sávinkov dizendo que as forças estariam posicionadas na noite do dia 28. "Solicito que Petrogrado seja declarada sob lei marcial no dia 29 de agosto": assim, educadamente, Kornílov se preparava para pôr um ponto final na revolução.

A imprensa de extrema direita noticiou massacres de esquerdistas no dia 27. Provocadores provocaram: os socialistas receberam vários relatos de "estranhos em uniformes militares" tentando insuflar a insurreição. A pretendida colaboração de Keriénski com Kornílov não impediu a continuidade de outros planos caóticos de golpe.

O ar fedia a contrarrevolução. Em 26 de agosto, o Soviete Sindical e o Soviete Central dos Comitês de Fábricas e Oficinas endossaram conjuntamente o apelo da Conferência Interdistrital por um Comitê de Segurança Pública.

Foi para esse caldeirão que Lvov retornou. Ele se dirigiu às pressas ao Palácio de Inverno.

★

Sávinkov havia acabado de relatar a Keriénski seu encontro cordial com Kornílov quando Lvov chegou. Tranquilizado pela exposição de Sávinkov, Keriénski perguntou a Lvov o que ele havia descoberto. E então ele o ouviu, perplexo e cada vez mais horrorizado.

Lvov retransmitiu como *exigências* as *preferências* que Kornílov manifestara entre as opções apresentadas por ele – em nome do próprio Keriénski, acreditava Kornílov. Este queria que Keriénski fosse a Mahilou, disse Lvov, mas prevenindo-o de que a convocação era perigosa, conforme ele havia escutado da boca do próprio Zavoiko. Keriénski devia fugir, insistiu Lvov.

Keriénski riu com um nervosismo incrédulo.

"Agora", disse Lvov, com o rosto duro como pedra, "não é hora para brincadeiras."

Keriénski se esforçava para dar sentido ao que estava ouvindo. Lei marcial, transferência de toda a autoridade, inclusive civil, ao comandante em chefe, renúncia de todos os ministros, incluindo Keriénski. O que Kornílov havia imaginado como um debate sobre possibilidades agora era interpretado como uma declaração de golpe.

Zonzo, Keriénski pediu que Lvov fosse encontrá-lo no Ministério da Guerra às oito horas da noite, para conversar diretamente com Kornílov: ele queria ter absoluta certeza do que estava acontecendo. Mas um último absurdo haveria de acontecer. Lvov se atrasou para o encontro. Então, às 8h30, agitado demais para esperar, Keriénski telegrafou a Kornílov e simplesmente fingiu estar com Lvov. A farsa se desenrolou em pontos e traços, cada ida e vinda sendo registrada em uma tira de papel.

Keriénski: "Boa noite, general. V. N. Lvov e Keriénski na linha. Pedimos que confirme que Keriénski deve agir de acordo com o comunicado transmitido a ele por Vladímir Nikoláevitch".

Kornílov: "Boa noite, Aleksandr Fedorovitch, boa noite, Vladímir Nikoláevitch. Para confirmar novamente o contorno da situação atual em que, acredito, o país e o Exército estão, e da qual pedi a V. N. para informá-lo, declaro novamente que os acontecimentos dos últimos dias e aqueles que vejo se aproximando tornam imperativa a tomada de uma decisão clara o mais breve possível".

Keriénski fingindo ser Lvov: "Eu, Vladímir Nikoláevitch, pergunto se é necessário agir de acordo com essa decisão clara que o senhor me pediu para comunicar pessoalmente a Aleksandr Fedorovitch. Sem sua confirmação pessoal, Aleksandr Fedorovitch hesita em confiar plenamente em mim".

Kornílov: "Sim, confirmo que lhe pedi para transmitir a Aleksandr Fedorovitch minha solicitação urgente para que venha a Mahilou".

Com um vazio no peito, Keriénski fez Kornílov confirmar se Sávinkov também deveria ir. "Acredite em mim", Kornílov acrescentou, "apenas o reconhecimento de minha responsabilidade neste momento faz com que eu seja tão persistente em minha solicitação".

"Devemos ir apenas em caso de manifestações, sobre as quais se ouvem rumores, ou de qualquer forma?", Keriénski perguntou.

Kornílov: "De qualquer forma".

A conexão foi interrompida, pondo fim ao mais memorável mal-entendido da história.

Em seu quartel-general, Kornílov suspirou aliviado. Agora, pensou ele, Keriénski iria a Mahilou e se submeteria – talvez até se uniria – a um governo sob seu comando.

Enquanto isso, Keriénski acreditava que "a decisão clara" que Kornílov acabara de confirmar não era apenas que ele, Keriénski, deveria ir encontrá-lo, mas que Kornílov assumiria poderes ditatoriais. Que Keriénski recebera um ultimato. Que ele fora descartado.

E se Lvov não o tivesse alertado a fugir para se salvar?

Quando Lvov finalmente apareceu, Keriénski mandou prender um homem visivelmente surpreso.

Seus próprios planos recentes para impor uma lei marcial haviam arrastado Keriénski tão à direita que ele já não sabia se ainda podia contar com o apoio do Soviete ou se as massas de Petrogrado responderiam ao seu apelo. Em uma reunião urgente com o gabinete, ele leu em voz alta a transcrição da "prova" da "traição" de Kornílov. Exigiu que os estupefatos ministros lhe concedessem autoridade ilimitada contra o perigo que se aproximava. Profundamente envolvidos com o meio kornilovista, os kadets se opuseram, mas a maioria deu liberdade a Keriénski para agir. A seu pedido, eles renunciaram, permanecendo apenas na posição de guardiões.

Assim, às quatro horas da manhã de 27 de agosto, o segundo governo de coalizão chegou ao fim.

Mais uma vez, Keriénski telegrafou a Kornílov: "Ordeno que entregue imediatamente o cargo ao general Lukómski", ele ditou, e as teclas bateram, "que deve assumir temporariamente as responsabilidades de comandante em chefe até a chegada de um novo comandante em chefe. A orientação é que você volte imediatamente a Petrogrado".

Isso feito, ele se recolheu aos seus aposentos, ao lado de onde Lvov estava detido. Keriénski tentou acalmar os nervos cantado árias a plenos pulmões. O som de sua voz atravessou a parede, despertando seu confuso informante e mantendo-o acordado a noite toda.

Domingo, 27 de agosto, o dia da comemoração do Soviete, amanheceu quente, claro e tenso. "Pessoas estranhas estão espalhando boatos de um levante programado para hoje e supostamente organizado por nosso partido", alertou o *Rabochy* bolchevique. "O CC pede aos trabalhadores e soldados que não cedam às provocações [...] e não participem de nenhuma ação." O partido temia mais as ameaças internas, dos provocadores, do que as externas.

E os conspiradores esperaram o momento ideal. Naquela manhã, e ao longo dos dois dias seguintes, o coronel L. P. Dyusimeter e P. N. Finíssov, do Centro Republicano, e o coronel V. I. Sidórin, o contato dos dois primeiros no Stavka, beberam em todas as espeluncas de Petrogrado enquanto aguardavam notícias de Krimov, prontos para dar início ao seu golpe.

Pouco depois das oito horas da manhã de domingo, Kornílov recebeu o telegrama de Keriénski. No início, ele ficou chocado, mas logo ficou furioso.

O general Lukómski, não menos surpreso pela notícia, recusou o cargo que Keriénski queria lhe confiar. "É tarde demais para interromper uma operação que começou com sua aprovação", telegrafou em resposta, e a consternação nas três últimas palavras era palpável. "Para o bem da Rússia, você deve ficar do lado de Kornílov, não contra ele [...]. A demissão de Kornílov pode resultar em horrores como a Rússia nunca viu."

Keriénski encarregou Sávinkov de preparar a defesa militar contra o golpe, enquanto Kornílov ordenava que o 3º Corpo, sob o comando de Krimov, ocupasse a cidade. Keriénski enviou uma mensagem exigindo que parassem, reafirmando aos homens que não havia nenhuma insurreição a "derrotar" – o suposto pretexto da ação. Eles não pararam.

Rumores confusos de um desacordo entre Kornílov e Keriénski começaram a se espalhar por Petrogrado. Tais rumores, é claro, supunham que havia um acordo anterior ao desacordo.

No meio da tarde, os líderes do Soviete e dos partidos se reuniram em uma sessão de emergência. Eles nem sequer estavam seguros do que deviam debater ou defender. A situação era tensa, se não incompreensível.

Foi apenas no início da noite, quando Keriénski divulgou uma declaração, que as questões se tornaram mais claras. Por intermédio de Lvov, ele anunciou, Kornílov exigira poder civil e militar para instaurar um regime contrarrevolucionário. Diante dessa grave ameaça, o governo autorizara Keriénski a adotar contramedidas. Por esse motivo, era declarada agora a lei marcial.

Kornílov rapidamente respondeu à declaração de Keriénski insistindo – e era verdade – que Lvov não o representava.

"Nossa grande pátria está morrendo", declarou. "Por pressão da maioria bolchevique nos sovietes, o governo provisório age em completa harmonia com [...] o Estado-Maior alemão [...]. Não desejo nada para mim mesmo, exceto a preservação da Grande Rússia, e juro levar o povo, pela vitória, [...] a uma Assembleia Constituinte, quando ele mesmo poderá decidir seu destino."

Os generais Klembóvski, Balúiev, Scherbátov, Deníkin e outros juraram todos lealdade a Kornílov. Entusiasmada, a União dos Oficiais enviou telegramas aos quartéis-generais do Exército e da Marinha declarando o fim do governo provisório e encorajando o apoio "rigoroso e inflexível" a Kornílov.

Keriénski inutilmente declarara uma batalha; Kornílov declarara a guerra.

Imediatamente surgiu uma profusão de comitês *ad hoc* para mobilizar os cidadãos contra o golpe, providenciar armas, coordenar materiais, comunicações e serviços. O Vikjel (Comitê Executivo de Ferroviários de Toda a Rússia), controlado pelos mencheviques, e a Conferência Interdistrital criaram um departamento para combater Kornílov. Mensagens foram remetidas a Kronstadt. A esquerda uniu forças. No Smolni, fracções partidárias se misturavam.

Por uma dolorosa ironia, naquela mesma noite, no Distrito de Narva, o Comitê Bolchevique de Petersburgo se reuniu para a sessão programada três dias antes – em resposta à preocupação dos bolcheviques de Vyborg com a pouca atenção dada pelo partido à ameaça contrarrevolucionária. Era quase certeza que a liderança tencionava fazer pouco dessa preocupação: agora, enquanto os 36 dignitários do partido se reuniam, os soldados de Kornílov baixavam em Petrogrado. Pouquíssimas vezes os alarmistas puderam se sentir tão legitimados.

E os soldados rasos de Vyborg estavam furiosos não apenas com a demora da liderança em avaliar a funesta situação mas também com a ambiguidade tática das resoluções do recente VI Congresso. Uma delas, "Sobre a situação política", encorajava a cooperação com *todas* as forças que combatiam a contrarrevolução – enquanto outra, "Sobre unificação", declarava os mencheviques permanentes desertores do proletariado, o que impossibilitava a cooperação com eles. Como proceder, então?

A reunião foi turbulenta. Andrei Búbnov, militar de carreira recém-chegado a Moscou, onde se juntou ao CC, alertou seus camaradas, exortando-os a não confiar nem nos mencheviques nem nos SRs. Segundo contou, durante a Conferência de Estado de Moscou, "primeiro o governo procurou a nossa ajuda, depois fomos execrados". Ele era contra a colaboração em qualquer organização de autodefesa, insistindo para que os bolcheviques agissem sozinhos a fim de induzir as massas tanto contra Kornílov como contra Keriénski. Em oposição a ele, Kalínin – daquela que ainda era a liderança anti-Lênin predominante – insistiu, ao contrário, em que, se Kornílov estivesse realmente prestes a derrubar Keriénski, seria absurdo não adotar a posição de que os bolcheviques teriam de intervir a favor de Keriénski.

Houve uma explosão de hostilidade. Oradores radicais criticaram severamente as autoridades do partido por falta de liderança, "defensismo", "resfriamento" das massas, atuação "confusa" durante – e desde – as Jornadas de Julho.

A reunião degenerou numa mistura de queixas, ressentimentos e ataques generalizados. A fúria os distraiu da urgência da situação, até que alguém gritou: "Vamos nos concentrar nas medidas concretas de defesa!".

Estava claro para todos que era crucial mobilizar-se o mais amplamente possível contra Kornílov. Os bolcheviques estabeleceram uma rede de comunicação, distribuíram panfletos convocando os trabalhadores e soldados a andarem armados. Membros do partido foram encarregados de coordenar a ação com as organizações de massa. E todos, inclusive Búbnov, concordaram que o partido deveria manter contato com a liderança do órgão de defesa do Soviete – "para fins de informação", como se comentou vagamente.

Para Búbnov, naquele momento, as conversas "informativas" com o Soviete eram indispensáveis, mesmo que "não devesse existir nenhuma interação com a maioria do Soviete". Isso era menos uma "síntese dialética" do que uma conversa fiada exigida pela escalada da crise. Keriénski e Kornílov eram igualmente ruins, mas, no momento, Kornílov era igualmente pior.

Às 11h30 da noite, o Comitê Executivo do Soviete se reuniu para discutir suas relações com o governo, dado o escândalo da recente aliança seguida de rompimento entre Keriénski e Kornílov e dado o fato de Keriénski agora exigir um diretório, um pequeno gabinete com poderes autoritários. E, mais urgentemente, para discutir como proteger a revolução.

Para os moderados, Keriénski, mesmo naquele momento, e por mais criticado que fosse, tinha de ser defendido.

"A única pessoa que pode formar um governo a esta altura é o camarada Keriénski", disse o menchevique Vainshtein. Se Keriénski e o governo caíssem, "a causa revolucionária estaria perdida".

Os bolcheviques adotaram a linha mais dura: o governo provisório *in toto* não merecia confiança. Eles queriam a democracia no Exército, a transferência de terra para os camponeses, a jornada de oito horas diárias de trabalho, o controle democrático das indústrias e das finanças e devolução do poder aos trabalhadores, camponeses e soldados revolucionários. Não importava como. Tendo defendido seus pontos de vista, os bolcheviques do Comitê Executivo do Soviete, mais conciliadores do que Lênin e seus camaradas de Vyborg, não concluíram os trabalhos com uma resolução. Eles mantiveram uma vigorosa, mas abstrata, oposição.

Surpreendentemente, eles se abstiveram até de uma resolução que, apesar de contrária ao diretório que ele queria, concedeu a Keriénski o poder não apenas de manter a forma vigente de governo como também de preencher as vagas do gabinete com kadets cuidadosamente escolhidos. E mais surpreendente ainda foi que eles votaram *com* os mencheviques e os SRs para convocar (mais) uma "conferência de Estado" – embora, dessa vez, exclusivamente com "elementos democráticos", isto é, a esquerda – para discutir a questão do governo e atuar como supervisora até a convocação da Assembleia Constituinte.

Mas, quando seus representantes relataram a Keriénski essa decisão do Soviete, ele permaneceu inflexível quanto à necessidade de um diretório com seis integrantes. Surgiu um impasse, e o movimento seguinte era do Soviete.

"Todos os diretórios levam à contrarrevolução", protestou Martov no Soviete, com vigoroso apoio. Lunatchárski também era totalmente contrário. Ele qualificou de contrarrevolucionários tanto Kornílov quanto o governo provisório e exigiu a transferência de poder para um governo de trabalhadores, camponeses e soldados – o que, nesse caso, significava os sovietes. Assim, Lunatchárski recuperou abruptamente se não a forma, ao menos o conteúdo do velho lema "Todo o poder aos sovietes". O mesmo lema que Lênin havia decretado obsoleto.

Mas a noite trouxe aos exaustos delegados a notícia de que os generais, um após outro, estavam se declarando a favor de Kornílov. Pressionada por algo que parecia cada vez mais uma necessidade no que dizia respeito ao governo, a reunião se deslocou lentamente para a direita.

Por fim, o Comitê Executivo aprovou uma resolução de Tseretiéli que apoiava Keriénski, deixando para ele a definição da forma do governo. Isso era uma autorização automática para o diretório.

Os bolcheviques presentes contestaram veementemente a resolução, mas, em uma demonstração impressionante de sua moderação em comparação com os padrões do partido, eles concordaram que, se o governo estivesse seriamente empenhado em combater a contrarrevolução, eles concordariam em "formar uma aliança militar com ele".

O inimigo se aproximava. O Soviete emitiu ordens emergenciais aos sovietes das províncias, aos ferroviários e aos soldados para que o Stavka fosse desafiado e as comunicações contrarrevolucionárias fossem interrompidas. E pediram que as ordens do Soviete – e do governo – fossem imediatamente obedecidas.

A colaboração naquela noite não era apenas dos bolcheviques com aqueles que estavam à sua direita: ela vinha também no sentido contrário. Quando Weinstein, um menchevique de direita, propôs a criação de um grupo para organizar a defesa militar, todos concordaram que os bolcheviques deviam fazer parte dele.

Em 28 de agosto, o príncipe Trubetskoy, do Ministério das Relações Exteriores, telegrafou de Mahilou para Teriéschenko. "Todo o pessoal em posição de comando, a esmagadora maioria dos oficiais e as melhores unidades de batalha [...] seguirão Kornílov", ele previu. "O exército cossaco inteiro, a maioria das escolas militares e as melhores unidades de combate [...]. Somada a isso [...] está a superioridade da organização militar sobre a fraqueza dos órgãos do governo."

Em Petrogrado, a mobilização contra os contrarrevolucionários se acelerava, mas as notícias eram insistentemente sombrias. Por toda a cidade, ouvia-se que as tropas de Kornílov haviam chegado a Luga e que a guarnição revolucionária havia se rendido. Nove trens de soldados haviam chegado além de Orodezh. A reação estava a caminho.

A resposta do Soviete e de muitos à esquerda, inclusive dos bolcheviques, foi o pânico. Mas um grande número de trabalhadores e soldados de Petrogrado reagiu de forma diferente. A afirmação irritada de Trubetskoy de que "a maioria das massas urbanas e populares era indiferente à ordem vigente e se submeteria ao estalido de qualquer chicote" estava assustadoramente errada.

Os soldados se mobilizaram aos milhares contra o golpe vindouro. Nas fábricas, sirenes e apitos convocavam os trabalhadores. Eles avaliaram os recursos, reforçaram a segurança e se organizaram em destacamentos.

Algumas organizações haviam antecipado o perigo. O Comitê Interdistrital do Soviete de Petrogrado, por exemplo, vinha alertando sobre tal ameaça havia algum tempo e estava preparado para agir com rapidez. O Vikjel ordenou que "telegramas suspeitos" fossem retidos e qualquer movimento suspeito de soldados fosse acompanhado. Na tarde do dia 28, o grupo que Weinstein havia sugerido, o Comitê de Luta contra a Contrarrevolução, entrou em operação.

Conforme acordado, participavam do comitê representantes dos mencheviques, dos SRs, dos bolcheviques e de outras organizações democráticas. Nas palavras de Sukhánov:

> as massas, na medida em que foram organizadas, foram organizadas pelos bolcheviques e os seguiam [...]. Sem [eles], o comitê era impotente [...] e poderia ter ficado apenas nos apelos e discursos inúteis [...]. Com os bolcheviques, o comitê tinha à sua disposição todo o poder dos trabalhadores e soldados organizados [...]. E, apesar de serem minoria, era muito claro que [...] o controle estava nas mãos dos bolcheviques.

O comitê atuava em conjunto com grupos de defesa auto-organizados e improvisados que estavam surgindo. Uma tarefa crucial – e, para os bolcheviques, uma condição para participar – era o armamento usado pelas milícias de trabalhadores. Uma transformação de 40 mil pessoas praticamente da noite para o dia. Ferramenteiros, metalúrgicos, pessoas de todos os ramos formando um exército. Nos galpões das fábricas ressoava a marcha dos inexperientes, a música de uma nova milícia.

"A fábrica parecia um acampamento", lembraria Rakilov, um dos guardas vermelhos, como eles eram cada vez mais conhecidos. "Quando você entrava, via os montadores sentados no banco, mas suas mochilas estavam penduradas perto deles e suas armas ficavam apoiadas no banco."

Quarenta mil pessoas se organizaram rapidamente nas novas funções. Posaram para fotografias com suas unidades. Ergueram as armas para as câmeras com destreza variável: rostos imóveis, irritados, empolgados ou determinados. Com orgulho, um após o outro, os guardas vestiam não apenas uniformes de trabalho ou apetrechos militares improvisados, mas suas melhores roupas, como se fossem à igreja, a um casamento ou enterro. Vestiam-se para uma grande ocasião, com ternos formais, gravatas estreitas e apertadas, chapéus-coco ou de feltro, de joelhos com rifles engatilhados. A grande ocasião era a autodefesa.

Os bolcheviques negociaram as diferenças táticas. Colaboraram com os moderados, mas de tal modo que os trabalhadores armados ficaram na vanguarda da defesa.

Mesmo em Petrogrado, a maioria dos cadetes da escola militar apoiava Kornílov, mas isso não significava que todos estivessem dispostos a lutar por ele. Os cossacos permaneceram neutros, recusando-se a lutar por qualquer um dos lados. Todas as outras unidades da cidade enviaram destacamentos para defender os pontos vulneráveis.

Nessa tensa atmosfera militar, era perigoso apoiar Kornílov abertamente. Nas ruas de Vyborg, soldados enfurecidos assassinaram vários oficiais que se recusaram a reconhecer a autoridade de um comissário revolucionário. Em Helsingfors, a tripulação do encouraçado *Petropavlovsk* votou a favor da execução dos oficiais que não jurassem lealdade às "organizações democráticas".

A fábrica de pólvora Schlusselburg enviou à capital uma grande quantidade de granadas para serem distribuídas pelos comitês de fábrica. Os sovietes da Estônia e da Finlândia enviaram mensagens de solidariedade. Por toda Petrogrado, cartazes do Soviete pediam disciplina e condenavam o flagelo da embriaguez. A Duma Municipal formou uma comissão para auxiliar na distribuição de alimentos. E, o mais importante, escolheu os deputados que iriam a Luga para fazer campanha contra as tropas de Kornílov.

Ao sul de Petrogrado, trabalhadores armados ergueram barricadas. Atravessaram o arame farpado ao longo das estradas, cavaram trincheiras nas vizinhanças da cidade. Os subúrbios se transformaram em acampamentos militares.

A iniciativa estava começando a escapar das mãos da direita. Eles podiam sentir isso. E resistiram.

Na tarde do dia 28, Miliúkov se ofereceu como intermediário, com a esperança de conseguir persuadir Keriénski a renunciar. Kishkin, membro do alto escalão do Kadet, pressionou Keriénski a renunciar a favor de Alekséiev – que apoiava Kornílov. A maioria dos ministros (interinos) de Keriénski se manifestou rapidamente a favor dessa proposta, e até mesmo representantes estrangeiros o aconselharam a considerar a "negociação".

O Soviete, no entanto, se opôs categoricamente a qualquer movimento nesse sentido. Considerando a escala da defesa revolucionária, para a qual o Soviete havia se tornado crucial, e relutantemente ciente da provável resistência de trabalhadores e soldados caso fosse contra essa oposição, Keriénski teve de rejeitar a pressão para negociar.

No dia 28, Dyusimeter e Finíssov partiram secretamente para Luga. Na retaguarda, eles deixaram Sidórin, que, com fundos da Putilov e da Sociedade para a Reabilitação Econômica da Rússia, financiaria o golpe assim que eles enviassem notícias. A missão de Sidórin seria inventar um "motim bolchevique" para justificar a repressão militar.

Mas os contratempos começaram a chegar cada vez mais rápido para a direita. Naquela noite, a Divisão Montada de Ussurijsk foi interceptada ao se aproximar da cidade. Em Iámburg, descobriu que a mensagem do Vikjel fora recebida: os ferroviários haviam bloqueado as linhas. Trilhos foram arrancados, cortados, entortados. A Divisão Selvagem conseguiu chegar a Vyritsa, a apenas sessenta quilômetros da capital. Mas lá esse trem também encontrou os trilhos arrancados. As linhas da revolução saltavam como ossos quebrados.

As tropas de Kornílov foram interceptadas – mas não estavam sozinhas.

Para combatê-las ali onde estavam paradas, vieram dezenas de emissários. Eram do Comitê de Luta, dos sovietes distritais, das fábricas, das guarnições, do Tsentroflot (Comitê Naval) e da 2ª Tripulação da Frota do Báltico. Os moradores também se apresentaram. Caminharam pela mata e por entre as árvores até o trem arquejante. Vinham para agitar, para pedir à Divisão Selvagem que não se deixasse usar pela contrarrevolução.

Por uma sorte revolucionária, o Comitê Executivo da União dos Sovietes Muçulmanos estava visitando Petrogrado quando estourou a crise. Para ir ao encontro da locomotiva, o comitê enviou sua própria delegação – na qual estava um neto do imã Shamil. Shamil era um lendário herói da libertação do Cáucaso no século XIX – inclusive para os homens da Divisão Selvagem. E, agora, um descendente daquela gloriosa linhagem lhes pedia para apoiar a revolução que eles tinham a missão de enterrar.

Na verdade, os soldados da Divisão Selvagem desconheciam o propósito de sua transferência. Eles já não estavam predispostos a apoiar Kornílov e, quanto mais ouviam aquelas pessoas, menos se inclinavam a apoiá-lo. Escutaram, argumentaram e consideraram o que lhes disseram até o dia escurecer e noite adentro. O trem e os arredores se transformaram numa sala de debates, numa reunião de urgência. Os oficiais estavam desesperados.

Em Petrogrado, alarmado com relatos de que oficiais de certas unidades estavam recorrendo a versões próprias de *ca'cannies* para colaborar com Kornílov, obedecendo lentamente às ordens e agindo de forma inadequada, o Comitê de Luta enviou comissários para inspecionar a mobilização. A cidade estava alvoroçada com a Guarda Vermelha. Três mil marinheiros armados chegaram de Kronstadt para prestar assistência. O Soviete Central dos Comitês de Fábricas e Oficinas coordenou os preparativos. O Sindicato dos Metalúrgicos – de longe o mais poderoso da Rússia – colocou seu dinheiro e sua experiência à disposição do Comitê de Luta.

Escolhidos por Keriénski para organizar a operação, Sávinkov e Filonienko ao menos se empenharam tão diligentemente para ficar de olho nos bolcheviques quanto para se antecipar a Kornílov. A ideia de que esses dois foram responsáveis pela proteção de Petrogrado é obviamente uma ficção. Na melhor das hipóteses, foram espectadores do trabalho do Soviete e do povo.

Os bolcheviques eram indispensáveis para a ação. Tanto que, quando vários fugiram da detenção no quartel da 2ª Milícia do Distrito, o Comitê de Luta concordou excepcionalmente que, "a fim de participar da luta comum", eles poderiam permanecer em liberdade.

Concretamente, a abordagem do partido era pressionar, de baixo para cima, pela máxima mobilização possível contra Kornílov, mas sem apoiar o governo provisório. O jornalista Chamberlin descreveu os bolcheviques como "irônicos" defensores do governo.

E, entre organizações espontâneas e reuniões de massa, uma reivindicação familiar retornou. "Em vista do emergente movimento contrarrevolucionário burguês", insistiu um grupo de trabalhadores de fábricas de canos, "todo o poder deve ser transferido ao Soviete de Deputados Operários, Soldados e Camponeses". No dia 29, milhares de trabalhadores da Putilov anunciaram a candidatura de "representantes das classes revolucionárias" ao governo. Trabalhadores do estaleiro Novo-Admiralteysky exigiram que o poder fosse "posto nas mãos dos trabalhadores, soldados e camponeses mais pobres, sob a responsabilidade dos sovietes de deputados operários, soldados e camponeses".

"Todo o poder aos sovietes" havia retornado, definitivamente.

"Não são esperados tumultos", Keriénski telegrafou a Krimov, ansioso para mantê-lo a distância. "Seu corpo militar não é necessário".

Como se, àquela altura, Keriénski controlasse Krimov. Mas Krimov também não controlava as suas tropas. A Divisão Montada Cossaca Ussuriysky, ainda detida em Iámburg (atual Kínguisepp), foi cercada por membros dos sovietes de Narva e Iámburg, unidades militares, organizações de massa e das fábricas locais, além de uma delegação chefiada por Tseretiéli. A leitura da proclamação de Keriénski sobre Kornílov foi suficiente para arrefecer a determinação dos cossacos.

O próprio Krimov, com a 1ª Divisão de Cossacos do Don, foi retido e cercado por soldados da guarnição de Luga – uma força de 20 mil homens. Oradores de rua cercaram o trem por um bom tempo, gritando pelas janelas, confundindo os cossacos e enfurecendo Krimov, a quem Kornílov deu ordens para avançar os últimos quilômetros até Petrogrado. Mas a guarnição de Luga não permitiu – e, naquele momento, os cossacos não estavam muito dispostos a discutir. Um indignado Krimov só pôde observar a alegria de seus homens ao se misturarem às várias e espontâneas reuniões de massa, vendo a determinação deles diminuir diante de seus olhos.

Tarde da noite do dia 29, em Petrogrado, Sidórin finalmente recebeu o telegrama de seus parceiros de conspiração, Dyusimeter e Finíssov. Um tranco gélido: "Aja pelo menos uma vez de acordo com as instruções". Eles estavam pedindo um conveniente motim.

Mas era tarde demais, como até mesmo os apoiadores da direita foram obrigados a reconhecer. O general Alekséiev, vendo que a causa estava perdida, ameaçou se suicidar se o plano de articular uma provocação fosse levado adiante.

Em 30 de agosto, a revolta de Kornílov fracassou.

"Nós vencemos sem disparar um único tiro", escreveu Keriénski dez anos depois. Esse "nós" era extremamente tendencioso.

Lênin recebia notícias da Rússia com certo atraso. Ele demorou a receber a notícia da ameaça e demorou a saber que ela fora evitada. No dia 30, enquanto os membros do CC se reuniam em Petrogrado, cidade que agora respirava aliviada, Lênin escrevia para eles às pressas.

O que Lênin enviou não foi um mea-culpa explícito por ter afirmado que a contrarrevolução era "um estratagema cuidadosamente planejado por mencheviques e SRs". No entanto, talvez isso estivesse implícito na expressão de puro espanto diante dessa "reviravolta totalmente inesperada [...] e absolutamente repentina". É claro que toda mudança dessa magnitude implica uma virada. "Como toda reviravolta brusca", escreveu, "[a circunstância] exige reavaliação e mudança de tática."

Em Zurique, no início do ano, tentando converter o poeta romeno Valeriu Marcu ao derrotismo revolucionário, Lênin usou uma frase que se tornaria famosa: "É preciso ser tão radical quanto a própria realidade". E que radicalismo não surpreende?

A realidade radical agora o surpreendia.

Insinuou-se algumas vezes que, durante a crise de Kornílov, os bolcheviques mantiveram sua vigorosa cooperação não colaboracionista com o governo, liderados por Lênin. Isso é falso: quando as orientações de Lênin começaram a chegar, o partido estava participando do Comitê de Luta havia dias e, em grande medida, a revolta já estava terminada. O processo que ele descreveu, entretanto, equivalia a uma satisfatória legitimação *post factum*.

Ele não explicitou que tipo de cooperação com os mencheviques e os SRs – a quem até pouco tempo atrás havia denunciado como não civilizados – considerava "aceitável", mas deu a entender que ela era necessária. E disse que "devemos lutar contra Kornílov, é claro, assim como os soldados de Keriénski estão fazendo, mas não apoiamos Keriénski", o que, em termos gerais, era o que havia acontecido. Exatamente no mesmo dia em que ele escreveu isso, o bolchevique *Sotsial-demokrat*, de Moscou, declarou: "O proletariado revolucionário não pode tolerar a ditadura, nem de Kornílov nem de Keriénski".

"Nós revelamos sua fraqueza", escreveu Lênin, apontando a hesitação de Keriénski e fazendo exigências maximalistas – transferência das propriedades para os camponeses, controle dos trabalhadores, armamento dos trabalhadores. Esta última, é claro, já havia sido cumprida. A nota de aprovação que Lênin acrescentou à carta antes de enviá-la era compreensível: "Tendo lido seis edições do *Rabochy* depois de escrever isto, devo dizer que nossos pontos de vista coincidem plenamente".

No dia 30, a Divisão Selvagem de Kornílov ergueu uma bandeira vermelha. Os cossacos da Ussuriysky juraram lealdade ao governo provisório. O general Deníkin foi preso por suas próprias tropas. Comandantes de outros *fronts* começaram a se declarar a favor do governo, contra a conspiração da direita. Em Luga, onde Krimov recebeu de Finíssov e Dyusimeter o falso alerta de que haveria "tumultos bolcheviques" a qualquer momento, os cossacos do Don se radicalizaram tanto que cogitavam prendê-los.

Um enviado do governo chegou naquela tarde. O homem prometeu proteção a Krimov e o convidou a ir à capital para conhecer Keriénski.

A seu modo ineficaz, Keriénski queria limpar a casa. Mas, apesar de ter salvado Petrogrado, a esquerda tinha quase tanto receio dele quanto da direita. Por exemplo, ele demitiu Sávinkov por sua proximidade com vários conspiradores, mas o substituiu por Palchinsky, cuja política era muito similar – uma de suas primeiras medidas foi fechar o bolchevique *Rabochy* e o *Nóvaia Jizn*, de Górki. E, como se quisesse agravar o temor, Keriénski nomeou como chefe do Estado-Maior o general Alekséiev, um homem com opiniões praticamente idênticas às de Kornílov.

Com o navio afundando, os ratos começaram a correr atônitos, atônitos!, diante de qualquer insinuação de que teriam apoiado Kornílov. Rodzianko declarou com toda a pompa que "começar agora uma guerra e uma disputa fratricidas é um crime contra a pátria". Tudo o que sabia a respeito da conspiração, alardeou, era o que saíra nos jornais.

Em sua cela, o ridículo Vladímir Lvov percebeu que a maré havia mudado. Enviou suas sinceras felicitações a Keriénski, dizendo-se satisfeito por ter "livrado um amigo das garras de Kornílov".

Naquela noite, quando Krimov chegou, a cidade não estava tranquila.

Na manhã de 31 de agosto, Krimov e Keriénski tiveram uma discussão acalorada no Palácio de Inverno. O que exatamente foi dito não se sabe.

É provável que Keriénski tenha acusado Krimov de motim, o que Krimov teria negado de modo nada convincente. Assim como Kornílov, Krimov estava furioso com a aparente duplicidade de Keriénski, com sua inexplicável mudança de opinião. Nervoso demais para continuar, Krimov concordou com um novo interrogatório e se hospedou no apartamento de um amigo.

"A última cartada para salvar a pátria foi dada", disse ele ao seu anfitrião. "A vida não vale mais a pena."

Krimov pediu licença e foi para um quarto particular. Lá, escreveu um bilhete para Kornílov, sacou a pistola e deu um tiro no coração.

O conteúdo da sua última carta permanece desconhecido.

Keriénski ordenou a abertura de uma comissão de inquérito sobre a tentativa de golpe. Mas ainda assim tentou captar as boas graças da direita – que o desprezava –, limitando a investigação aos indivíduos e eximindo as instituições. Deu continuidade ao plano de criar uma coalizão autoritária entre a direita socialista e os liberais, fortalecendo o poder dos kadets.

Mas, nas ruas de Petrogrado, quem derrotou a conspiração foram os trabalhadores e soldados radicais, e eles foram exortados com confiança. O fracasso da revolta de Kornílov puxou a alavanca política para a esquerda novamente. Os soldados da guarnição de Petrogrado proclamaram que "qualquer aliança será combatida por todos os filhos leais do povo, assim como eles lutaram contra Kornílov". Agora eles exigiam um governo de trabalhadores e camponeses pobres. O 2º Regimento de Metralhadoras insistia em que "a única saída para a situação atual é a transferência do poder para as mãos dos trabalhadores".

Unidades anteriormente neutras começaram a mudar de posição, assim como os trabalhadores das fábricas dominadas pelos moderados. Uma infinidade de moções – dos bolcheviques, da ala esquerda do SR, dos mencheviques internacionalistas, de pessoas não afiliadas – exigia o poder aos sovietes, a repressão à contrarrevolução, a unidade da esquerda e um governo exclusivamente socialista para pôr fim à guerra. Larin, o camarada de Martov, chegou ao limite da exasperação com os mencheviques pró-coalizão e passou para o lado dos bolcheviques, junto com centenas de trabalhadores.

No fim da tarde do dia 31, o Comitê Executivo dos Sovietes de Toda a Rússia discutiu sobre o governo e sua relação com ele. Evocando o poder e a unidade que o Soviete havia demonstrado contra Kornílov, bem como sua capacidade de salvar a cidade, Kámeniev apresentou uma moção.

Em termos bolcheviques, a proposta era decididamente moderada – como o próprio Kámeniev –, mas representava um rompimento fundamental à esquerda com as práticas do Soviete. Um repúdio à conciliação. A moção reivindicava um governo nacional apenas de representantes da classe trabalhadora e camponeses pobres. O confisco das terras senhoriais sem indenização e sua transferência para os camponeses. Supervisão da indústria pelos trabalhadores. Uma paz democrática universal. Embora Kámeniev tivesse anunciado frivolamente que não estava "preocupado [...] com os aspectos puramente técnicos da formação do governo", a moção foi interpretada como um apelo a todo o poder aos sovietes.

Às 7h30 da noite, os comitês executivos encerraram a reunião sem passar à votação. Pouco depois, o próprio Soviete de Petrogrado se reuniu em sua sede. A massa de delegados falou longamente sob a desagradável claridade das lâmpadas, enquanto os ponteiros dos relógios alcançavam lentamente o zênite. Discutiam a proposta de Kámeniev à medida que agosto findava e setembro se iniciava, e ainda estavam discutindo quando o mundo abriu os olhos para um novo dia.

Parecia haver a vontade nova e compartilhada de um governo de esquerda. Um caminho para a unidade socialista. Para o poder.

9

SETEMBRO: O MAL-ESTAR DO COMPROMISSO

Às cinco horas da manhã de 1º de setembro, após um longo e cansativo debate sobre sua relação com o governo em geral e a moção de Kámeniev, o Soviete de Petrogrado realizou uma votação.

Os SRs sugeriram que os comitês executivos indicassem um gabinete responsável para um "governo provisório revolucionário", mas ainda insistiam na participação de grupos burgueses – embora não os kadets. Nesses tempos pós-Kornílov, os kadets eram desprezados por terem sido cúmplices das conspirações.

A proposta do SR foi rejeitada. Em vez disso, a reunião aprovou a de Kámeniev.

Os soldados superavam os trabalhadores no Soviete na proporção de dois para um, mas muitos ainda estavam em serviço, de modo que apenas uma fração relativamente pequena de afiliados estava presente na contagem. E a proposta de Kámeniev era "moderada" comparada ao "leninismo" do VI Congresso do Partido. Ao mesmo tempo, esse foi um momento extremamente pesado.

Em março, a oposição bolchevique ao governo provisório havia perdido por humilhantes 19 votos a 400. Em abril, defendendo a não participação no gabinete, ela havia obtido 100 votos contra 2 mil. Mas a situação agora, após a debacle das Jornadas de Julho, os meses de crise no governo, na economia e na guerra, e a dramática tentativa contrarrevolucionária, era completamente diferente. Com o apoio da esquerda menchevique e da esquerda SR – que agora eram a maioria dos SRs na capital –, o Soviete de Petrogrado adotou pela primeira vez uma resolução bolchevique: 279 votos a favor, 115 contra e 51 abstenções.

A votação parecia sinalizar uma oportunidade. Talvez os bolcheviques e os demais socialistas pudessem encontrar um denominador comum.

As aspirações colaborativas se estenderam a setores improváveis. Em seu esconderijo finlandês, Lênin se sentou para escrever seu documento "Sobre compromissos".

No VI Congresso, ele dissera que os sovietes seguiam os seus líderes "como ovelhas para o abate". Lênin havia excluído qualquer possibilidade de trabalhar com os mencheviques e os SRs, insistindo na absoluta necessidade de uma vigorosa tomada do poder. Mas "agora, e só agora", ele escreveu, mais uma vez mudando vertiginosamente de perspectiva, "talvez apenas durante alguns dias ou uma ou duas semanas", parecia possível criar um soviete socialista "de forma perfeitamente pacífica".

Impressionado com a oposição em massa aos kadets e com a assombrosa mobilização dos sovietes contra Kornílov, Lênin propôs que seu partido "voltasse" à exigência anterior a julho, "Todo o poder aos sovietes" - que, em todo caso, havia retornado espontaneamente. "Nós [...] podemos propor um compromisso voluntário" com os socialistas moderados, sugeriu.

Lênin propôs que os SRs e os mencheviques formassem um governo exclusivamente socialista, responsável pelos sovietes locais. Os bolcheviques permaneceriam fora desse governo - "a menos que uma ditadura do proletariado e dos camponeses pobres possa ser real" -, mas eles não fariam campanha pela tomada do poder. Ao contrário, assumindo a convocação de uma Assembleia Constituinte e da liberdade de propaganda, eles atuariam como uma "oposição leal", esforçando-se para ganhar influência dentro dos sovietes.

"Talvez isso já seja impossível?", escreveu Lênin a respeito desse apelo, em particular no caso dos escalões mais baixos dos mencheviques e dos SRs. "Talvez. Mas, se houver ainda uma chance em cem, a tentativa de tornar essa oportunidade uma realidade ainda valerá a pena."

No fim da noite do dia 1º, os Comitês Executivos de Toda a Rússia retomaram a sessão. E, como que para esvaziar as ideias provocadoras e ainda inéditas de Lênin, as lideranças mencheviques e SRs rejeitaram a aprovação da moção de Kámeniev pelo Soviete de Petrogrado. Em seu lugar, eles defendiam apoiar Keriénski - apesar de, naquele dia, ele ter anunciado que todo o poder agora estava nas mãos do chamado Conselho dos Cinco, o diretório no qual ele havia insistido.

Kámeniev provocou seus oponentes. Zombou cruelmente deles por ficarem parados enquanto Keriénski "[os] reduzia a nada". "Eu esperava", disse ele, "que vocês rejeitassem esse golpe como rejeitaram o ataque de Kornílov." Martov, ainda inflexível contra qualquer diretório, propôs um ministério exclusivamente socialista. Mas a maioria não o aprovaria. Ao contrário, eles propuseram – no que poderia ser uma paródia amarga da ineficiência burocrática – mais uma conferência, a "Conferência do Estado Democrático", dessa vez para todas as "bases democráticas".

O objetivo? Inacreditavelmente, era discutir o governo.

Nas primeiras horas do dia 2 de setembro, o comitê rejeitou as propostas dos bolcheviques e dos mencheviques internacionalistas e ofereceu seu apoio a Keriénski.

Lênin soube da decisão no dia seguinte, quando se preparava para enviar seu texto "Sobre compromissos". Não admira que tenha acrescentado ao manuscrito um breve e melancólico pós-escrito.

> Digo a mim mesmo: talvez já seja tarde demais para propor um compromisso. Talvez os poucos dias em que ainda era possível um desenvolvimento pacífico também tenham passado [...]. Tudo o que resta é enviar essas notas ao editor com o pedido de que sejam intituladas: "Pensamentos tardios". Talvez nem sempre os pensamentos tardios sejam desprovidos de interesse.

A única concessão de Keriénski ao Soviete foi excluir os kadets do diretório ditatorial. Alekséiev assumiu o cargo de chefe do Estado-Maior e Kornílov foi transferido com outros trinta conspiradores para o mosteiro de Bykhov, cujos carcereiros solidários permitiam a presença de seus guarda-costas e onde as famílias podiam fazer visitas duas vezes por dia.

Com o objetivo de sufocar a agitação radical, Keriénski ordenou que os comandantes militares, comissários e organizações do Exército pusessem fim à atividade política entre os soldados. O resultado da ordem foi exatamente nenhum. A essa altura, as negociações de Keriénski com Kornílov eram de conhecimento geral e acabaram com qualquer autoridade que Keriénski ainda pudesse ter. Apenas os socialistas moderados ainda tinham olhos para ele. Para a direita, ele havia traído a maior esperança da Rússia; para a esquerda, especialmente para os soldados, Keriénski estava negociando com Kornílov o retorno do odiado regime dos oficiais.

Keriénski havia permanecido como chefe do governo não em virtude de sua força, mas apesar de sua fraqueza, sustentando-se na tensão generalizada. Se esse ainda era, como descreveu Lênin, um ato de equilíbrio, era um ato de equilíbrio negativo – um bonapartismo dos desprezados.

E, no entanto, obstinadamente, e consonante certo estagismo subjacente à sua política e insistência na coalizão, os socialistas moderados ainda asseveravam que o poder devia permanecer com Keriénski. A aliança com o liberalismo não era negociável. Mesmo quando se opunham às ordens concretas de Keriénski, eles sustentavam que cabia a ele dar essas ordens.

Em 4 de setembro, Keriénski exigiu a dissolução de todos os comitês revolucionários que surgiram durante a crise, inclusive o Comitê de Luta contra a Contrarrevolução. Esse comitê se reuniu imediatamente – o que já era em si um ato de desobediência civil – e manifestou uma otimista confiança de que, dada a continuidade da ameaça contrarrevolucionária, tais órgãos continuariam a operar.

A recalcitrância das bases, bem como as espantosas e crescentes cisões entre a esquerda e a direita dos mencheviques e dos SRs, alimentava a esperança de Lênin de que um consenso fosse possível, apesar de seu recente pós-escrito. Entre 6 e 9 de setembro, em "As tarefas da revolução", "A revolução russa e a guerra civil" e "Uma das questões fundamentais da revolução", ele sustentou que os sovietes poderiam assumir o poder de forma pacífica. Até concedeu certo respeito aos seus opositores políticos pelos esforços recentes, declarando que uma aliança entre bolcheviques, mencheviques e SRs em um regime do Soviete evitaria uma guerra civil.

Esses artigos provocaram consternação entre seus camaradas do partido, em particular no Departamento Regional de Moscou e no Comitê de Petersburgo. Pode-se pensar que eles estavam acostumados a se surpreender com as alternâncias de Lênin, mas agora eles estavam espantados com a reviravolta de um homem que a esquerda havia defendido contra os moderados bolcheviques. O *Rabochy Put'* se recusou a publicar "Sobre compromissos" porque o considerou conciliador.

E havia boas razões para não acreditar que essa nova aspiração colaborativa de Lênin daria frutos, mesmo em relação ao apoio dos comitês de toda a Rússia a Keriénski. Em 3 de setembro, foi anunciada a recém-planejada Conferência

Democrática, o que era um mau sinal para a esquerda. Dos 1.198 delegados, a proporção de soldados e trabalhadores das cidades era baixa em relação aos sovietes rurais, *zemstvos* e cooperativas mais conservadoras.

Mesmo assim, os bolcheviques enviaram instruções a seus delegados sobre como deveriam votar. Afinal, a abordagem de Lênin parecia compatível tanto com a direita do partido – como Kámeniev, que pensava que o país não estava maduro para a revolução socialista – quanto com os mais radicais, para os quais o poder do Soviete poderia ser uma forma de transição para além do capitalismo. E, ao mesmo tempo, as bases populares ainda faziam grande pressão e tinham esperança em uma unidade socialista entre os partidos. A tentativa parecia valer a pena.

O país estava polarizado não apenas entre direita e esquerda, mas entre politizado e alienado. Assim, talvez contraintuitivamente, à medida que cresciam as tensões sociais, diminuía o número de votantes nas eleições para os incontáveis colegiados locais. Em Moscou, em junho, por exemplo, 640 mil cédulas foram contadas nas eleições municipais: agora, três meses depois, havia apenas 380 mil. E os que votaram se deslocaram para posições mais duras: a participação dos kadets cresceu de 17,2% para 31,5%; a dos bolcheviques, de 11,7% para 49,5%. Os moderados perderam votos. Os mencheviques passaram de 12,2% para 4,2%; os SRs, de 58,9% para 14,7%.

Os SRs de esquerda conquistaram o controle das organizações e dos comitês do partido em Revel, Pskov, Helsingfors, Samara, Tasquente, entre outras, incluindo a própria Petrogrado. Eles exigiram um Congresso Nacional dos Sovietes e um governo exclusivamente socialista. A liderança russa do SR parecia paralisada diante de seu emergente flanco esquerdo que, tiranicamente, ela havia tentado ignorar. Agora, ela "expulsava" a organização de Petrogrado, entre outras, por "desvio" – uma não sanção sem sentido, que deixava todos os recursos em vigor para os radicais. O CC do SR apostou todas as suas fichas na eleição da Assembleia Constituinte, agendada (então) para novembro.

Em Baku, onde algumas semanas antes os oradores bolcheviques haviam sido vaiados nas reuniões de rua, as moções do partido estavam arrebatando comitês de fábrica e assembleias. "A perceptível bolchevização de toda a Rússia apareceu em dimensões mais amplas em nosso império petrolífero", escreveu Chaumian, partidário dos bolcheviques de sua região. "E muito antes do

Kornílovschina [o caso Kornílov]. Os antigos donos da situação, os mencheviques, não conseguem aparecer nos distritos dos trabalhadores. Juntamente com os bolcheviques, os internacionalistas do SR [a esquerda] começaram a se fortalecer [...] e formaram um bloco com os bolcheviques."

Por todo o império, os mencheviques estavam se dividindo. Alguns foram para a direita, como em Baku; no outro extremo, os mencheviques em Tbilisi, na Geórgia, adotaram uma posição de extrema esquerda a favor de um governo socialista unido que incluísse os bolcheviques.

No dia 5, foi a vez do Soviete de Moscou votar a favor da resolução de 31 de agosto de Kámeniev. Um congresso do soviete em Krasnoiársk, na Sibéria, conquistou maioria bolchevique. No dia 6, enquanto "Sobre compromissos" era publicado, em Ekaterimburgo, nos Urais, o poder passou para as mãos dos sovietes e os trabalhadores se recusaram a reconhecer o governo provisório. Em protesto ao diretório de Keriénski, dezenove comitês da Frota do Báltico recomendaram que todos os navios hasteassem bandeiras vermelhas.

E, a dissidência tenha ou não tomado formas socialistas, o fato é que as aspirações nacionais das minorias russas se amplificaram. Em Tasquente, no Uzbequistão, tensões entre os habitantes russos e uzbeques muçulmanos se inflamaram, até que, em 10 de setembro, os soldados locais formaram um comitê revolucionário e expulsaram os representantes do governo, assumindo o controle da cidade. Entre os dias 8 e 15, num gesto de provocação, a Rada ucraniana convocou um Congresso das Nacionalidades, reunindo ucranianos, judeus, poloneses, lituanos, tártaros, turcos, romenos da Bessarábia, letões, georgianos, estonianos, cazaques, cossacos e representantes de vários partidos radicais. O Congresso, aumentando o tom da linguagem de "autonomia cultural", concordou que a Rússia deveria ser "uma república federativa democrática", em que cada parte decidiria como se vincular às demais. Exceto no caso da Polônia e, em menor grau, da Finlândia, a orientação (sem falar na reivindicação formal) não era a independência total. Mas a dinâmica da independência estava implícita de certa forma – e, mais tarde, seria muito importante.

O *presidium* do Soviete de Petrogrado, composto por mencheviques e SRs de direita, considerou que a vitória de Kámeniev em 1º de setembro era apenas um efeito colateral do desgaste do Soviete naquela noite. Em 9 de setembro, eles ameaçaram renunciar, caso a decisão não fosse revogada.

Os bolcheviques temiam não conseguir aprovar a moção dessa vez. Em uma tentativa de atrair os indecisos e ganhar influência, sugeriram uma reforma do *presidium*, em termos justos e proporcionais, para incluir grupos anteriormente não representados – como os bolcheviques. "Se a coalizão com os kadets era aceitável", argumentaram na câmara, "certamente eles podem participar de políticas de coalizão com os bolcheviques neste órgão."

E Trótski acrescentou um golpe de mestre à manobra.

Havia muito tempo, nos primórdios do Soviete de Petrogrado, relembrou ele, o próprio Keriénski fazia parte do *presidium*, claro. O *presidium*, perguntou Trótski, ainda considerava Keriénski, aquele do diretório ditatorial, um membro seu?

A questão colocou os moderados em uma posição ingrata. Keriénski agora era vilipendiado como contrarrevolucionário – mas seu compromisso político com a colaboração impedia que os mencheviques moderados e os SRs o repudiassem. O *presidium* admitiu que ele era, de fato, um de seus membros.

Nunca, desde Banquo*, um fantasma tão indesejável havia se sentado à mesa. A afronta pelo fato de Keriénski ser considerado membro do *presidium* fez a balança pender a favor de uma ampliação das afiliações. Por 519 votos a 414, com 67 abstenções, o Soviete de Petrogrado se alinhou aos bolcheviques contra o *presidium* – e seu membro ausente e tóxico. O *presidium* renunciou em massa como forma de protesto.

Isso não queria dizer que agora, diante desse cenário, os bolcheviques detinham apoio esmagador. Eles ainda não tinham certeza de fazer passar todas as suas moções. Mesmo assim, a manobra foi um triunfo. Lênin condenaria depois seu caráter excessivamente conciliador: uma reprovação severa e pouco convincente, diante de seu sucesso e de seus efeitos.

Em setembro, a trajetória ascendente da guerra camponesa não havia desacelerado. Em números cada vez maiores, os aldeões saqueavam mais propriedades, de modo mais violento, muitas vezes usando fogo, muitas vezes ao lado de soldados e desertores. Em Penza, Sarátov, Kazan e, especialmente, em Tambov,

* Personagem da tragédia *Macbeth*, de William Shakespeare. Macbeth manda assassinar Banquo e passa a ser assombrado por seu fantasma, que, em uma das cenas, se senta à mesa do jantar. (N. T.)

propriedades foram incendiadas. Surgiram sovietes nas aldeias. Destruição e roubo floresciam em verdadeiras insurreições.

Às vezes, com isso sobrevinham assassinatos notórios, como o do príncipe Viaziémski, um proprietário de terras, no mês anterior. Um homicídio que chocou os liberais por causa das obras de caridade que ele realizava. A situação se agravou o suficiente para que o Conselho da União dos Proprietários de Terras de Tambov emitisse um pedido de ajuda, que foi assinado como "União dos Desafortunados Proprietários de Terras".

Na primeira quinzena de setembro, um funcionário municipal de Kozlóvsk fez uma lista dos ataques contra as propriedades locais. Registrou 54 incidentes, inclusive a "condição de partilha de propriedade". Uma planilha de fúria rural e destruição. "Destruída." "Destruída e parcialmente incendiada." "Destruída e incendiada." "Destruída."

Nas cidades, uma onda de greves levou às ruas não apenas os trabalhadores qualificados mas também os colarinhos-brancos, os não qualificados, os de hospitais e os de escritório. A Guarda Vermelha agora confrontava frequentemente as milícias governamentais, e nem sempre sem derramamento de sangue. Os chefes impediam a entrada dos trabalhadores; proletários famintos invadiam as casas em bandos, à caça tanto de atravessadores de alimentos quanto de alimentos.

"Basicamente, a anarquia reinava em Petrogrado", disse K. I. Globatchov. Ex-chefe da Okhrana, ele passou os meses de fevereiro a agosto na sombria prisão do castelo de Kresty, cumprindo pena pelo cargo que tinha. Suas observações, porém, estavam corretas. "Os criminosos se multiplicavam de forma inimaginável. Todos os dias, assaltos e assassinatos eram cometidos não apenas à noite, mas também em plena luz do dia."

As prisões não conseguiam manter os prisioneiros: ou pelas convulsões políticas, ou pela inadequação dos guardas, muitos presos simplesmente saíram da prisão andando rumo à liberdade. O próprio Globatchov só resolveu permanecer em Kresty porque não sabia como um agente da polícia secreta do antigo regime poderia sustentar-se nas ruas após a Revolução de Fevereiro.

Em Ostrogojsk, pequena cidade da província de Vorónej, durante três violentos dias os saqueadores elegeram como alvo uma loja de bebidas. O resultado foi um enorme incêndio. Quando os soldados conseguiram finalmente reprimir essa bebedeira niilista, 57 pessoas estavam mortas, das quais 26 haviam sido queimadas vivas.

O jornal da direita SR, o *Vólia Naroda*, publicou um editorial sobre a crescente anarquia com uma lista concisa, regular, com cada um dos pontos em destaque, "praticamente, de um período de guerra civil".

> Motim em Orel [...]
> Em Rostov, a prefeitura é dinamitada.
> Na província de Tambov, há *pogroms* agrários [...]
> Gangues de ladrões nas estradas de Pskov [...]
> Às margens do Volga, perto de Kamyshin, trens saqueados por soldados.

Quanto as coisas podem piores? – pergunta o jornal. Ele culpa o bolchevismo.

Sovietes em toda a Rússia se inclinavam para a esquerda. Em Astracã, uma reunião de sovietes e outros socialistas votou por 276 votos a 175 contra o apelo de unidade dos mencheviques e SRs – *inclusive* com grupos que se envolveram com Kornílov. Os delegados, ao contrário, apoiaram o chamado dos bolcheviques à transferência do poder aos trabalhadores e camponeses pobres.

Em meados de setembro, a inteligência militar reportou "hostilidade aberta e animosidade [...] por parte dos soldados; o fato mais insignificante pode provocar tumultos. Os soldados dizem [...] que todos os oficiais são seguidores do general Kornílov [...] [e] devem ser destruídos". O ministro da Guerra informou aos SRs "um aumento dos ataques de soldados contra oficiais, tiroteios e granadas jogadas pelas janelas durante as reuniões dos oficiais". Ele explicou a fúria dos soldados assim: "Imediatamente após Kornílov ser declarado rebelde, o Exército recebeu instruções do governo para continuar a executar as ordens operacionais dadas por ele. Ninguém queria acreditar que uma ordem em tamanha contradição com a anterior pudesse ser verdade".

Mas era. Esse era o governo decadente de Keriénski.

O sentimento festivo de março e abril foi substituído por uma sensação de encerramento, de conclusão, e não em meio à paz, mas à catástrofe, à lama e ao fogo da guerra.

A nova linguagem dos primeiros dias parecia abafada por um balbucio atabalhoado e bestial. "Onde estão agora nossos feitos e sacrifícios?", suplicava o escritor Aleksei Riémizov àquele mundo apocalíptico. Ele não encontrou respostas. Somente visões. "Cheiro de fumaça e guinchos de macacos."

Em 14 de setembro, a Conferência Democrática foi aberta no famoso Teatro Aleksandrínski, em Petrogrado. O salão estava repleto de bandeiras vermelhas, como se fosse para expressar uma unidade de propósitos da esquerda que há muito estava em falta. No palco, além da mesa do *presidium*, havia o cenário de uma peça de teatro: atrás dos oradores, árvores artificiais e portas que davam para lugar nenhum.

As esperanças dos radicais em relação à conferência, que jamais foram altas, naufragaram assim que os participantes declararam suas afiliações. Cerca de 532 SRs estavam presentes, apenas 71 dos quais eram da ala esquerda do partido; 530 mencheviques, dos quais 56 internacionalistas; 55 socialistas populares; 17 não afiliados a nenhum partido; 134 bolcheviques. A conferência tendia fortemente a favor dos moderados. No entanto, os bolcheviques estavam decididos a usar a reunião para fazer pressão por um consenso, um governo socialista.

Na convenção do partido, Trótski desejava a transferência do poder aos sovietes; Kámeniev, não convencido de que a Rússia estava pronta para a transformação e esperando conquistar uma base mais ampla para um governo dos trabalhadores, defendeu a transferência do poder estatal "não ao Soviete", mas a uma coalizão socialista. As diferenças entre as duas posições evidenciavam concepções distintas da história. Mas, para os delegados do partido, eram apenas nuances estratégicas secundárias. De qualquer forma, o fato é que os bolcheviques estavam totalmente envolvidos na conferência, a ponto de defender cooperação com os partidos da esquerda moderada, coalizão e avanço pacífico da revolução – exatamente o que o próprio Lênin vinha defendendo desde o início do mês.

Por isso, foi como se tivesse caído um raio quando, no segundo dia da conferência, a liderança bolchevique recebeu duas novas cartas de seu líder exilado. Com a dureza de uma pedra, ele reverteu todas as suas recentes sugestões conciliatórias.

"Os bolcheviques, tendo conquistado a maioria nos sovietes de deputados operários e soldados das duas principais cidades do país", dizia a primeira comunicação, "podem e *devem* tomar o poder estatal em suas próprias mãos." Lênin ridicularizou a Conferência: "*estrato superior da pequena burguesia em situação comprometedora*". Exigiu que os bolcheviques proclamassem a necessidade de "transferência imediata de todo o poder aos *democratas revolucionários, liderados pelo proletariado revolucionário*" e abandonassem a conferência.

Os camaradas de Lênin ficaram completamente horrorizados.

Paradoxalmente, foi a continuidade da inclinação da própria Rússia à esquerda, a tendência que havia despertado em Lênin a esperança de uma cooperação, que o fez mudar de ideia. Porque, com essa tendência, veio o triunfo dos bolcheviques nas duas principais cidades da Rússia, e Lênin ficou preocupado com o que aconteceria se o partido *não* agisse por si mesmo. Ele temia que as energias revolucionárias se dissipassem, ou que o país degringolasse para uma anarquia – ou que aquela contrarrevolução brutal ressurgisse.

A agitação estava sacudindo o Exército e a sociedade na Alemanha. Lênin tinha certeza de que toda a Europa estava amadurecendo para a revolução e de que uma revolução russa em larga escala seria um poderoso impulso nesse sentido. Ele estava muito ansioso – com razão, e nisso não estava sozinho – e com medo de que o governo entregasse Petrogrado, a capital vermelha, aos alemães. Se isso acontecesse, as chances dos bolcheviques, disse, seriam "cem vezes menos favoráveis".

Repetiu que o partido agira corretamente ao não se mobilizar em julho, sem as massas atrás de si. Mas agora ele as tinha.

Essa foi mais uma daquelas reviravoltas que tanto confundiam seus camaradas. Entretanto, não se tratava de mero capricho. Era o resultado de uma atenção minuciosa às mudanças da política e ao modo exagerado como as massas reagiam a elas. Agora, insistia ele, com as massas atrás de si, o partido devia agir.

Tarde da noite do dia 15 de setembro, um grupo do alto escalão bolchevique deixou o Teatro Aleksandrínski e rumou para a sede do partido. Ali, com a máxima discrição, eles discutiram as assustadoras cartas de Lênin.

Não havia sequer um lampejo de apoio às suas exigências. Lênin estava completamente isolado. Além disso, para seus camaradas era imperativo que sua voz fosse silenciada, que sua mensagem não chegasse aos trabalhadores de Petrogrado ou aos comitês bolcheviques de Petrogrado e de Moscou. Não porque poderiam pensar que Lênin estava errado, mas porque pudessem pensar que ele estava certo. Se isso acontecesse, Lomov explicou mais tarde, "muitos duvidariam da correção da posição adotada pelo CC como um todo".

A liderança encarregou membros da OM e do Comitê de Petersburgo de garantir que nenhum apelo à ação chegasse às fábricas ou aos quartéis. O CC se preparou para as negociações na conferência, como acordado anteriormente.

A nova posição de Lênin era, literalmente, indizível. O CC foi a favor de queimar todas as cópias, exceto uma de cada carta. Como se fossem páginas de algum terrível manual de magia negra. Como se quisessem enterrar suas cinzas e depois espalhar sal sobre o terreno.

O ceticismo de Lênin em relação ao potencial da conferência, completamente dividida, era justificado. Enquanto isso, a maioria dos mencheviques e dos SRs permaneceu tão empenhada como sempre na coalizão com a burguesia – o que significava dar carta branca ao frágil e desprezado Keriénski.

No dia 16, despreocupadamente dissimulada, a liderança bolchevique publicou as palavras de Lênin – de duas semanas antes. Eles publicaram a versão melhorada do ensaio "A revolução russa e a guerra civil".

Podemos imaginar a fúria do autor: em sua opinião, o texto estava ultrapassado. No dia 18, a declaração formal da conferência do partido sobre o governo se inspirou em outra das relíquias antediluvianas de seu líder: "Sobre compromissos". Sim, os bolcheviques organizaram uma manifestação em frente ao teatro exigindo um governo socialista, mas essa manifestação – bem-comportada demais – estava longe da militância armada e rebelde "circundando" o Aleksandrínski que Lênin acabara de convocar.

Incapaz de tolerar o que estava acontecendo, agoniado por não estar participando da ação, Lênin desobedeceu a uma instrução direta do CC. Decidiu partir para Vyborg (cidade finlandesa que tinha o mesmo nome do distrito da capital russa), a 130 quilômetros de Petrogrado. De lá, traçaria um caminho de volta para o centro dos acontecimentos.

Ele precisava de um disfarce. Kustaa Rovio foi com ele a um fabricante de perucas de Helsingfors, que ameaçou o plano ao insistir em que levaria duas semanas para personalizar algo apropriado. O comerciante ficou atônito ao ver Lênin correndo os dedos impacientemente por uma peruca grisalha, já pronta. A maioria dos clientes queria rejuvenescer: o efeito ali seria oposto. Mas Lênin rejeitou todas as tentativas do homem de dissuadi-lo. Durante muito tempo, o fabricante de perucas contaria a história do jovem cliente que queria parecer velho.

Em Vyborg, Lênin se hospedou por algumas semanas no número 15 da Rua Aleksanterinkatu, numa região da cidade onde se fabricavam tijolos. Ele passava os dias lendo jornais e escrevendo, alojado na residência compartilhada pelas famílias socialistas Latukka e Koikonen. Hóspede solícito e pouco exigente, diante do flagelo da ordem estabelecida ele se tornou rapidamente popular. Quando, por fim, depois de mais de uma discussão violenta com o emissário do CC, Shotman – ele insistiu em retornar a Petrogrado, os Latukkas e os Koikonens ficaram tristes com sua partida.

No dia 19, depois de quatro dias de discussões sobre o futuro governo, e cinco cansativas horas de chamada, a Conferência Democrática votou o princípio de coalizão com a burguesia.

Não foi surpresa que os moderados, sobrerrepresentados, vencessem: 766 votos a favor da coalizão, 688 contra e 38 abstenções. No entanto, logo depois, os delegados tiveram de discutir duas emendas conflitantes.

A primeira dizia que kadets e outros que tivessem sido cúmplices no caso Kornílov deveriam ser excluídos da coalizão. A segunda, que a *totalidade* Kadet, na condição de partido contrarrevolucionário, deveria ser excluída *tout court*.

Os bolcheviques, juntamente com Martov, perceberam aí uma oportunidade. Eles discursaram a favor de *ambas* as emendas, não importando que fossem incompatíveis.

Houve um debate tenso e confuso. Mas aqueles que foram considerados cúmplices de Kornílov passaram a ser tão desprezados que, na hora da votação, as duas emendas foram aprovadas. Isso significava que a proposta de coalizão, alterada, tinha de ser votada novamente. Conforme as duas emendas, a nova proposta se declarava a favor da coalizão com a burguesia, mas essa coalizão não teria a participação dos kornilovistas, inclusive dos kadets envolvidos nos caso *e*, incoerentemente, de nenhum kadet.

Esta última condição era inaceitável para os moderados de direita, que não conseguiam imaginar uma coalizão sem os kadets, portanto eles votaram contra. Assim como a esquerda, é claro. Embora muitos tivessem votado a favor de uma ou outra, as emendas eram essencialmente irrelevantes para a esquerda – ela se manteve implacavelmente contrária a qualquer tipo de coalizão com os representantes da propriedade. Essa aliança temporária e absurda entre direita e esquerda na conferência garantiu que a moção fosse rejeitada de maneira esmagadora.

Não se chegou a nenhuma conclusão. Nada estava resolvido.

O homem com quem os moderados queriam uma coalizão, Keriénski, permaneceu miseravelmente fraco, e sua fraqueza só crescia. Ele atacou, lutou para fortalecer sua autoridade. No dia 18 de setembro, declarou a dissolução do Comitê Central da Frota do Báltico. Os marinheiros responderam simplesmente que a ordem era "considerada inoperante".

A Conferência Democrática também se esforçou para adquirir relevância. Após uma exaustiva sessão do *presidium*, que levou um dia inteiro para tratar do resultado inútil da votação do dia 19, uma nova votação resultou numa cisão de cinquenta votos a favor e sessenta contra a coalizão.

De modo quase inacreditável, como em uma comédia de Beckett, e fiel a algum ciclo autotélico de comitês geradores de comitês, Tseretiéli propôs a criação de um novo órgão. Esse órgão, disse ele, decidiria a composição de um futuro gabinete, com base no programa político do Soviete aprovado em 14 de agosto. Os bolcheviques (sozinhos) se opuseram ao programa – mas a liderança bolchevique, que ainda procurava a colaboração que Lênin dizia ser impossível, concordou com a formação desse "Conselho Democrata" ou "Pré-Parlamento".

Que, prontamente aprovado pelo *presidium*, deveria incluir representantes das classes proprietárias.

Um dia antes, a conferência havia aprovado a coalizão, mas rejeitado a coalizão com os kadets. Agora rejeitava a coalizão, mas discutia uma cooperação política com a burguesia *e* os kadets. Os procedimentos ultrapassavam seu próprio absurdo.

Os mecanismos, os membros e os poderes do Pré-Parlamento eram complicados e provisórios, mas essa porta permanecia aberta para a cooperação com a direita. Um grupo selecionado entre os próprios moderados – já que a esquerda se opunha firmemente a qualquer envolvimento com a burguesia – obteve autoridade para se encontrar com o governo e decidir que caminho seguir.

Ainda assim, e apesar de tudo isso, no dia 21 o CC bolchevique decidiu que não deixaria a Conferência Democrática. Eles votaram entre si contra a participação no Pré-Parlamento, mas por uma margem tão estreita – nove votos a oito – que sentiram que deveriam levar o debate adiante, convocando uma reunião de emergência com os delegados.

Trótski falou a favor do boicote, Rykov contra. Depois de uma reunião tumultuada, quando chegou a hora de votar, foram 75 votos a favor da participação no Pré-Parlamento e 50 contra.

Não era à toa que muitos bolcheviques, em particular os de esquerda, estavam céticos com a decisão. No dia seguinte, talvez para incentivá-los, o Pré-Parlamento não eleito iniciou as negociações com Keriénski e seu gabinete – e com representantes dos kadets.

Mas os representantes da burguesia com quem o Pré-Parlamento negociou não aceitariam o programa moderado que o Soviete aprovou em 14 de agosto. Também não concordariam que o Pré-Parlamento tivesse poderes formais, insistindo que ele deveria ser meramente consultivo. Diante dessa intransigência, Trótski apresentou ao órgão recém-criado um repúdio às negociações com o gabinete. Mas, no dia 23, isso foi facilmente derrotado, e as negociações foram aprovadas, embora com restrições.

Era cada vez mais evidente para os bolcheviques que outras arenas de luta poderiam ser mais apropriadas. Eles exigiram, e conseguiram, que o Comitê Executivo Central do Soviete convocasse um Congresso Nacional dos Sovietes para o mês seguinte, em Petrogrado. Certamente foi com alívio que o partido relegou o trabalho pré-parlamentar e se concentrou na tarefa de organizar o congresso de outubro e mobilizar as bases para transferir o poder aos sovietes.

Enquanto isso, com a inevitabilidade do nascer do sol, a equipe de Tseretiéli recuou e tentou tornar a sua enfraquecida plataforma mais palatável para os desprezados kadets, para os quais não era possível dar as costas. Foi acertado que 150 representantes das classes proprietárias seriam somados aos 367 delegados "democráticos" do Pré-Parlamento – e eles, como também foi tristemente acordado, não teriam nenhum poder no governo.

Enquanto esse enfraquecimento e essa auto-humilhação continuavam, a mão descarnada da fome apertava mais e mais.

A escritora estadunidense Louise Bryant havia chegado recentemente à capital. Caminhando no frio das primeiras horas da manhã, ficou horrorizada ao ver as filas para obter comida. Todos os dias, antes do amanhecer, as pessoas saíam pelas ruas sombrias da Petrogrado Vermelha, tremendo sob roupas miseráveis. Por horas, muito antes do nascer do sol, elas se enfileiravam enquanto o vento varria os bulevares. Filas de leite, tabaco, comida.

As tentativas dos camaradas de Lênin de ocultar sua intransigência se tornavam cada vez mais flagrantes. De Vyborg, na Finlândia, ele enviou críticas mordazes, e todas foram prontamente censuradas.

Quando a Conferência Democrata terminou, Lênin enviou ao *Rabochy Put'* um ensaio intitulado "Heróis da fraude e erros dos bolcheviques", insistindo em que os bolcheviques deveriam ter deixado a conferência. Isso colocou o partido, e Zinóviev em particular, na mira de críticas implacáveis. O artigo foi publicado no dia 24, como o Pré-Parlamento havia acertado – mas com o título "Heróis da fraude" e sem os ataques aos bolcheviques.

A fúria de Lênin tornou-se terrível.

No dia seguinte, amuadamente autorizado pelo Pré-Parlamento, Keriénski nomeou o gabinete da terceira coalizão. Tecnicamente, e mais uma vez, ele compreendia uma maioria de socialistas moderados, mas eles não ocupavam nenhum cargo crucial. E, violando categoricamente a resolução da Conferência Democrática, o Pré-Parlamento aprovou um gabinete que incluía o odiado Teriéschenko, bem como quatro kadets.

Nesse dia, o novo e mais representativo *presidium* do Soviete de Petrogrado se reuniu, após a saída de seus antecessores no dia 9. Era composto de um menchevique, dois SRs e, em uma virada histórica que deu maioria absoluta ao partido, quatro bolcheviques.

Um dos quatro foi aclamado com aplausos e saudações ruidosas. Doze anos depois de comandar a versão anterior do Soviete, em 1905, Leon Trótski reassumiu seu posto.

Trótski apresentou imediatamente uma resolução que estabelecia que os trabalhadores e os soldados de Petrogrado não apoiariam o novo, fraco e vilipendiado governo. A solução, ao contrário, estava no futuro Congresso dos Sovietes de Toda a Rússia. Sua moção foi esmagadoramente aprovada.

E os camaradas de Lênin ainda censuravam seus textos. Entre 22 e 24 de setembro, "Do diário de um publicista" zombou da participação do partido no Pré-Parlamento. Os conselheiros do *Rabochy Put'* – entre os quais Trótski, que o texto louvava por sua posição pró-boicote – suprimiram o artigo. No dia 26, com um atrevimento espantoso, eles publicaram, em vez desse artigo, parte de "As tarefas da revolução" – outro retrocesso àquela era ultrapassada pró-conciliação de três semanas antes.

A raiva finalmente levou Lênin à conspiração.

No dia 27, ele escreveu a Ívar Smilga, um bolchevique de extrema esquerda que presidia o Comitê Executivo Regional do Exército, da Frota e dos Trabalhadores da Finlândia. Lênin não só zombou como destruiu a elogiada "disciplina" de um partido revolucionário. O que ele tentava era nada mais nada menos do que criar um eixo alternativo pró-insurrecional dentro da organização - um eixo em que a Finlândia era fundamental.

"Parece-me que só teremos completamente à nossa disposição as tropas da Finlândia e a Frota do Báltico, e apenas elas podem desempenhar um papel militar sério", escreveu a Smilga. "Dedique toda a sua atenção à preparação militar das tropas da Finlândia, além da frota, para a derrubada iminente de Keriénski. Crie um comitê secreto de militares absolutamente confiáveis."

Esses preparativos aconteceram em meio a uma preocupação crescente com uma possível queda de Petrogrado - especialmente depois que os alemães desembarcaram na ilha estoniana de Saaremaa, perto de Riga, em 28 de setembro. Era o início da Operação Albion, cujo objetivo era conquistar o controle do arquipélago leste da Estônia, flanquear as defesas russas e abrir caminho para a conquista de Petrogrado.

Por toda a Rússia, crescia o medo de que a direita e o governo simplesmente entregassem a cidade, essa espinha atravessada em sua garganta, permitindo a queda da Petrogrado Vermelha.

Em 29 de setembro, Lênin enviou ao CC o artigo "A crise amadureceu". Era uma declaração de guerra política. Dessa vez, para evitar a mordaça habitual, ele também divulgou o documento nos comitês de Petrogrado e Moscou.

No texto, reiterou a convicção de que a revolução europeia estava próxima. Declarou que, a menos que os bolcheviques tomassem o poder imediatamente, eles seriam "desprezíveis traidores da causa proletária". Em sua opinião, esperar pelo planejado II Congresso dos Sovietes era não apenas uma perda de tempo mas um risco real à revolução. "É possível tomar o poder agora", insistiu. "De 20 a 29 de outubro vocês não terão essa chance." Então veio a bomba.

> Tendo em vista que o CC deixou sem resposta as insistentes reivindicações que tenho feito para tal política desde o início da Conferência Democrática, tendo em vista que o órgão central está *apagando* de meus artigos todas as referências aos erros flagrantes dos bolcheviques [...], sou obrigado a considerar que se trata de uma sutil insinuação de que devo me calar e uma proposta para que eu me retire.

Sou obrigado a *apresentar minha renúncia do Comitê Central*, o que faço aqui, reservando-me a liberdade de fazer campanha nas bases e no congresso do partido.

Quando a mensagem chegou, Zinóviev estava ocupado defendendo a causa da liderança no *Rabochy Put'* – uma estratégia em total desacordo com a de Lênin. "Comecem a se preparar para o Congresso dos Sovietes", escreveu Zinóviev. "Não se envolvam em nenhuma ação direta isolada!"

Zinóviev: "Concentremos todas as nossas energias nos preparativos para o Congresso dos Sovietes".

Lênin: "Tenho profunda convicção de que, se 'esperarmos' o Congresso dos Sovietes e deixarmos passar o momento, isso será a *ruína* da revolução".

10

OUTUBRO VERMELHO

Em outubro, as folhas começavam a cair nas florestas, flutuando e se amontoando nos trilhos dos trens. As árvores estremeciam ao som surdo das armas. Keriénski continuava sendo a única esperança da Rússia: disso ele ainda tinha certeza. Juntou os trapos de seu messianismo, acreditando que fora escolhido por algum motivo qualquer para fazer alguma coisa qualquer.

Sob a constante ameaça de mudanças no ministério, ele mantinha na linha seu último e pálido governo provisório. Keriénski foi corroído por fofocas maliciosas. O culto a ele era uma lembrança que envergonhava seus antigos devotos. Ele era judeu, murmuravam os racistas. Não era homem de verdade, insinuavam os homofóbicos, referindo-se a ele com expressões femininas. E, com o fim dos últimos retalhos da fé em Keriénski, sobreveio o pânico social e militar.

No primeiro dia do mês, em meio a uma escalada de crimes em Petrogrado, outro horror foi cometido. Um homem e seus três filhos foram encontrados brutalmente assassinados no apartamento em que moravam, em Lesnoi. Mais uma atrocidade entre tantas. Mas o apartamento das vítimas ficava no mesmo edifício onde funcionava o escritório da milícia da cidade, uma patrulha de segurança criada pela Duma Municipal.

Como alguém podia se sentir seguro? Já não era ruim o suficiente que partes da cidade fossem agora controladas por criminosos, zonas em que as autoridades não conseguiam entrar? Adjacências do parque de diversões Olympia, na Avenida Zabalkanskii; Golodai, perto da Ilha Vassiliévski; Volkovo, no distrito de Narva. Já não era suficiente que a cidade tivesse cedido território para os fora da lei e os bandidos, eles agora tinham de zombar da simples ideia de punição? Como alguém podia acreditar que as autoridades tinham autoridade, se uma monstruosidade daquelas podia acontecer bem acima da cabeça dos milicianos?

Massas indignadas se reuniram em frente à sede da milícia. Atiraram pedras. Arrombaram a porta e quebraram tudo.

À medida que o poder evaporava, algumas convulsões tomavam formas previsíveis e assustadoras. Em 2 de outubro, em Smolensk, a pequena cidade de Roslavl recebeu, segundo o *Smolensk Bulletin*, "o seguinte copo de veneno: um *pogrom*". Um grupo de Centelhas Negras, gritando "Malhem os judeus!", atacou e assassinou várias pessoas, acusando-as de serem "atravessadoras" – uma acusação motivada por terem sido encontradas galochas em uma loja de propriedade judaica na qual os funcionários haviam informado que não havia nenhuma. O tumulto se estendeu por toda a noite e pelo dia seguinte. Os jornais e as autoridades tentaram associar a violência aos bolcheviques. Esse era um tema cada vez mais frequente na imprensa liberal, embora fosse um absurdo político evidente e embora os soldados bolcheviques tenham se esforçado para acabar com a carnificina na cidade.

Em 3 de outubro, o Estado-Maior russo evacuou Revel, último bastião entre o *front* e a capital. No dia seguinte, consequentemente, o governo se aconselhou com o Executivo e as indústrias-chave – mas não com o Soviete – a propósito de uma evacuação para Moscou. Informações sobre essas discussões vazaram. Houve agitação: a burguesia planejava abandonar a cidade que fora construída para ela dois séculos antes. A cidade dos ossos. O Ispolkom proibiu qualquer iniciativa nesse sentido sem sua aprovação, e o instável governo engavetou a ideia.

Nesse clima de perfídia, fraqueza e violência, Lênin estendeu para as bases do partido sua campanha a favor da insurreição.

Não há registros da reação do CC à ameaça de renúncia de Lênin. Talvez ela tenha provocado negociações cheias de súplicas. Sejam quais forem os detalhes, o assunto não foi levantado novamente, e ele não recuou.

Em 1º de outubro, ele enviou outra carta, dessa vez aos comitês Central, de Moscou e de Petersburgo e aos bolcheviques dos sovietes de Petrogrado e Moscou. Citando a preocupação dos camponeses e trabalhadores, os motins na Marinha alemã e a crescente influência bolchevique após as eleições em Moscou, enfatizou mais uma vez que retardar a ação insurgente até o II Congresso dos

Sovietes era "positivamente criminoso". Os bolcheviques deviam "assumir o poder de vez" e apelar "aos trabalhadores, camponeses e soldados" em favor de "todo o poder aos sovietes". Mas, quanto a essa questão do momento adequado, ele permaneceu isolado: naquele mesmo dia, um encontro entre os bolcheviques das cidades da periferia de Petrogrado se opôs a qualquer ação antes da realização do congresso.

O CC não ia conseguir esconder para sempre os comunicados de Lênin. No dia 3, por fim, chegou ao combativo Bureau Regional de Moscou uma carta na qual Lênin os incitava a pressionar o CC para se preparar para a insurreição. Vários de seus ensaios foram encaminhados ao Comitê de Petersburgo, cujos membros estavam divididos em relação às exigências de Lênin, mas igualmente indignados com a manobra do CC. No dia 5, o Comitê de Petersburgo se reuniu para discutir as reações de seus membros ao que tinham lido.

O debate foi longo e rancoroso. Aos gritos, Látsis questionou as credenciais revolucionárias daqueles que ousaram ir contra Lênin. No final, a decisão sobre os preparativos para a insurreição foi engavetada. No entanto, a Comissão Executiva encarregou três membros - entre os quais Látsis - de avaliar a força militar bolchevique e a preparação dos comitês distritais para possíveis ações. Eles não informaram o CC.

À medida que as posições de Lênin se espalhavam pelo partido, a despeito dos esforços do CC para cerceá-las, a sublevação social provocava certo deslocamento à esquerda que atingia o próprio CC. Enquanto o Comitê de Petersburgo se reunia em um conclave dissidente no Instituto Smolni, o CC finalmente votava o boicote ao inócuo Pré-Parlamento quando ele voltasse a se reunir no dia 7. A decisão foi unânime, exceto pelo sempre cauteloso Kámeniev, que pediu paciência aos parlamentares bolcheviques até que uma disputa séria justificasse o abandono da reunião. Ele perdeu a discussão diante de um chamado de Trótski à ação imediata.

No dia seguinte, o comandante-geral de Petrogrado, Polkóvnikov, instruiu as tropas a se prepararem para a transferência para o *front*. Ele sabia que isso desencadearia fúria, e desencadeou.

Na noite do dia 7, no Palácio Mariínski, cujas cúspides imperiais remanescentes foram decorosamente ocultadas com cortinas vermelhas, o Pré-Parlamento foi reaberto ante os olhos da imprensa e do corpo diplomático. Keriénski fez outro discurso histriônico, dessa vez sobre a lei e a ordem. Seguiram-se observações da avó da revolução, Brechko-Brechkóvskaia. Em seguida foi a vez de Nikolai Avkséntiev, o presidente; e, por último, Trótski interveio. Ele se levantou para fazer um anúncio de emergência.

De forma cáustica, denunciou o governo e o Pré-Parlamento como ferramentas da contrarrevolução. O público protestou. Trótski ergueu a voz sobre os berros. "Petrogrado está em perigo!", gritou. "Todo o poder aos sovietes! Toda a terra ao povo!" Entre zombarias e vaias, os 53 delegados bolcheviques se levantaram e saíram do salão.

A atuação deles foi sensacional. Houve uma epidemia de rumores: os bolcheviques, diziam as pessoas, estavam planejando uma insurgência.

Foi em algum momento incerto durante esses dias acelerados do início de outubro que Lênin voltou a Petrogrado. Krúpskaia o escoltou até Lesnoi. Lá, ele foi hospedado novamente por Margarita Fofánova. Da casa dela, ele pregava seu evangelho de urgência para uma cidade que urgia.

Em 9 de outubro, a ira em massa contra o plano de transferência das tropas despencou sobre o Soviete. No Comitê Executivo, o menchevique Mark Broido propôs um acordo: os soldados se preparariam para a transferência, mas também deveria ser criado um comitê para elaborar os planos de defesa de Petrogrado, para conquistar a confiança popular. Isso, pensou ele, reduziria a preocupação com uma possível traição do governo e atenderia aos que temiam pela capital, aplainando o caminho para a colaboração entre o governo e o Soviete.

Sua proposta pegou os bolcheviques de surpresa. Trótski, recuperando-se, apresentou rapidamente uma contraproposta: repudiava Keriénski e seu governo, acusava a burguesia de se preparar para entregar Petrogrado, exigia paz imediata e poder aos sovietes *e* convocava a guarnição para se preparar para a batalha. O que ele reivindicava era uma nova versão do Comitê de Luta contra a Contrarrevolução, para a defesa da Petrogrado Vermelha contra os inimigos internos e externos, contra os "ataques abertamente preparados por kornilovistas militares e civis", como ele disse. Isso era muito diferente do defensismo em nome da Mãe Rússia.

Mesmo os bolcheviques sendo maioria no Comitê Executivo, não foi a solução de Trótski que prevaleceu, mas a de Broido – com ressalvas. A preocupação com o esforço de guerra ainda impossibilitava sancionar a criação de uma estrutura militar paralela. Mas, naquela noite, as duas moções foram apresentadas em uma sessão cheia e barulhenta do plenário do Soviete. Apoiada por uma grande maioria de representantes de fábricas e quartéis, prevaleceu a sugestão de Broido distorcida por Trótski. Assim nasceu o Comitê Militar Revolucionário – conhecido como Milrevcom, ou CMR.

Trótski depois caracterizaria esse voto a favor do CMR como uma revolução "seca", "silenciosa", indispensável para a revolução completa que estava por vir.

A ameaça de insurreição bolchevique foi discutida abertamente por todos os lados. Na verdade, certo inimigo até a pedia. "Estou disposto a oferecer minhas preces para que essa insurgência ocorra", disse Keriénski. "Eles serão completamente esmagados." Em contrapartida, muitos bolcheviques estavam ainda mais hesitantes. No dia seguinte à reunião do Soviete, uma conferência do partido envolvendo toda a cidade manifestou claras reservas a uma insurgência antes da realização do Congresso dos Sovietes.

O CC, por sua vez, não tinha uma posição formal sobre tal ação. Ainda.

Quando Sukhánov saiu de casa rumo ao Soviete na manhã do dia 10, sua esposa, Galina Flakserman, viu que o céu estava horrível e o fez prometer que não tentaria retornar naquela noite, que dormiria em seu escritório, como costumava fazer quando o tempo estava tão ruim. Naquela noite, enquanto ele, em consequência do mau tempo, se preparava para dormir no Smolni, do outro lado da cidade figuras bem agasalhadas escapavam do tristonho chuvisco e se esgueiravam para dentro de seu apartamento.

"Ah, os curiosos chistes da alegre musa da História!", escreveu Sukhánov mais tarde, amargamente. Ao contrário de seu marido jornalista, que era independente e só pouco tempo antes se juntara à esquerda menchevique, Galina Flakserman era uma ativista bolchevique de longa data e fazia parte da equipe do *Izviéstia*. Sem o conhecimento dele, ela havia informado discretamente aos seus camaradas que idas e vindas em seu apartamento espaçoso e cheio de entradas provavelmente não chamariam a atenção. Assim, com o marido fora, o CC bolchevique veio lhe fazer uma visita. Pelo menos 12 dos 21 integrantes do comitê estavam lá, inclusive Kollontai, Trótski, Urítski, Stálin, Varvara Iakovleva, Kámeniev e Zinóviev. Eles se reuniram na sala de jantar e trataram rapidamente dos assuntos de rotina. Nesse momento entrou um homem grisalho, bem barbeado e de óculos, "um verdadeiro pastor luterano", recordou Aleksandra Kollontai.

Os membros do CC olharam para o recém-chegado. Distraído, ele tirou a peruca como se fosse um chapéu, revelando uma calva familiar. Lênin havia chegado. Agora as discussões sérias podiam começar.

Lênin falou sem parar. Falava com fervor. Enquanto as horas passavam lentamente, ele enfatizava suas opiniões agora familiares. Havia chegado a hora da insurreição, insistiu mais uma vez. A "indiferença [do partido] à questão da insurgência" era um descuido.

Não foi um monólogo. Todos puderam falar.

Tarde da noite, uma batida na porta fez o coração dos presentes saltar. Todos temeram. Mas era apenas o irmão de Flakserman, Iúri. Ele também era bolchevique e, informado da reunião secreta, veio ajudar com o samovar. E se ocupou da enorme chaleira comunitária, preparando o chá.

Kámeniev e Zinóviev retomaram o debate histórico, explicando minuciosamente por que achavam que Lênin estava errado. Evocaram o peso da pequena burguesia, que não estava – talvez não ainda – do lado deles. Insinuaram que Lênin havia superestimado o poder dos bolcheviques em Petrogrado, sem mencionar as outras cidades. Foram inflexíveis: ele estava errado a respeito da iminência da revolução internacional. E defenderam "uma postura defensiva" e paciente. "Com o Exército, temos um revólver apontado para o templo da burguesia", disseram. Melhor garantir a convocação de uma Assembleia Constituinte e, enquanto isso, continuar a consolidar a força dos bolcheviques.

Os camaradas chamavam aquela dupla sempre circunspecta de "Gêmeos Celestiais", às vezes por carinho, às vezes por irritação. Na hierarquia do partido, eles não eram os únicos conservadores. Mas, naquela noite, Noguin, Rykov e outros de tendência semelhante estavam ausentes.

O que não quer dizer que a posição de Lênin tenha sido aceita pelos outros camaradas em todos os seus detalhes. Trótski, por exemplo, se sentia menos pressionado pelo tempo do que Lênin, tinha expectativas mais positivas em relação aos sovietes, via o futuro congresso como um legitimador potencial de qualquer ação. Mas a questão principal da noite era: os bolcheviques estavam ou não se mobilizando para uma insurreição iminente?

Em uma folha de papel arrancada de um caderno de criança, Lênin escreveu uma resolução.

> O CC reconhece que a situação internacional afeta a revolução russa [...] assim como a situação militar [...] e o fato de o partido proletário ter conquistado

maioria nos sovietes – tudo isso, além da insurreição camponesa, do aumento da confiança popular em nosso partido e, finalmente, dos preparativos para uma segunda *Kornilovshchina* [...] põe a insurreição armada na ordem do dia [...]. Reconhecendo que uma insurgência armada é inevitável e o momento é plenamente oportuno, o CC instrui todas as organizações do partido a se orientarem em conformidade e a considerarem e decidirem todas as questões práticas a partir desse ponto de vista.

Finalmente, depois de longas e apaixonadas idas e vindas, eles votaram. Por dez a dois – Zinóviev e Kámeniev, é claro – a resolução foi aprovada. Ela era nebulosa nos detalhes, mas um Rubicão* tinha sido atravessado. A insurreição estava agora na "ordem do dia".

A tensão diminuiu. Iúri Flakserman trouxe queijo, linguiça e pão, e os revolucionários famintos comeram. De brincadeira, provocaram os Gêmeos Celestiais: hesitar em derrubar a burguesia era típico de Kámeniev.

O momento certo para a ação também era nebuloso. Lênin queria a insurreição no dia seguinte. Por outro lado, Kalínin, por exemplo, embora elogiasse "uma das melhores resoluções que o CC já aprovou", acreditava que "talvez dali a um ano" fosse um bom momento – uma posição que certamente poderia ter partido de Zinóviev e Kámeniev.

No dia 11, o combativo Congresso dos Sovietes da Região Norte se reuniu na capital: 51 bolcheviques, 24 SRs de esquerda, 4 maximalistas (um braço revolucionário do SR), 10 SRs e 1 menchevique internacionalista. Todos os delegados, inclusive os SRs, apoiavam um governo socialista. Naquela manhã, Kollontai, exausta, relatou o voto do CC aos participantes bolcheviques. Como alguém recordaria depois, ela deu "a impressão de que o sinal do CC para sairmos às ruas seria recebido a qualquer momento". "O plano", lembraria Látsis, "era que [o Congresso da Região Norte] se declararia como governo, e esse seria o começo."

* Referência ao rio Rubicão, no norte da Itália. Durante a República Romana (509 a.C.-27 a.C.), uma lei proibia os generais romanos e suas tropas de atravessar o rio ao retornar a Roma após combater no norte. A lei visava a proteger a sede da República de ameaças militares internas. Em 49 a.C., entretanto, o general Caio Júlio Cesar transgrediu-a e atravessou o rio com as suas tropas, o que resultou em guerra civil. A expressão "atravessar o Rubicão" é uma metáfora de uma ação que implica riscos e consequências desconhecidas. (N. T.)

Mas Kámeniev e Zinóviev fizeram *lobby* contra a ação. Eles só precisavam converter doze bolcheviques e/ou maximalistas, e o CC não teria maioria para aprovar a insurreição imediata contra Keriénski. A reunião foi barulhenta e radical, cobrando dos presos políticos de Kresty que não fizessem greve de fome e guardassem forças, "porque a hora da libertação está próxima". No entanto, para a imensa frustração de Lênin, o dia 13 terminou não com uma revolução, mas com um apelo às massas, sublinhando a importância do vindouro II Congresso dos Sovietes.

Trabalhadores e soldados ainda mantinham os olhos fixos nos sovietes. Em 12 de outubro, o Regimento Eguiérski declarou que o Soviete era "a voz dos líderes genuínos dos trabalhadores e dos camponeses mais pobres".

Naquele dia, uma sessão fechada do Ispolkom habilitou o CMR de Trótski a defender militarmente a Petrogrado Vermelha contra o governo. Os mencheviques atacaram a moção, mas foram superados em número de votos. A resposta rápida de Trótski a Broido criou uma "organização de fachada", um órgão controlado pelo partido com atuação não partidária e dentro do Soviete.

Os rumores da insurgência bolchevique se tornaram mais específicos. "Há provas definitivas", relatou o *Gazieta-Kopeika*, "de que os bolcheviques estão se preparando ativamente para sair às ruas em 20 de outubro." "Os odiosos e sangrentos acontecimentos de 3 a 5 de julho", advertiu o direitista *Jívoe Slovo*, "foram apenas um ensaio."

O gabinete de Keriénski permanecia otimista. "Se os bolcheviques agirem", disse um ministro à imprensa, "realizaremos uma operação cirúrgica e o abscesso será extirpado de uma vez por todas."

"Devemos perguntar com toda a franqueza aos camaradas bolcheviques", disse Dan com uma gentileza ácida na sessão plenária dos Comitês Executivos de Toda a Rússia, realizada no dia 14, "qual é o propósito de sua política." Estavam eles "convocando o proletariado revolucionário para sair às ruas[?] Exijo um sim ou um não".

Da plateia, Riázanov respondeu pelos bolcheviques: "Nós exigimos paz e terra". Isso não era nem sim, nem não, nem tranquilizador.

Quinze de outubro. Na esquina da Sadóvaia com a Apráksina, onde, em julho, tiros vindos do alto haviam matado e dispersado os manifestantes das Jornadas de Julho, uma multidão bloqueou os bondes e, aos gritos, exigia um *samosud*, um linchamento para dois ladrões, um homem com uniforme de soldado e uma mulher com roupas elegantes. A turba enfrentou a milícia da cidade e entrou na loja de departamentos, onde os ladrões se encolheram de medo. Uma multidão agitada empurrou o homem para fora, enquanto sua cúmplice corria chorando para uma cabine telefônica. A multidão dominou um oficial que tentava proteger a mulher, abriu a porta e a puxou para fora sob uma chuva de golpes.

"Estamos esperando o quê?", gritou alguém. Ele sacou uma pistola e atirou para matar o homem. Houve um silêncio. Então alguém atirou na mulher, enquanto a milícia olhava sem poder fazer nada.

Era domingo em Petrogrado. E era assim que a justiça funcionava agora.

No dia seguinte, uma sessão plena do Soviete discutiu o CMR – Milrevcom.

Preocupado em não apresentá-lo como um órgão bolchevique – o que efetivamente era, embora não formalmente –, o partido nomeou para propor a resolução o jovem Pável Lazimir, presidente da seção dos soldados do Soviete e SR de esquerda. Broido advertiu furiosamente de que o CMR não pretendia defender a cidade, mas tomar o poder. Justificando o foco na contrarrevolução e, portanto, na preparação militar, Trótski chamou a atenção para a persistente ameaça da direita. Não era uma tese difícil de defender: ele citou uma notória entrevista recente em que Rodzianko trovejou: "Para o inferno com Petrogrado!".

No dia 17, em Pskov, os generais se reuniram com uma delegação do Soviete para defender a reorganização das tropas, e levaram consigo representantes do *front*. Os revolucionários estavam preocupados com o ressentimento dos soldados da linha de frente: para eles, a má vontade da guarnição da retaguarda para se deslocar parecia uma falta de solidariedade inconcebível. O Soviete afirmou ansiosamente o heroísmo dessa guarnição e se recusou a prometer qualquer apoio ao pedido dos generais. No que dizia respeito ao Estado-Maior, o encontro tinha sido inútil.

Foi nesse dia que o Milrevcom, o órgão do Soviete de suspeita militarizada contra o governo suspeito, foi inaugurado. Mas o CC bolchevique ainda não lhe dava muita atenção: seus membros estavam preocupados com as incertezas dentro do partido.

No dia 15, o Comitê de Petersburgo reuniu 35 representantes bolcheviques de toda a cidade para se preparar para a insurgência. Mas a reunião foi desviada de seu curso por dúvidas, uma cautela surgida de setores improváveis.

Para o CC, Búbnov defendeu a tese de "sair às ruas". Dessa vez, um dos que ficaram contra Búbnov foi Niévski.

Niévski, ex-militante de extrema esquerda, representante da provocadora e radical Organização Militar do partido, agora informava que a OM "acabou de se tornar direitista". E enumerou as dificuldades que havia percebido no plano do CC, inclusive o que, para ele, era uma preparação totalmente inadequada. Ele estava profundamente descrente de que o partido fosse conseguir tomar todo o país.

Aberta a porta da incerteza, o comitê leu um longo memorando de Kámeniev e Zinóviev em que eles expressavam suas preocupações. O impacto causado pelo documento era evidente. Alguns distritos e representantes permaneceram otimistas – Látsis, como sempre, foi categoricamente a favor –, mas muitos pediram cautela. Eles não sabiam se a Guarda Vermelha – embora unida "com uma barra de ferro", como disse um jornalista, pela "fome e [pelo] ódio à escravidão assalariada" – era politicamente avançada o suficiente para a tarefa.

Poucos questionavam se as massas se mobilizariam novamente contra uma contrarrevolução ou se apoiariam o Soviete ou a exigência de poder pelos bolcheviques, mas isso não significava necessariamente seguir o partido rumo à insurreição. A crise econômica havia escaldado as pessoas, disseram alguns, elas relutariam em participar da ofensiva ao lado dos bolcheviques.

No final, oito representantes acharam que as massas estavam prontas para lutar. Seis as consideraram instáveis e defenderam um adiamento. Cinco disseram que o momento era totalmente inoportuno.

Búbnov ficou horrorizado. Exigiu que a conversa se concentrasse em preparativos práticos. A assembleia aprovou certas medidas básicas – uma reunião de agitadores do partido, a construção de vínculos com os trabalhadores da área das comunicações, o treinamento com armas –, mas não fez planos concretos para a insurreição.

O rejeitado CC voltou a se reunir às pressas.

A neve derretia nas ruas escuras do distrito de Lesnoi, no norte de Petrogrado. Um nervoso são-bernardo latia para as sombras que deslizavam no escuro, cada vulto sendo brevemente delineado pelo mau tempo e depois desaparecendo.

A cada uivo, outra sombra passava, até que, finalmente, mais de vinte líderes bolcheviques entraram no prédio da Duma do distrito. Enquanto tiravam os disfarces, uma jovem agitada os cumprimentava.

Era dia 16. Ekaterina Alekséieva, contratada como faxineira do edifício, era membro dos bolcheviques locais. O presidente do partido, Kalínin, dera-lhe a missão de preparar essa reunião secreta. Quando o pobre cão se enfureceu lá fora, Alekséieva saiu furtivamente para tentar acalmá-lo. Seria uma noite longa.

Os bolcheviques foram convocados por meio de um encadeamento de senhas, disfarçados, a um ponto de encontro mantido em segredo até o último instante. Agora estavam sentados no chão, em uma sala com poucas cadeiras.

Lênin foi um dos últimos a chegar. Tirou a peruca, sentou no canto e lançou-se em mais uma defesa apaixonada e desesperada de sua estratégia. Eles tentaram chegar a um acordo. O estado de espírito das massas não era de despreparo, mas de instabilidade, disse ele. Elas estavam *esperando*. E tinham "confiado nos bolcheviques exigindo deles não palavras, mas ações".

Todos os que estavam presentes concordaram que aquele foi um dos melhores momentos de retórica de Lênin. No entanto, ele não podia acabar com todas as hesitações.

Entre os membros da OM, aqueles céticos improváveis, Krylienko permanecia cauteloso. Volodárski arriscou que, embora "ninguém esteja lutando nas ruas [...], todos responderiam a um chamado do Soviete". No distrito de Rojdiéstvenski havia "dúvidas [...] sobre eles [os trabalhadores] virem a se insurgir". No distrito de Okhten: "As coisas vão mal". "As coisas não estão melhores em Krásnoe Seló. Em Kronstadt, o moral caiu". E Zinóviev via "dúvidas fundamentais a respeito de estar assegurado o sucesso de uma insurgência".

Os argumentos familiares prosseguiam. Finalmente, enquanto a neve derretia do lado de fora, os bolcheviques iniciaram a votação. O que Lênin queria era um endosso formal da decisão anterior, mas que deixasse em aberto a forma e o momento preciso da insurreição, como preferiam o CC e os chefes do Soviete de Petrogrado e dos Comitês Executivos de Toda a Rússia. Zinóviev, em contrapartida, queria a *proibição* categórica à organização de uma insurgência antes do II Congresso, marcado para o dia 20, quando a fração bolchevique poderia ser consultada.

Para Zinóviev: seis votos a favor, quinze contra, três abstenções. Para Lênin: quatro abstenções, dois contrários e dezenove a favor.

Para onde foi o voto que desapareceu é um mistério da história. Em todo o caso, haveria revolução, por uma grande margem. Embora o cronograma ainda estivesse em debate, pela segunda vez em uma semana os bolcheviques votaram pela insurreição.

Angustiado, Kámeniev deu a última cartada. Essa decisão, disse ele, destruiria os bolcheviques. Assim sendo, ele apresentava sua renúncia ao CC.

A reunião terminou tarde da noite, e os bolcheviques escapuliram, deixando Alekséieva para arrumar uma tremenda bagunça.

Kámeniev e seus consternados aliados imploraram para expressar sua discordância no *Rabochy Put'*. O pedido foi negado. Sem uma válvula de escape no partido, mas com o apoio de Zinóviev, Kámeniev procurou outro lugar.

O jornal de Górki, o *Nóvaia Jizn*, flutuava politicamente em algum ponto entre a esquerda dos mencheviques e os próprios bolcheviques. Mais pessimista do que estes últimos, tinha uma linha firme contra a insurreição "precipitada". Foi no *Nóvaia Jizn* que Kámeniev publicou um ataque arrasador.

"No momento", escreveu, "a instigação a uma insurgência armada antes do Congresso dos Sovietes e independentemente dele seria um passo inadmissível e até mesmo fatal para o proletariado e para a revolução."

Embora tenha insinuado, Kámeniev não disse explicitamente que estava sendo planejada uma insurreição. Mas, vindo de um militante de longa data, a publicação de tais dúvidas, quanto mais em um jornal que não era bolchevique, foi uma transgressão à disciplina partidária profundamente traumática e prejudicial.

Lênin desencadeou uma ira bíblica.

Ele mal podia acreditar na traição de Kámeniev, e ainda com o apoio de Zinóviev. Eles eram velhos aliados. Na saraivada de cartas que Lênin enviou ao partido em resposta ao texto de Kámeniev, há uma dor profunda e real. "Não é fácil para mim escrever assim sobre ex-camaradas próximos", escreveu, em meio a um acesso de raiva contra os "pelegos", "fura-greves", culpados de "traição", "crime", "mentiras caluniosas". Ele insistia que fossem expulsos.

Mas, a despeito da autoridade e da insistência de Lênin, no dia do ataque espetacular de Kámeniev, ao menos metade dos dezoito delegados das unidades militares de Petrogrado reunidos no Smolni ainda não concordava com a ação armada, embora quinze acusassem o governo. E aqueles que estavam dispostos a sair às ruas deixaram claro que só fariam isso pelo Soviete. Num encontro de duzentos ativistas bolcheviques convocados precisamente para discutir a tomada do poder, moderados como Larin e Riázanov atacaram os planos do CC, dizendo que eram prematuros. Eles foram apoiados por Tchudnóvski, um camarada vindo diretamente do *front* sudoeste. Lá, ele advertiu, os bolcheviques não tinham apoio. Qualquer insurreição naquele momento, segundo ele, estaria condenada ao fracasso.

Em meio à tensão palpável e crescente, os líderes do Soviete, nervosos, reprogramaram o II Congresso para o dia 25. Os moderados esperavam usar esse tempo para mobilizar forças sociais mais amplas a seu favor. Mas isso deu um impulso também a Lênin: ele teria cinco dias a mais para se preparar e realizar a insurreição antes do congresso.

Ele precisava daqueles dias. O partido estava profundamente dividido.

A OM desconfiava do arrivista CMR, tinha ciúmes de seu poder. O respeito que os membros ainda tinham pelos líderes da direita do partido e o desconforto que os discursos arrasadores de Lênin podiam provocar chegaram ao seu limite: a cada crítica de Lênin aos Gêmeos Celestiais, os editores bolcheviques acrescentavam críticas ao "tom agudo de Lênin". Em uma reunião do CC no dia 20, Stálin se opôs à renúncia de Kámeniev. Quando Kámeniev e Zinóviev foram proibidos de atacar abertamente o CC, Stálin anunciou sua própria demissão do conselho editorial, em protesto.

O CC não aceitou nem a renúncia de Stálin nem a exigência de Lênin de expulsão de Kámeniev e Zinóviev. A renúncia de Kámeniev ao CC também parece, em algum momento, ter sido esquecida.

"Nossa posição", disse Stálin com uma perspicácia pouco característica, "é toda contraditória." Os bolcheviques estavam divididos até mesmo quando concordavam.

No dia 19, o CMR encontrou um duro obstáculo. As unidades da Fortaleza de Pedro e Paulo aprovaram uma resolução contra a insurreição. Elas eram capitais para qualquer insurgência.

O Milrevcom tentou se reagrupar. Em sua primeira reunião de mobilização, na sexta-feira, 20 de outubro, eles se concentraram na defesa do Soviete contra um possível ataque. O domingo seguinte seria o "Dia do Soviete de Petrogrado", e os socialistas tinham planos para vários concertos e encontros comemorativos. Mas aquele também era o dia do 105º Aniversário da Libertação de Moscou da invasão napoleônica, e o Soviete da União das Forças Militares Cossacas havia marcado uma procissão religiosa. A esquerda temia que a extrema direita usasse essa marcha para provocar um conflito. O Milrevcom enviou representantes às unidades de combate da cidade para alertá-las sobre tais provocações e marcou uma sessão da Conferência da Guarnição para a manhã seguinte.

Afora o problema da Fortaleza de Pedro e Paulo, de modo geral o CMR tinha energia. Estava ganhando força entre as tropas e conquistando, com seus sucessos, os céticos e os estrategistas "unilaterais" entre os bolcheviques. O CC afirmava que "todas as organizações bolcheviques podem se tornar parte do centro revolucionário organizado pelo Soviete". Mas o pessimismo, tanto em relação ao papel do CMR quanto em relação à estratégia do CC, persistia.

Lênin convocou Podvóiski, Niévski e Antónov, da OM, para comparecerem a um inclassificável apartamento do distrito de Vyborg. Ele estava determinado, lembrou Niévski, a "eliminar os últimos vestígios de teimosia" em relação à viabilidade da insurgência. Na verdade, algumas das preocupações dos membros da OM pareciam atingi-lo em cheio. Mas, quando defenderam um adiamento de dez a quinze dias, ele ficou louco de impaciência. E, além do mais, agora que havia sido convencido, Lênin disse que a OM deveria operar dentro do CMR.

Na manhã do dia 21, Trótski abriu a Conferência da Guarnição exortando soldados e trabalhadores a apoiar o CMR e os sovietes na luta pelo poder. A guarnição aprovou uma resolução solicitando que o Congresso dos Sovietes "assumisse o poder".

"Houve uma sequência de discursos sobre a necessidade de transferir imediatamente o poder aos sovietes", informou o *Gólos Soldata*, um cético jornal SR-menchevique. Também havia confiança no que poderia ocorrer no domingo.

> O representante do 4º Regimento Cossaco do Don informou à assembleia que o comitê do regimento decidiu não participar da procissão religiosa no dia seguinte. O representante do 14º Regimento Cossaco do Don causou surpresa ao declarar que o regimento não só não apoiaria ações contrarrevolucionárias [...] como combateria a contrarrevolução com toda a sua força".

Diante dos aplausos arrebatados, o orador se abaixou para apertar a mão de seu "camarada cossaco".

Entusiasmado, o Milrevcom decidiu confrontar o governo.

À meia-noite do dia 21, um grupo de representantes do CMR chegou ao Estado-Maior para se encontrar com o general Polkóvnikov. "Doravante", disse Sadovsky, "as ordens não assinadas por nós são inválidas." A guarnição, rebateu Polkóvnikov, era responsabilidade dele, e um comissário do Comitê Executivo Central era o bastante. "Não reconhecemos seus comissários", disse Sadovsky. A batalha começou.

A delegação voltou para a sede do CMR para se encontrar com Antónov, Sverdlov e Trótski. Ali, juntos, formularam um documento-chave da Revolução de Outubro.

"Em uma reunião em 21 de outubro, a guarnição revolucionária uniu-se ao CMR", dizia.

> Apesar disso, na noite de 21 a 22 de outubro, o quartel-general do Distrito Militar de Petrogrado se recusou a reconhecer o CMR [...]. Ao fazê-lo, o quartel-general rompe relações com a guarnição revolucionária e com o Soviete de Deputados Operários e Soldados de Petrogrado [...]. O QG se torna uma arma direta das forças contrarrevolucionárias [...]. A proteção da ordem revolucionária contra os ataques contrarrevolucionários cabe aos soldados revolucionários comandados pelo CMR. Nenhuma diretriz dada à guarnição que não esteja assinada pelo CMR deve ser considerada válida [...]. A revolução está em perigo. Viva a guarnição revolucionária.

Altas horas da noite do domingo, 22, em uma sessão *ad hoc* no Smolni, a Conferência da Guarnição endossou a declaração explosiva de Trótski. Simultaneamente, Polkóvnikov iniciou as ações contra o CMR. Com cautela, convidou representantes dos comitês de guarnição e funcionários dos Comitês Executivos de Petrogrado e de Toda a Rússia para uma reunião. Polkóvnikov era perspicaz. Em resposta ao aval dos comitês à declaração do CMR, ele convidou os soldados presentes no Smolni para um encontro.

Dia do Soviete de Petrogrado. Em várias reuniões de massa em toda a capital, os grandes oradores bolcheviques – Trótski, Raskólnikov, Kollontai, Volodárski – levantaram as multidões. Até Kámeniev, surpreendentemente, sobressaiu, aproveitando a oportunidade de seus próprios discursos para minimizar a expectativa de uma insurreição antes do II Congresso.

No espaço de ópera conhecido como Casa do Povo, Trótski advertiu que Petrogrado continuava sob risco iminente por causa da burguesia. Segundo ele, cabia aos trabalhadores e soldados defender a cidade. De acordo com Sukhánov, um espectador sempre irônico e agora, ironicamente, disposto a agir, Trótski promoveu "um estado de ânimo que beirava o êxtase".

Nessa atmosfera de aclamações, gritos, punhos cerrados, determinação miliciana e aplausos, Polkóvnikov deu seu passo seguinte. Sua posição era fraca, e ele sabia disso. Ainda em busca de um acordo, ele convidou o próprio CMR para um encontro no dia seguinte.

Mas ele não era o único general que estava fervorosamente planejando estratégias. Naquela noite, o chefe do Estado-Maior do Distrito Militar de Petrogrado, Jaques Bagratuni, solicitou a rápida transferência para a cidade de uma infantaria, uma brigada de cavalaria e uma bateria de artilharia que estavam no *front* norte. Do *front*, Voitínski respondeu que os soldados estavam desconfiados. Antes de concordar com a transferência, eles queriam saber o porquê dela.

Enquanto isso, Keriénski ainda superestimava as cartas que tinha na mão. Naquela mesma noite, propôs ao gabinete que o Milrevcom fosse liquidado pela força. Polkóvnikov tentou convencê-lo a aguardar, na esperança de que o Milrevcom retirasse sua declaração de poder. Mas o governo seguiu em frente e deu um ultimato: ou o CMR revogava a declaração do dia 22, ou as autoridades a revogariam por ele.

Dia 23 de outubro. O Milrevcom havia praticamente concluído a nomeação de seus comissários, na maioria ativistas da Organização Militar bolchevique, o que não causou surpresa a ninguém. Estava na hora de intensificar o confronto com o governo. O comitê baixou um decreto que lhe concedia poder de veto sobre as ordens militares.

Ao meio-dia, os representantes do CMR voltaram à Fortaleza de Pedro e Paulo: haviam solicitado uma reunião pública na fortaleza, onde recentemente tinham sido rejeitados. Muito tempo depois, Antónov declararia que havia defendido o envio de tropas pró-bolcheviques à fortaleza para tomá-la à força, mas que Trótski estava convencido de que era possível conquistar o apoio dos soldados dali. Consequentemente, o Milrevcom organizou um debate bastante fora do comum.

O comandante do forte defendeu a hierarquia de comando vigente e foi acompanhado pelo alto escalão da esquerda do SR e dos mencheviques. O CMR foi representado principalmente por bolcheviques. O intenso debate se desenrolou durante horas, com um lado e outro vociferando diante da massa de soldados.

Enquanto um esgotado Tchudnóvski se esforçava para defender da melhor forma possível a causa do CMR, ele ouviu uma onda de aplausos se espalhando pela multidão. Ele piscou diante da agitação. E sorriu.

"Cedo meu lugar", gritou ele, "ao camarada Trótski!"

Para aumentar ainda mais a euforia, Trótski subiu ao palanque. Era sua vez de erguer a voz.

A reunião continuou até o dia escurecer. As massas se deslocaram para o grande prédio de madeira do número 11 da Avenida Kamennoostróvski. O Circo Moderno, um anfiteatro mal iluminado onde o jornal bolchevique *Rabotnitsa* realizava encontros frequentes, era o fórum favorito dos revolucionários. Fora cenário de alguns dos maiores discursos do jovem Trótski, em 1905. Mais tarde, ele escreveria um elogio lírico aos acontecimentos de 1905, uma descrição que serviria para evocar aquela noite de outubro, doze anos depois.

> Cada centímetro quadrado estava ocupado, cada corpo humano comprimido ao limite [...]. Os balcões ameaçavam cair sob o peso excessivo de corpos humanos [...]. O ar, intenso de respiração e espera, explodiu em clamores e gritos apaixonados, típicos do Circo Moderno [...]. Nenhum orador, por mais exausto que estivesse, resistiria à tensão elétrica daquela multidão fervorosa [...]. Assim era o Circo Moderno. Tinha seus próprios contornos, intensos, afetuosos e frenéticos.

E foi ali, às oito horas da noite, que os soldados finalmente, e dramaticamente, votaram.

Os que eram a favor do CMR se deslocaram para a esquerda; os contrários, para a direita. Houve um longo arrastar de pés e empurra-empurra. Quando tudo terminou, ergueu-se uma enorme e prolongada ovação. À direita estavam uns poucos oficiais e intelectuais dos estranhos regimentos de bicicleta. A maioria esmagadora estava a favor do CMR.

As unidades da Fortaleza de Pedro e Paulo, que apenas três dias antes haviam se declarado contra o CMR, agora se uniam a ele. O simbolismo era imenso. E trazia vantagens concretas. Agora, a maioria das lojas de armas de Petrogrado estava nas mãos da CMR. E o canhão da fortaleza mirava o próprio Palácio de Inverno.

Os delegados começaram a chegar para o Congresso dos Sovietes. Os bolcheviques e os SRs de esquerda certamente teriam a maioria e poderiam exigir a transferência do poder aos sovietes, um governo verdadeiramente socialista. Naquela noite, em uma reunião do plenário do Soviete de Petrogrado, o exuberante Antónov relatou as ações do CMR, descrevendo-as como defensivas, tudo em prol do congresso. O CMR recebeu o apoio esmagador dos delegados.

Os triunfos do Milrevcom eram realmente espetaculares. Portanto, foi uma surpresa quando, no fim da noite, ele cedeu ao ultimato do Distrito Militar. O CMR retirou sua recente declaração – seu poder de veto.

Não está claro o que precipitou esse incrível recuo. O mais provável é que os moderados mencheviques Bogdánov e Gots tenham avisado que, se o comitê não capitulasse, o Comitê Executivo Central do Soviete romperia relações com ele. Foi em nome do Soviete que o Milrevcom conquistou apoio e legitimidade: que impressão causaria um rompimento como esse?

Seja qual tenha sido a ameaça, aparentemente foram não apenas os SRs de esquerda mas também os bolcheviques moderados, como Riázanov, que insistiram para que o CMR abrisse mão da autoridade militar, precipitando sua própria crise existencial.

Às 2h30 da madrugada, um estranho exército atravessou a cidade na noite fria. Ele fora remendado com todas as forças disponíveis com as quais a direita pudesse contar: dois ou três destacamentos de *Junkers**, alguns cadetes das escolas de treinamento de oficiais, algumas combatentes do Batalhão Feminino da Morte, uma bateria da artilharia a cavalo do Regimento Pávlovsk, vários cossacos, uma unidade do Regimento de Bicicletas com suas máquinas de rodas grossas e um regimento armado de feridos de guerra. Eles atravessaram a cidade tranquila para defender o Palácio de Inverno.

* Nobres proprietários de terras dos Estados germânicos, especialmente da Prússia, de tendência militarista e conservadora. (N. T.)

O CMR pestanejou. Keriénski atacou.

Enquanto rezava pela chegada iminente das tropas leais do *front*, Keriénski ordenou a Bagratuni que mobilizasse as poucas tropas que ele possuía. Na madrugada de 24 de outubro, começou o ataque aos bolcheviques.

Na escuridão do início do inverno, um destacamento de milicianos e cadetes foi à gráfica Trud, onde era impresso o *Rabochy Put'*. Forçaram a entrada e destruíram vários milhares de exemplares do jornal. Destroçaram os equipamentos, bloquearam a entrada e puseram um guarda de vigia. Em um pretensioso gesto de imparcialidade, Keriénski ordenou também o fechamento de dois jornais de extrema direita, o *Jívoe Slovo* e o *Nóvaia Rus'*. No entanto, ninguém duvidava do alvo desse ataque.

Depois de um longo dia de reuniões com os delegados recém-chegados, vários líderes bolcheviques caíram em um sono profundo na editora do partido, a Priboi, roncando entre pilhas de livros. Um telefone começou a tocar sem parar. Eles resmungaram. Por fim, um certo Lomov, aos tropeções, atendeu.

A voz aguda de Trótski os intimava. "Keriénski partiu para a ofensiva!"

No Smolni, Lazimir, Trótski, Sverdlov, Antónov e outros tentavam formular alertas do CMR para os comitês regimentais e para os novos comissários.

> Diretiva número 1. O Soviete de Petrogrado está sob ameaça [...]. Pelo presente documento, nós os instruímos a manter o regimento em prontidão para a batalha [...]. Qualquer procrastinação ou interferência na execução desta ordem será considerada uma traição à revolução.

Agora, ninguém mais sabia se o Congresso dos Sovietes aconteceria. No CMR e no Comitê de Petersburgo, Lênin e outros começaram a fazer campanha pela insurreição imediata. Todavia, mesmo com as prensas destruídas e as forças legalistas em ação, o que restou do CC no Smolni, incluindo Trótski e Kámeniev, considerava prosseguir as negociações entre o CMR e o Distrito Militar. Eles pareciam não ter percebido que as ações de Keriénski tornavam esse caminho irrelevante.

O CC ainda considerava totalmente defensivas as ações que estava apoiando, pelo menos até o Congresso dos Sovietes. Mas, naquele momento, ele apoiou a decisão de Trótski de enviar guardas para a gráfica Trud, porque "o Soviete de Deputados Operários e Soldados não toleraria a supressão da liberdade de expressão".

Reabrir a gráfica seria mais um contra-ataque do que uma ação defensiva. Tanto no *front* como na insurreição, a distinção entre "defensiva" e "ofensiva" podia ser obscura.

Às nove horas da manhã, Dachkiévitch, da OM bolchevique e do CC, recuperou as prensas com uma companhia da Regimento Litovski armada de metralhadoras. Sem esforço e sem derramamento de sangue, eles dominaram a milícia legalista e romperam o bloqueio do governo. "Os camaradas soldados", observou um jornalista, "não fizeram nenhum esforço semelhante para libertar o *Jívoe Slovo*." Uma edição do *Pravda* foi publicada às pressas para pressionar a corrente dominante do CC no futuro Congresso dos Sovietes a substituir o regime de Keriénski.

Nas ruas, soldados e trabalhadores armados começaram a se reunir, tentando entender o curso dos acontecimentos. A esquerda não era a única em ação.

Keriénski seguiu rapidamente para o Palácio Mariínski. Lá, tentando reunir o Pré-Parlamento, o velho criador de melodramas fez um discurso desatento, pesado e incoerente até mesmo para seus próprios e generosos padrões. A esquerda, ele lamentou, estava fazendo o jogo dos alemães. Pediu apoio ao seu mais do que provisório governo. Pediu poderes para deter os bolcheviques. A direita aplaudiu, enquanto os mencheviques internacionalistas e a esquerda SR se remexiam em seus lugares, embaraçados com o ridículo em que ele mesmo se colocava.

A partir daí, Keriénski se encarregou das escassas forças legalistas do Palácio de Inverno. Ele tinha certeza de que o Pré-Parlamento o apoiaria. O homem "não tinha nenhuma consciência", lembraria o SR de esquerda Kambov, "de que não haveria ninguém para reprimir a insurgência, independentemente das sanções que ele estipulasse".

Enquanto ele se escondia, Trótski explicava aos delegados bolcheviques que o partido não era a favor de uma insurreição antes da realização do congresso, mas permitiria que a própria podridão do governo o minasse. "Seria um erro", disse ele entre aplausos, "prender os governantes [...]. Isso é defesa, camaradas. Isso é defesa." Assim ditava o catecismo.

Naquela tarde, houve um súbito e sinistro desenvolvimento: o Estado-Maior do Exército ordenou que as pontes da cidade fossem levantadas. Elas bocejavam preguiçosamente enquanto as polias corriam, não para permitir a passagem por baixo, mas para evitar a passagem por cima, encerrando os encontros das duas margens do rio. Somente a Ponte do Palácio permaneceu transitável, com as forças do governo no controle.

"Lembrei-me das Jornadas de Julho", escreveu mais tarde Ilin-Jeniévski, da OM Bolchevique. "O içamento das pontes me pareceu o primeiro passo para outra tentativa de nos destruir. Será que o governo provisório conseguiria triunfar sobre nós de novo?"

As escolas liberaram os alunos, e os escritórios do governo dispensaram os funcionários. A notícia do fechamento das pontes se espalhou. Lojas e bancos baixaram as persianas. As linhas de bonde reduziram seus serviços.

Mas, às quatro horas da tarde, assim que o regimento de bicicleta deixou os seus postos no Palácio de Inverno, cadetes de artilharia legalistas tentaram atravessar uma dessas pontes vitais, a Litéini, e encontraram uma multidão furiosa. Dessa vez, o povo decidiu que as pontes não cairiam nas mãos do inimigo. Os cadetes, em menor número, só puderam se render.

O Batalhão Feminino da Morte foi enviado à Ponte Troitski [Ponte da Trindade] para controlá-la. Quando chegaram, porém, elas perceberam que estavam sob a mira das metralhadoras da Fortaleza de Pedro e Paulo.

Espontaneamente, Ilin-Jeniévski enviou soldados da guarnição para proteger as pontes dos Granadeiros e Samsonovsky. Um grupo voltou arrastando máquinas pesadas, e foi seguido por um mecânico aos gritos.

"Nós abaixamos a ponte", disseram a um curioso Ilin-Jeniévski, "e, para garantir que ela permaneça assim, trouxemos parte do mecanismo". Ilin-Jeniévski tranquilizou o técnico da ponte, dizendo que os revolucionários cuidariam bem das volumosas peças, e as guardou na sala do comitê regimental.

Nem tudo aconteceu como as massas queriam. Na Ponte Nikoláievski, os cadetes enfrentaram os dedicados, mas indisciplinados, guardas vermelhos em roupas civis e os expulsaram para fazer a travessia. Na Ponte do Palácio, cadetes e mulheres do Batalhão da Morte conseguiram sustentar suas bases. Ainda assim, no início da noite, as massas controlavam duas das quatro principais pontes de Petrogrado. Era o suficiente.

Por insistência da ala esquerda do SR, o Milrevcom informou à imprensa que, "contrariamente aos rumores e relatos", eles não estavam nas ruas para tomar o poder, "mas exclusivamente para defesa". Enquanto os SRs repetiam essa abordagem, sob as ordens do CMR o comissário Stanisław Pestkowski tomou a Central de Telégrafos da cidade. Seus guardas, que eram do Regimento Keksgólmski, haviam prometido lealdade ao CMR havia muito tempo. Com eles à frente, e sem disparar um só tiro, embora nenhum dos 3 mil funcionários da central fosse bolchevique, as comunicações da cidade passaram para as mãos do Milrevcom.

A cidade anoiteceu em estranho equilíbrio. Os revolucionários armados estavam reunidos nas pontes, protegendo-as das forças do governo, enquanto grupos de respeitáveis cidadãos passeavam, como de costume, pela Avenida Niévski, onde a maioria dos restaurantes e cinemas estava aberta. A sublevação foi seguida de um anoitecer banal na cidade.

No apartamento de Margarita Fofánova, no subúrbio de Petrogrado, Lênin estava preocupado. Apesar do progresso relativamente suave da luta, seus camaradas ainda não se declarariam a favor de uma insurgência. A postura defensiva persistia.

"A situação é crítica ao extremo", rabiscou para seus camaradas.

> Atrasar a insurgência poderia ser fatal [...]. Com todo o meu poder, exorto os camaradas a ver que tudo está por um fio, que estamos diante de problemas que não podem ser resolvidos por conferências ou congressos (nem mesmo congressos de sovietes), mas exclusivamente [...] pela luta do povo armado [...]. A qualquer custo, nesta noite mesmo, nesta noite mesmo, temos de deter o governo [...]. Não devemos esperar! Podemos perder tudo! [...]. O governo está cambaleando. O golpe mortal tem de ser dado a todo custo.

E quem assumiria o poder? "Isso não é importante no momento. Que o CMR faça isso, ou 'outra instituição qualquer'".

Lênin pediu a Fofánova que entregasse a nota a Krúpskaia, "e a ninguém mais".

Em Helsingfors, um operador de rádio entregou um telegrama a Dybenko, um jovem militante bolchevique da Marinha. "Enviar os regulamentos." Era o código combinado. Seus camaradas da capital o estavam instruindo a enviar navios e marinheiros para Petrogrado.

A extrema esquerda não era a única a se preparar. Naquela noite, até os indecisos entenderam que a indecisão não podia continuar. O fraco Pré-Parlamento voltou a se reunir para discutir o pedido de apoio de Keriénski.

"Não vamos brincar de esconde-esconde." Boris Kamkov, um SR de esquerda, foi peremptório: "Existe alguém que confie no governo?".

Martov se uniu às críticas. De um ponto qualquer do salão, algum direitista bem-humorado gritou: "Eis o ministro das Relações Exteriores do futuro gabinete!".

"Eu sou míope", revidou Martov, "por isso não posso dizer se quem disse isso foi o ministro das Relações Exteriores do gabinete de Kornílov."

Os pré-parlamentaristas trocavam insultos com uma petulância desesperada, enquanto as estruturas da autoridade desmoronavam.

Não era surpresa para ninguém que Kamkov e Martov exigiam, mais uma vez, a paz imediata, um governo socialista, a reforma agrária e militar. Mas os tumultos do dia, as guinadas na direção de uma decisão, estavam empurrando os moderados para a esquerda.

Até Fiódor Dan, que durante meses defendera uma coalizão com a direita, insistia inesperadamente em "uma proclamação clara do governo [...] de uma plataforma na qual as pessoas verão seus interesses justos apoiados pelo governo e pelo Conselho da República, e não pelos bolcheviques". Isso significava conceber "as questões da paz, da terra e da democratização do Exército [...] de tal forma que nem um único trabalhador ou soldado tenha a menor dúvida de que nosso governo está avançando nesse caminho a passos firmes e resolutos".

Os kadets do Pré-Parlamento, é claro, propuseram uma resolução de apoio ao governo provisório. Os cossacos linha-dura apresentaram uma resolução própria, atacando violentamente o governo do ponto de vista da direita. Mas Dan articulou uma resolução na linha dominante dos SRs e mencheviques. Seus apelos defendiam a criação de um "Comitê de Segurança Pública" para auxiliar o governo provisório na restauração da ordem – e para estabelecer um programa radical nas questões da terra e da paz. Apesar da primeira cláusula, que parecia conciliadora, tratava-se de um voto de desconfiança em Keriénski.

Ouviam-se ecos na câmara quando o debate sobre as três moções começou. Finalmente, às 8h30 da noite, contra a oposição de 102 votos e com 26 abstenções cruciais, a resolução de "esquerda" de Dan foi aprovada por 123 votos.

Uma nova era. Dan e Gots agora estavam armados com um mandato, frágil, mas radical. Imediatamente eles correram pela noite fria para se encontrar com o gabinete no Palácio de Inverno. Aquela, tinham certeza, era a oportunidade. Exigiriam que o governo provisório proclamasse o cessar das hostilidades. Insistiriam nas negociações de paz, na transferência de terras senhoriais, na convocação da Assembleia Constituinte. Agora as coisas poderiam mudar.

Ai deles.

Justamente no momento em que o Pré-Parlamento votava, Leonid Stark, um bolchevique de Helsingfors, ocupou a Agência de Telégrafos de Petrogrado – o canal de notícias – com apenas doze marinheiros armados. Uma de suas primeiras ações foi interromper o fluxo de informações. A notícia da resolução do Pré-Parlamento não chegou a lugar algum.

Entretanto, isso fez pouca diferença. Chegando ao Palácio de Inverno, o nervosismo de Dan e Gots era tanto que beirava a insanidade. No primeiro momento, Keriénski manifestou sombriamente sua intenção de renunciar; no momento seguinte, dispensou os mencheviques na ilusão de que o governo poderia se arranjar sozinho.

A rebelião ainda estava dividida entre defensiva e ofensiva. Às nove horas da noite, na Ponte Troitski, Osvald Denis, comissário do Regimento Pávlovski no CMR, percebeu uma movimentação crescente das forças legalistas. Ele não perdeu tempo. Ordenou a prisão dos funcionários do governo e a construção de barricadas para bloquear o caminho para o palácio. Mas, logo em seguida, recebeu uma mensagem urgente do Milrevcom. Tais medidas não estavam autorizadas. Eles ordenaram que ele desguarnecesse seus postos de controle.

Incrédulo, Denis ignorou a ordem.

Enquanto isso, Lênin não podia mais se conter. Desobedecendo às instruções do CC – e não seria a primeira vez – ele pegou o casaco e deixou um bilhete na mesa de sua anfitriã.

"Parti", dizia o bilhete, "para onde você não queria que eu fosse."

De peruca, quepe surrado, roupas esfarrapadas e bandagens em torno do rosto, em disfarce grosseiro, Lênin partiu com o camarada finlandês Éino Riákha.

Os dois homens cruzaram Vyborg em um bonde sacolejante e quase vazio. Quando a condutora revelou *en passant* que era de esquerda, Lênin compulsivamente começou a questioná-la – e a lhe dar uma aula – sobre a situação política.

Eles saltaram perto da Estação Finlândia e continuaram a pé pelas ruas perigosas. No final da Rua Chpaliérnaia, Lênin e Riákha encontraram uma patrulha montada legalista. Riákha prendeu a respiração.

Mas os cadetes viram apenas um bêbado nervoso e ferido. Acenaram para Lênin, o revolucionário mais famoso do mundo, que seguia seu caminho. Pouco antes da meia-noite, Lênin e Riákha chegaram ao Instituto Smolni.

Nas esquinas, patrulhas observavam. Na entrada do prédio, atiradores se debruçavam sobre as metralhadoras. Naquela noite, a escola de etiqueta estava em pé de guerra. Carros entravam e saíam em alvoroço. Fogueiras iluminavam as paredes, os soldados desconfiados e os guardas vermelhos.

Nem Riákha nem Lênin, é claro, tinham passe para entrar. Os guardas eram irredutíveis: eles não podiam entrar. Aparentemente, depois de todo o percurso com o coração na boca, as defesas oficiosas de seu próprio lado podiam obstruir sua passagem.

Uma multidão se aglomerava atrás deles e também exigia entrar. Ela crescia cada vez mais, até que, de repente, sob a pressão tumultuada de tanta gente, vários sentinelas indefesos tiveram de se afastar, e Lênin foi carregado pelo ímpeto da multidão que o empurrava, levando-o pelo jardim e fazendo-o atravessar as portas do instituto. No momento em que 24 de outubro se tornava 25, ele avançou finalmente pelos corredores do Smolni até a sala 36.

Onde a cúpula bolchevique o encarou, atordoada, como se um espírito mau a tivesse interrompido, enquanto ele desenrolava as bandagens do rosto e começava um sermão sobre a tomada do poder.

O Comitê Executivo dos Sovietes de Toda a Rússia insistia ansiosamente nas recentes propostas de esquerda de Dan, a agenda que Keriénski acabara de rejeitar. Elas pareciam ser a melhor chance de estabilidade. Os mencheviques de esquerda e até os de centro estavam se esforçando para endossar o Comitê de Segurança Pública e reafirmar as exigências do Pré-Parlamento. Era tarde da noite e os esquerdistas ganharam força. Maioria esmagadora na reunião de cúpula do partido, a esquerda do SR decidiu se unir aos mencheviques internacionalistas para coordenar os esforços no sentido de uma coalizão exclusivamente socialista.

Eles não foram os únicos a agir rápido. Independentemente das exortações e da furtiva escapada noturna de Lênin, a lógica do confronto empurrava inexoravelmente o Milrevcom a adotar uma postura mais agressiva: a ofensiva que ele tanto se esforçava para evitar. A presença de Lênin, no entanto, foi importante e acelerou a tendência.

Já passava da meia-noite. Cerca de duas horas após a chegada de Lênin ao instituto, o esperto comissário Denis, cujas barricadas haviam sido tão mal recebidas pelo CMR, recebeu uma nova mensagem. Agora o CMR pedia que ele reforçasse a barreira que antes havia ordenado que ele destruísse – uma ordem que ele ignorara – e controlasse a movimentação dentro e fora do Palácio de Inverno. A transição final da insurreição de fato para a insurreição ostensiva havia começado.

O comissário do CMR Mikhail Faerman assumiu o controle da Estação Elétrica e, naquela noite inóspita e gelada de outubro, desligou a energia elétrica dos edifícios do governo. O comissário Karl Kadlubovsky ocupou o principal escritório dos correios da cidade. Uma companhia do 6º Batalhão de Engenharia ocupou a Estação Nikoláievski. As manobras que eles realizaram à luz da lua foram testemunhadas por uma estátua, uma cena de conto de mistério. "Os contornos das casas lembravam castelos medievais – sombras gigantes seguiam os maquinistas", lembrou um participante. "Diante dessa visão, o penúltimo imperador* parecia reinar aterrorizado sobre seu cavalo."

Três horas da manhã. Keriénski, que apenas poucas horas antes havia afirmado que estava pronto para enfrentar qualquer desafio, voltou às pressas para a sede do Estado-Maior para ouvir a litania de pontos estratégicos que haviam caído. O moral legalista declinava. O pior, porém, veio depressa.

Às 3h30 da manhã, um vulto escuro cruzou as sombras do Neva. Mastros e fios, três chaminés, grandes canhões aparentes. Da penumbra surgiu o encouraçado *Aurora*, rumando para o coração da cidade. O navio há muito tempo passava por reparos em um estaleiro do Neva. A tripulação era resolutamente radical: quando a revolta se agravou, eles desobedeceram às ordens de seguir para o mar – o governo estava em pânico com a proximidade do navio – e agora, a pedido do CMR, eles vieram. O *Aurora* entrou no traiçoeiro rio sob o olhar de um especialista: quando o capitão se recusou a participar da insurreição, os homens o trancaram em sua cabine e partiram de qualquer jeito. Mas ele não podia arriscar o imenso navio. Implorou que o deixassem sair para ele próprio conduzir a navegação. Foi ele quem orientou a ancoragem na escuridão da Ponte Nikoláievski.

Os refletores do *Aurora* cortaram a noite. Os cadetes que vigiavam a ponte, a última sob controle do governo, entraram em pânico com a claridade. E fugiram.

---

* Referência à estátua do tsar Alexandre III, montado em um cavalo, nas proximidades da estação. (N. T.)

Quando tropas de choque chegaram para recuperá-la, duzentos marinheiros e trabalhadores a defendiam.

Da Finlândia, grupos armados partiram de trem para se juntar aos seus camaradas. Mais vermelhos rumo à Petrogrado Vermelha. Na sala 36 do Smolni, Lênin se reuniu com Trótski, Stálin, Smilga e Berzin – e Kámeniev e Zinóviev, cuja recente traição já não era a coisa mais importante em que se concentrar.

As pessoas se agitavam, iam e vinham, traziam relatos e instruções. Os bolcheviques se debruçavam sobre os mapas, traçavam linhas de ataque. Lênin insistiu para que o Palácio de Inverno fosse ocupado e o governo provisório fosse preso. Aquilo era, sem sombra de dúvida, uma insurreição.

Lênin propôs apresentar ao Congresso do Soviete – que abriria mais tarde naquele dia – um governo inteiramente bolchevique. Mas como eles deveriam chamar os nomeados? "Ministro", disse ele, era "uma palavra vil e maltratada."

"Que tal Comissários do Povo?", disse Trótski.

"Sim, isso é muito bom", disse Lênin. "Cheira terrivelmente a revolução." A semente do governo revolucionário, o Conselho dos Comissários do Povo, ou Sovnarkom, foi semeada.

Lênin sugeriu Trótski para o cargo de comissário do Interior. Mas Trótski previu que os inimigos de direita o atacariam– por ser judeu.

"Qual a importância dessas ninharias?", perguntou Lênin.

"Ainda há muitos tolos por aí", respondeu Trótski.

"Tem certeza de que não estamos seguindo os passos dos tolos?"

"Às vezes", disse Trótski, "devemos nos permitir certa dose de estupidez. Por que criar complicações adicionais desde o início?"

Zonzos com o que estava acontecendo, os homens enveredaram por uma conversa estranha, intensa, divertida, utópico-burocrática. O peso dos desentendimentos recentes entre eles se tornou mais leve. Lênin então *provocou* Kámeniev. O mesmo Kámeniev que, dias antes, ele havia acusado de traição e que, horas antes, havia opinado tristemente que, se tomassem o poder, os bolcheviques não se sustentariam por mais de duas semanas.

"Não ligue", disse Lênin. "Daqui a dois anos, quando ainda estivermos no poder, você vai dizer que não sobreviveremos mais de dois anos."

A alvorada do dia 25 se aproximava. Desesperado, Keriénski emitiu um apelo aos cossacos "em nome da liberdade, da honra e da glória de nossa terra natal [...] ajam para ajudar o Comitê Executivo Central do Soviete, a democracia revolucionária e o governo provisório e salvar o Estado russo em perigo".

Mas os cossacos queriam saber se a infantaria ia para as ruas. Quando o governo deu uma resposta ambígua, todos – menos um pequeno número de ultralegalistas – responderam que não estavam dispostos a agir sozinhos, para "servir de alvo vivo".

Várias vezes, e com facilidade, o Milrevcom desarmou guardas legalistas em diversos pontos da cidade e lhes disse para voltar para casa. Na maior parte das vezes, era o que eles faziam. Os insurgentes ocuparam o Palácio dos Engenheiros simplesmente entrando pela porta. Eles entravam e se sentavam, enquanto aqueles que estavam lá sentados se levantavam e iam embora", diz uma reminiscência. Às seis da manhã, quarenta marinheiros revolucionários se aproximaram do Banco Estatal de Petrogrado. Os guardas do Regimento Semenóvski que faziam a vigilância do prédio haviam prometido neutralidade: defenderiam o banco de ladrões e saqueadores, mas não tomariam partido entre reação e revolução. Nem interviriam. Eles se afastaram e deixaram o CMR assumir.

Uma hora depois, quando a aguada luz de inverno lavava a cidade, um destacamento do Regimento Keksgólmski comandado por Zakhárov, um cadete atípico da Escola Militar, juntou-se à revolução, dirigindo-se à Central Telefônica. Zakhárov tinha trabalhado lá e sabia como funcionava a segurança. Quando chegou, não teve dificuldade em dirigir suas tropas para isolar e desarmar os mal-humorados e impotentes cadetes de plantão. Os revolucionários desligaram as linhas do governo.

Esqueceram-se de duas. Com elas, os ministros do gabinete – escondidos e amontoados sobre dois receptores que ficavam entre as pilastras, as filigranas brancas e douradas e os candelabros da Sala Malaquita do Palácio de Inverno – mantinham contato com suas escassas forças. Eles emitiam instruções inúteis, brigando em voz baixa enquanto Keriénski olhava para o nada.

Meio da manhã. Em Kronstadt, assim como fizeram antes, marinheiros armados embarcavam em tudo o que conseguissem achar e fosse navegável. De Helsingfors, partiram em cinco destróieres e um patrulheiro, todos enfeitados com bandeiras revolucionárias. Por toda Petrogrado, os revolucionários esvaziaram mais uma vez as prisões.

No Smolni, uma figura desmazelada invadiu a sala de operações bolchevique. Os ativistas olharam desconcertados para o recém-chegado, até que finalmente Vladímir Bontch-Bruiévitch gritou e correu para a frente com os braços abertos: "Vladímir Ilitch, nosso pai! Não reconheci você, meu querido!".

Lênin se sentou para redigir uma proclamação. Ele estava se contorcendo de ansiedade, desesperado para que a queda do governo estivesse finalizada quando o II Congresso se iniciasse. Ele conhecia bem a força de um fato consumado.

> Aos cidadãos da Rússia. O governo provisório foi derrubado. O poder do Estado passou às mãos do órgão do Soviete de Deputados Operários e Soldados de Petrogrado, o Comitê Revolucionário Militar, que está no comando do proletariado e da guarnição de Petrogrado.
>
> A causa pela qual o povo tem lutado – a proposta imediata de paz democrática, eliminação da propriedade sobre a terra, controle dos trabalhadores sobre a produção, criação de um governo dos sovietes –, o triunfo dessa causa foi assegurado. Viva a revolução dos trabalhadores, dos soldados e dos camponeses!

A esta altura já bastante convencido da utilidade do Milrevcom, Lênin não assinou pelos bolcheviques, mas em nome desse corpo "não partidário". A proclamação foi impressa rapidamente em negrito, ao qual o cirílico se presta bem. Tão rápido quanto as cópias podiam ser distribuídas, elas foram coladas em muitos muros. Os operadores transmitiram suas palavras pelos fios telegráficos.

De fato, não era uma verdade, mas uma aspiração.

No Palácio de Inverno, Keriénski usou seus últimos canais de comunicação para se juntar às tropas que se dirigiam para a capital. No entanto, comunicar-se com elas não seria nada fácil. Ele podia fugir, mas o CMR controlava as estações.

Ele precisava de ajuda. O Estado-Maior fez uma longa busca, cada vez mais frenética, até finalmente encontrar um carro adequado. Implorando, conseguiram garantir mais um carro, o da embaixada dos EUA – um veículo com convenientes placas diplomáticas.

Por volta das onze horas da manhã do dia 25, exatamente quando a proclamação prefigurativa de Lênin começou a circular, os dois veículos passaram acelerados pelas barreiras do CMR, mais entusiasmadas do que eficientes. Um

Keriénski arruinado fugiu da cidade com uma pequena comitiva para ir ao encontro de soldados leais.

★

Para muitos cidadãos, apesar da agitação, aquele parecia um dia quase normal em Petrogrado. Havia barulho e desordem, é claro, e era impossível ignorá-los, mas relativamente poucas pessoas estavam envolvidas na luta, e apenas em pontos-chave. Enquanto os combatentes se ocupavam do trabalho insurrecional ou contrarrevolucionário, reconfigurando o mundo, a maioria dos bondes estava em operação e a maioria das lojas estava aberta.

Ao meio-dia, soldados e marinheiros revolucionários armados chegaram ao Palácio Mariínski. Os pré-parlamentaristas, que discutiam ansiosamente o drama que se desenrolava, estavam prestes a se tornar atores dele.

Um comissário do CMR entrou na sala de surpresa. Ordenou que o presidente do Pré-Parlamento, Avkséntiev, evacuasse o palácio. De armas na mão, soldados e marinheiros abriram caminho e dispersaram os aterrorizados deputados. Atordoado, Avkséntiev reuniu rapidamente o maior número possível de integrantes do comitê. Eles sabiam que resistir seria inútil, mas partiram sob protestos e com tanta formalidade quanto era possível, comprometendo-se a se reunir novamente o mais rápido que pudessem.

Quando saíram no frio cortante, os novos guardas do prédio verificaram seus documentos, mas não os detiveram. O lamentável Pré-Parlamento não era o prêmio que, para a exasperação enlouquecida de Lênin, ainda lhes escapava.

Esse prêmio era o Palácio de Inverno, agora sem a presença de Keriénski. Lá, com o mundo desmoronando, as lúgubres brasas do governo provisório ainda ardiam.

Ao meio-dia, na grande Sala Malaquita, o magnata do ramo têxtil e kadet Konoválov reuniu o gabinete.

"Não sei por que esta sessão foi convocada", murmurou o almirante Verderiévski, ministro da Marinha. "Não temos nenhuma força militar tangível e, consequentemente, somos incapazes de tomar qualquer atitude." Talvez, postulou, eles devessem ter se reunido com o Pré-Parlamento – e, no mesmo momento em que falava, chegou a notícia da dissolução do órgão.

Os ministros recebiam relatórios e emitiam apelos a seus interlocutores cada vez menos numerosos. Aqueles que não eram afligidos pelo triste realismo de Verderiévski prolongavam as fantasias. Com os últimos resquícios de poder se esvaindo, eles sonhavam com uma nova autoridade.

Com toda a seriedade do mundo, como se fossem fósforos queimados contando histórias sinistras de incêndios que provocariam em breve, as cinzas do governo provisório da Rússia discutiam entre si a criação de um ditador.

Dessa vez, as forças de Kronstadt alcançaram as águas de Petrogrado em um antigo iate de lazer, dois navios lança-minas, um navio de treinamento, um antigo navio de guerra e uma falange de pequenas barcaças. Outra flotilha maluca.

Perto de onde o gabinete fantasiava sobre uma ditadura revolucionária, os marinheiros tomaram o Almirantado e prenderam o alto-comando naval. O Regimento Pávlovski montou guarda nas pontes. O Regimento Keksgólmski assumiu o controle ao norte do rio Moika.

O horário originalmente previsto para a tomada do Palácio de Inverno, meio-dia, tinha chegado e passado. O prazo foi adiado para as três horas, o que implicava a prisão do governo para depois das duas horas da tarde, horário de abertura do Congresso dos Sovietes – exatamente o que Lênin queria evitar. A abertura do congresso foi adiada.

Mas o salão do Smolni agora fervilhava de delegados dos sovietes da capital e das províncias. Eles exigiam notícias. Não podiam adiar as atividades para sempre.

Assim, às 2h35 da tarde, Trótski abriu uma sessão de emergência do Soviete de Petrogrado. "Em nome do Comitê Militar Revolucionário", exclamou, "declaro que o governo provisório não existe mais."

Suas palavras provocaram uma tempestade de alegria. As principais instituições estavam nas mãos do CMR, Trótski continuou, em meio à comoção. O Palácio de Inverno cairia "em instantes". Outra grande aclamação: Lênin estava entrando no salão.

"Viva o camarada Lênin", gritou Trótski, "conosco novamente!"

A primeira aparição pública de Lênin desde julho foi breve e exultante.

Ele não ofereceu detalhes, mas anunciou "o início de um novo período" e exortou: "Viva a revolução socialista mundial".

A maioria dos presentes respondeu com prazer, mas houve dissidências.

"Você está antecipando a vontade do II Congresso dos Sovietes", gritou alguém.

"A vontade do II Congresso dos Sovietes foi predeterminada pelo fato de que os trabalhadores e os soldados se insurgiram", replicou Trótski. "Agora só temos de levar adiante esse triunfo."

Mas, entre proclamações de Volodárski, Zinóviev e Lunatchárski, um pequeno número de moderados, na maioria mencheviques, se retirou dos órgãos executivos do Soviete. Eles alertaram sobre as terríveis consequências dessa conspiração.

Os revolucionários haviam cometido erros de comédia-pastelão. Os marinheiros do Báltico chegaram atrasados aos seus postos. Alguns foram abandonados em um campo além da cidade finlandesa de Vyborg, graças a um chefe de estação legalista que forneceu um trem não confiável.

Às três horas da tarde, o ataque reprogramado ao governo provisório foi adiado novamente. Lênin ficou furioso com o CMR. Ele estava, recordou Podvóiski, "como um leão em uma jaula [...], pronto para pular em cima de nós". No próprio Palácio de Inverno, quando o moral dos cerca de 3 mil soldados famintos desmoronou, o gabinete se isolou e continuou a imaginar a história do futuro. Dan e Gots, do Pré-Parlamento, decidiram excluir os kadets de seu governo planejado; mas agora, em uma afronta epicamente insignificante para os mencheviques, o gabinete determinou que o novo líder seria do Kadet: o ex-ministro do Bem-Estar, Nikolai Mikháilovitch Kishkin.

Pouco depois das quatro horas da tarde, ele foi formalmente empossado. Assim começou o breve reinado do ditador Kishkin, todo-poderoso governante de um conjunto de salas palacianas e uns poucos edifícios periféricos.

O ditador Kishkin correu à sede militar para assumir o comando. Sua primeira ação foi demitir o chefe do Estado-Maior, Polkóvnikov, e substituí-lo por Bagratuni. Isso provocou a primeira fissura em sua autoridade absoluta: milagrosamente resistentes ao temível poder de Kishkin, os companheiros de Polkóvnikov renunciaram em massa para protestar contra o fato de ele ter sido feito de bode expiatório.

Alguns conseguiram passar pela esburacada defesa do CMR e voltaram melancolicamente para casa. Alguns se sentaram e ficaram olhando pelas janelas.

Seis horas. A chuva fria caía junto com a escuridão. Outro prazo do CMR para atacar o palácio havia terminado. A Guarda Vermelha observava com leve consternação enquanto, na Praça do Palácio, cadetes erguiam suas próprias barricadas.

De tempos em tempos algum revolucionário mais exaltado, ou coisa assim, disparava um tiro, apenas para ser repreendido por seus camaradas. Lênin enviou notas furiosas aos líderes do CMR, exigindo que dessem continuidade à operação.

Às 6h15, um grupo de cadetes de tamanho considerável decidiu que não tinha apetite para sacrifícios inúteis, particularmente de si mesmos, e escapuliu do Palácio de Inverno, levando seus rifles de grande porte. Os ministros se retiraram para os aposentos privativos de Keriénski para jantar. Borche, peixe, alcachofra.

Na Fortaleza de Pedro e Paulo, o comissário do CMR Blagonrávov decidiu que já era hora de atacar. Ele enviou dois ciclistas ao Estado-Maior com um ultimato: o canhão da fortaleza e as armas do *Aurora* e de sua embarcação irmã, *Amur*, disparariam em vinte minutos, a menos que o governo se rendesse.

Blagonrávov estava blefando. Ele havia descoberto que as grandes armas da fortaleza apontadas para o palácio eram inúteis: estavam muito sujas para disparar. Suas substitutas menores foram posicionadas às pressas, mas aí ele percebeu que elas não estavam carregadas. E ele não tinha munição adequada.

Os generais foram rapidamente ao gabinete para retransmitir a mensagem do CMR. O último telegrafista do Estado-Maior informou a Pskov que o prédio estava perdido. "Estou abandonando o trabalho", acrescentou, "e dando o fora."

Alguém quis saber o que aconteceria se o *Aurora* disparasse. "O palácio", disse Verderiévski expressivamente, "vai virar um monte de ruínas."

O ditador Kishkin apressou-se a implorar a alguns poucos cadetes trêmulos que ficassem. O gabinete, considerando que era seu dever não se retirar até o último momento possível, emitiu um último telegrama.

"Para todos, todos, todos! O Soviete de Petrogrado" – significativamente não os bolcheviques – "declarou derrubado o governo provisório e exige que o poder seja cedido sob ameaça de bombardeio [...]. Decidimos não nos render e nos colocamos sob a proteção do povo."

Às oito horas da noite foi a vez de duzentos cossacos abandonarem seus postos. Bagratuni renunciou e também saiu. No palácio, o restante das forças legalistas esperava a morte fumando morosamente sob a tapeçaria.

Um flanco estava mal guardado. Com determinação e sorte, qualquer um passaria pelos guardas nos corredores parcialmente defendidos. Uma série de revolucionários como Dachkiévitch e repórteres como John Reed iam e vinham, em nome da curiosidade, da solidariedade, do jornalismo. Tchudnóvski foi *convidado* a entrar por cadetes desesperados para sair dali, mas com receio e negociando sua própria segurança.

Os ministros desocuparam a Sala Malaquita e foram para um escritório menos vulnerável – onde havia um telefone que, milagrosamente, ainda estava funcionando. Os homens telefonaram para a Duma Municipal e pediram ajuda ao prefeito de Petrogrado, Grigori Shréider.

A Duma se reuniu imediatamente em sessão de emergência e enviou mediadores para o *Aurora*, o Smolni e o Palácio de Inverno. Mas os mediadores foram barrados pelo CMR ao se aproximarem do navio e rechaçados pelas pessoas que cercavam o palácio. Como a bandeira branca que carregavam não era suficientemente visível, foram recebidos a tiros pelos últimos defensores do palácio, em nome do qual estavam ali. No Smolni, Kámeniev os recebeu com cortesia e lhes ofereceu uma passagem segura até o palácio, mas o grupo escoltado não teve mais sorte do que aquele que seguiu direto para lá.

Foi mais ou menos nessa hora que Keriénski conseguiu chegar ao *front*.

Blagonrávov estava tentando se preparar e percebeu com alívio que as armas de seis polegadas da Fortaleza de Pedro e Paulo estavam em condições de atirar, no final das contas. Mas as ridículas dificuldades que teve de enfrentar não haviam acabado. Os revolucionários concordaram que o ataque final ao Palácio de Inverno começaria quando os homens içassem uma lanterna vermelha no mastro da fortaleza – e ninguém, ele veio a saber, tinha tal lanterna.

Caçando uma lanterna nas dependências sombrias da fortaleza, Blagonrávov acabou caindo em um poço de lama. Quando, sujo e encharcado, finalmente encontrou uma luz adequada e voltou para erguê-la, descobriu, quase fora de si de tanta frustração, que "era extremamente difícil fixá-la no mastro". Foi só depois das 9h40 da noite, quase dez horas depois do prazo original, que ele superou os obstáculos e, finalmente, conseguiu sinalizar para que o *Aurora* disparasse.

O primeiro tiro do navio foi sem projétil. A explosão produziu um som sem fúria, mas bem mais alto do que o da munição viva. Um estrondo cataclísmico sacudiu Petrogrado.

À beira do rio, os espectadores curiosos se jogaram no chão, aterrorizados, e taparam os ouvidos. Atordoados e trêmulos com os relatos, dezenas de defensores do palácio perderam a confiança e abandonaram seus postos, deixando para trás apenas um núcleo duro engajado, corajoso, paralisado, exausto, estúpido ou medroso demais para fugir.

O ministro Semion Maslov, da direita SR, gritou ao telefone para um representante da Duma, que transmitiu suas palavras para a casa silenciosa.

> A democracia nos pôs no governo provisório: não queríamos a nomeação, mas tivemos de aceitá-la. No entanto, agora [...] quando atiram em nós, não somos apoiados [...]. É claro que vamos morrer. Mas minhas palavras finais serão: "Desprezo e danação à democracia que soube nos nomear, mas não conseguiu nos defender".

Depois de quase oito horas de paralisação, os delegados do Soviete não podiam mais adiar. Uma hora depois daquele primeiro tiro, o II Congresso dos Sovietes foi aberto no Grande Salão de Assembleias do Smolni.

A sala estava carregada de fumaça, apesar dos alertas repetidos, muitas vezes pelos próprios fumantes, de que não era permitido fumar. Quase todos os delegados, Sukhánov recordou com um estremecimento, tinham "os traços sombrios das províncias bolcheviques". A seus olhos cultos e refinados, eles pareciam "carrancudos", "primitivos" e "soturnos", "brutos e ignorantes". Dos 670 delegados, 300 eram bolcheviques; 193 eram SRs, dos quais mais de metade da esquerda do partido; 68 eram mencheviques; 14 eram mencheviques internacionalistas. O restante eram não afiliados ou membros de pequenos grupos. A quantidade de bolcheviques presentes demonstrava que o apoio ao partido estava aumentando entre aqueles que tinham votado nos representantes – e foi reforçada por arranjos vagos, que lhes deram mais do que sua parte proporcional. Mesmo assim, sem os SRs de esquerda, eles não tinham maioria.

Mas não foi um bolchevique que tocou o sino de abertura, e sim um menchevique. Os bolcheviques se aproveitaram da vaidade de Dan, oferecendo-lhe a honra. Mas ele cortou imediatamente qualquer esperança de harmonia ou camaradagem.

"O Comitê Executivo Central considera supérfluo nosso habitual discurso de abertura", anunciou. "Agora mesmo, nossos camaradas, cumprindo abnegadamente as obrigações que colocamos sobre eles, estão sob tiros no Palácio de Inverno."

Dan e os outros moderados que lideravam o Soviete desde março desocuparam a mesa para serem substituídos pelo novo *presidium* eleito. Sob uma ovação barulhenta, catorze bolcheviques – entre os quais Kollontai, Lunatchárski, Trótski, Zinóviev – e sete SRs de esquerda, incluída a grande Maria Spiridónova, subiram ao palco. Os mencheviques, indignados, renunciaram solenemente a seus três assentos. Um lugar estava reservado aos mencheviques internacionalistas: em um gesto simultaneamente digno e patético, o grupo de Martov recusou-o, mas reservou-se o direito de aceitá-lo mais tarde.

No momento em que a nova liderança revolucionária se sentou, preparando-se para os trabalhos, outro estrondo de canhão reverberou no salão. Todos congelaram.

Dessa vez, o tiro partiu da Fortaleza de Pedro e Paulo. E, ao contrário do tiro do *Aurora*, não foi inexpressivo.

★

O Neva refletia o clarão oleoso dos disparos. As granadas subiam, faziam arcos na noite e chiavam quando desciam na direção do alvo. Muitas – por pura misericórdia ou incompetência – explodiam, brilhantes e inofensivas, no ar. Outras mergulhavam nas profundezas do rio, espirrando água.

Sem sair de suas posições, os guardas vermelhos também disparavam. Suas balas salpicaram as paredes do Palácio de Inverno. Os remanescentes do governo se encolheram sob a mesa enquanto estilhaços de vidro caíam ao seu redor.

No Smolni, quando soaram os ecos ameaçadores do ataque, Martov ergueu sua voz trêmula. Ele insistia em uma solução pacífica. Fez um apelo rouco por um cessar-fogo. E pelo início das negociações para um governo interpartidário, unido e socialista.

Então houve um grande tumulto de aplausos na plateia. Do próprio *presidium*, Mstislávski, um SR de esquerda, ofereceu vigoroso apoio a Martov. Assim como a maioria dos presentes, inclusive muitos bolcheviques das bases populares.

Diante da liderança do partido, Lunatchárski levantou-se. E então, espantosamente, anunciou que "a fração bolchevique não tem absolutamente nada contra a proposta de Martov".

Os delegados votaram o apelo de Martov. O apoio foi unânime.

Bessie Beatty, correspondente do *San Francisco Bulletin*, estava na sala. Ela entendeu os riscos daquilo que estava vendo. "Foi um momento crítico na história da Revolução Russa." Uma coalizão socialista democrática parecia prestes a nascer.

Mas, enquanto aquele momento se prolongava, as armas do Neva soaram de novo. Os ecos sacudiram a sala – e o abismo entre as partes ressurgiu.

"Uma aventura política criminosa está acontecendo pelas costas do Congresso de Toda a Rússia", anunciou Kharash, um oficial menchevique. "Os mencheviques e os SRs repudiam tudo o que está acontecendo aqui e resistem obstinadamente a todas as tentativas de tomar o governo."

"Ele não representa o 12º Exército!", gritou um soldado irritado. "O Exército exige todo o poder aos sovietes!"

Houve um bombardeio de protestos. Os SRs e os mencheviques de direita se revezavam para gritar acusações contra os bolcheviques e alertar de que se retirariam. A esquerda os vaiava.

Os ânimos se azedaram. Khintchuk, do Soviete de Moscou, tomou a palavra. "A única possibilidade de solução pacífica para a crise atual", insistiu, "é negociar com o governo provisório."

Caos. A intervenção de Khintchuk era ou uma subestimação catastrófica do ódio contra Keriénski, ou uma provocação deliberada. E atraiu a fúria não só dos incrédulos bolcheviques. Finalmente, em meio à balbúrdia, Khintchuk gritou: "Nós estamos deixando o presente congresso!".

Mas, entre estampidos, insultos e assobios saudando a decisão, os mencheviques e os SRs hesitaram. Afinal, a ameaça de abandonar o congresso era a última cartada.

Do outro lado de Petrogrado, a Duma discutia o telefonema de Maslov. "Saibam os nossos camaradas que nós não os abandonamos; saibam que vamos morrer com eles", proclamou o SR Naúm Bykhóvski. Liberais e conservadores se levantaram para votar que sim, que eles se juntariam aos que estavam sob tiros no Palácio de Inverno, que também estavam prontos a morrer pelo regime. A condessa Sofia Panina, do Kadet, declarou que "ficaria na frente do canhão".

Cheios de desprezo, os representantes bolcheviques votaram não. Eles também se juntariam, disseram, mas não ao palácio: ao Soviete.

Feito o registro, dois cortejos concorrentes partiram na escuridão.

No Smolni, Erlich, do Bund judaico, interrompeu os trabalhos para transmitir notícias das decisões dos deputados da Duma. Era hora, ele disse, de quem "não desejava um banho de sangue" se juntar à marcha para o palácio, em solidariedade ao gabinete. Mais uma vez, a esquerda praguejou, enquanto mencheviques, bunds, SRs e outros pequenos grupos se levantaram e, por fim, saíram. Deixaram bolcheviques, SRs de esquerda e inquietos mencheviques internacionalistas para trás.

Caminhando com dificuldade sob a chuva fria da noite, os autoexilados moderados do Smolni chegaram à Avenida Niévski. Na Duma, uniram-se aos seus deputados, aos mencheviques e SRs do Comitê Executivo dos Sovietes de Camponeses e, juntos, expressaram sua solidariedade ao gabinete. Os quatro grupos caminharam atrás do prefeito Shréider e de Serguei Prokopovitch, ministro do Abastecimento. Levando pão e salsichas para o sustento dos ministros, cantando a Marselhesa com vozes inseguras, o grupo de trezentas pessoas saiu para morrer pelo governo provisório.

Eles não formavam um bloco. Na esquina do canal, os revolucionários bloquearam o caminho.

"Nós exigimos passar!", gritaram Shréider e Prokopovitch. "Nós estamos indo para o Palácio de Inverno!"

Um marinheiro, confuso, recusou-se a deixá-los passar.

"Atire em nós, se quiser!", desafiaram os manifestantes. "Estamos prontos para morrer, se vocês tiverem coragem de disparar contra russos e camaradas [...]. Nós enfrentaremos as armas!"

O peculiar impasse continuou. A esquerda se recusava a atirar, a direita exigia o direito de passar e/ ou ser baleada.

"O que você vai fazer?", gritou alguém para o marinheiro que se recusava obstinadamente a assassiná-lo.

O testemunho pessoal de John Reed sobre o que aconteceu a seguir é famoso. "Apareceu outro marinheiro, muito irritado. 'Nós vamos dar uma surra em vocês!', gritou energicamente. 'E, se necessário, vamos atirar também. Vão para casa agora e nos deixem em paz.'"

Aquilo não seria um destino digno para os defensores da democracia. De pé em cima de uma caixa, acenando com seu guarda-chuva, Prokopovitch anunciou a seus seguidores que eles salvariam aqueles marinheiros de si mesmos. "Não podemos deixar que nosso sangue inocente manche as mãos desses homens ignorantes! [...] Está abaixo da nossa dignidade sermos abatidos" – que dirá levar uma surra – "aqui no meio da rua por guarda-chaves. Voltemos à Duma e discutamos formas melhores de salvar o país e a Revolução!"

Com isso, os autodeclarados *morituri* da democracia liberal deram meia--volta e iniciaram a viagem embaraçosamente curta de regresso à Duma, levando consigo as salsichas.

Martov permaneceu no Salão da Assembleia com a reunião de massa. Ainda tentava desesperadamente um compromisso. Agora, ele apresentava uma moção criticando os bolcheviques por antecipar a vontade do congresso, sugerindo – mais uma vez – que começassem as negociações para um governo socialista amplo e inclusivo. A sugestão era muito próxima da proposta que havia feito duas horas antes – à qual, apesar do desejo de Lênin de romper com os moderados, os bolcheviques não se opuseram.

Mas duas horas era muito tempo.

Quando Martov se sentou, houve uma comoção, e a fração bolchevique da Duma entrou no salão – para deleite e surpresa dos delegados. Disseram que vinham "para triunfar ou morrer com o Congresso de Toda a Rússia".

Quando a ovação diminuiu, o próprio Trótski levantou-se para responder a Martov:

> Uma sublevação das massas populares não necessita de justificativa. O que aconteceu foi uma insurreição, e não uma conspiração. Endurecemos a energia revolucionária dos trabalhadores e dos soldados de Petersburgo. Construímos abertamente a vontade das massas para uma insurreição, e não para uma conspiração. As massas populares seguiram nossa bandeira, e nossa insurreição foi vitoriosa. E agora vocês vêm nos dizer: renunciem à vitória, façam concessões, comprometam-se. Com quem? Pergunto: com quem devemos nos comprometer? Com os miseráveis que nos deixaram ou com os que estão nos fazendo essa proposta? Nós os vimos por inteiro. Mais ninguém na Rússia está com eles. Supõe-se que um compromisso deva ser feito, como entre dois lados iguais, pelos milhões de trabalhadores e camponeses representados por um congresso que está disposto, não pela primeira nem pela última vez, a barganhá-los como a burguesia julgar melhor. Não, nenhum compromisso é possível aqui. Para aqueles que nos deixaram e para aqueles que nos dizem para fazer isso, nós dizemos: vocês fracassaram miseravelmente, seu papel terminou. Vão para onde devem ir: a lata de lixo da história!

O salão veio abaixo. Em meio ao grande e prolongado aplauso, Martov se levantou. "Então vamos embora!", ele gritou. Quando se virou, um delegado interceptou seu caminho. O homem olhou para ele com uma expressão que ia da tristeza à acusação.

"E nós que pensamos", disse ele, "que ao menos Martov permaneceria do nosso lado."

"Um dia você entenderá", disse Martov com voz trêmula, "o crime do qual você está participando."

Ele saiu.

O congresso aprovou rapidamente uma denúncia rancorosa dos que partiram, inclusive de Martov. Tais farpas eram indesejáveis e desnecessárias, no que dizia respeito aos SRs de esquerda e aos mencheviques internacionalistas que permaneceram no salão – bem como para muitos bolcheviques.

Boris Kamkov foi calorosamente aplaudido quando anunciou que seu grupo, os SRs de esquerda, ficaria. Ele tentou reavivar a proposta de Martov, criticando delicadamente a maioria bolchevique. Eles não haviam conquistado o campesinato nem a maior parte do Exército, lembrou aos seus ouvintes. Ainda era necessário um compromisso.

Dessa vez, não foi Trótski quem respondeu, mas o popular Lunatchárski – que havia *concordado* anteriormente com a moção de Martov. A missão que eles tinham diante de si era difícil, assentiu, mas "as críticas que Kamkov nos faz são infundadas".

> Se, no início desta sessão, tivéssemos tomado medidas para rejeitar ou eliminar outros elementos, Kamkov estaria certo. Mas todos nós aceitamos unanimemente a proposta de Martov de discutir maneiras pacíficas de resolver a crise. E fomos inundados por uma enxurrada de declarações. Houve um ataque sistemático contra nós [...]. Sem nos ouvir, sem nem sequer se importar em discutir sua própria proposta, eles [os mencheviques e os SRs] tentaram se livrar de nós.

Em resposta, alguém poderia ter lembrado a Lunatchárski que, durante semanas, Lênin insistira que seu partido deveria tomar o poder sozinho. E, no entanto, apesar de todo esse cinismo, Lunatchárski estava certo.

Seja pela alegria da solidariedade, seja pela truculência da confusão, seja por outra coisa qualquer, a verdade é que os bolcheviques, assim como todos os outros partidos no salão, *haviam* apoiado a cooperação – um governo de unidade socialista – quando Martov trouxe o assunto à baila.

Bessie Beatty sugeriu que Trótski não foi suficientemente rápido para responder à proposta da primeira vez, talvez por "alguma memória amarga dos ultrajes que sofreu nas mãos daqueles outros líderes". Isso é discutível, mas, mesmo que fosse verdade, os mencheviques, os SRs de direita e outros resolveram atirar esses votos na cara dos bolcheviques. Eles foram direto da votação para a oposição, denunciando aqueles à sua esquerda.

A questão de Lunatchárski era razoável: como cooperar com quem rejeitou a cooperação?

Como se quisessem enfatizar esse ponto, naquele mesmo instante os moderados que haviam abandonado a reunião rotulavam o encontro de apenas "um encontro privado de delegados bolcheviques". "O Comitê Executivo Central", anunciaram, "considera que o II Congresso não aconteceu."

No salão, o debate sobre a conciliação se arrastou até altas horas. Mas agora a ponderação das opiniões cabia a Lunatchárski e Trótski.

No Palácio de Inverno, o jogo chegava ao fim.

O vento penetrava através das vidraças estilhaçadas. As grandes salas estavam frias. Os soldados, desconsolados e privados de propósito, passavam pelas águias de duas cabeças da sala do trono. Os invasores entraram nos aposentos privativos do imperador. Vazios. Dedicaram algum tempo ao ataque da imagem do homem, picotando a baionetadas o hirto e calmo Nicolau II em tamanho natural, que observava tudo da parede. Arranharam a pintura como animais com garras, desde a cabeça até às botas do ex-tsar.

Vultos entravam e saíam, cada um inseguro de quem era o outro. Certo tenente Sinegub continuava firmemente comprometido a defender o governo. Ele patrulhou os corredores sitiados por horas sem fim, aguardando o ataque, à deriva em uma espécie de pânico entorpecido, extremo, uma exaustão narcótica, repassando as cenas como partes de uma história ouvida pela metade: um velho cavalheiro em uniforme de almirante, sentado imóvel em uma poltrona; uma central telefônica desligada, abandonada; soldados de joelhos sob os olhos observadores dos retratos da galeria.

Homens se enfrentavam nas escadarias. Qualquer rangido no piso de tábuas podia ser a revolução. Lá vinha um *Junker* seguindo para algum lugar, em alguma missão. Ele advertiu, com uma calma pomposa, que a pessoa por quem Sinegub acabara de passar – ele tinha passado por alguém, sim – provavelmente era um inimigo. "Bom, excelente", disse Sinegub. "Atenção! Vou me certificar de uma vez." Ele se virou e o imobilizou – o outro homem, ele viu, era mesmo do partido insurgente –, puxando o casaco dele para baixo, como uma criança em uma briga no pátio da escola, para que ele não pudesse mover os braços.

Quase duas horas da manhã, as forças do CMR entraram no palácio em número imprevisto. Desesperado, Konoválov telefonou a Shréider. "Temos apenas uma pequena força de cadetes", disse. "Nossa prisão é iminente." A ligação caiu.

Os ministros ouviram tiros inúteis nos corredores. Sua última defesa. Passos. Um cadete sem fôlego veio correndo para receber ordens. "Lutar até o último homem?", perguntou.

"Sem derramamento de sangue!", gritaram. "Vamos nos render."

Eles esperaram. Um embaraço estranho. Qual a melhor forma de ser encontrado? Não, seguramente, hesitando envergonhados, com o casaco no braço como homens de negócios à espera do trem.

O ditador Kishkin assumiu o controle. Proferiu as duas últimas ordens de seu reinado.

"Larguem os sobretudos", disse. "Vamos nos sentar à mesa."

Eles obedeceram. E assim estavam, um quadro congelado de uma reunião do gabinete, quando Antónov irrompeu inesperadamente, com o chapéu de artista excêntrico empurrado para trás sobre a cabeleira vermelha. Atrás dele, soldados, marinheiros, guardas vermelhos.

"O governo provisório está aqui", disse Konoválov com uma dignidade impressionante, como se respondesse a uma batida na porta, e não a uma insurreição. "O que você quer?"

"Informo a você, a todos vocês", disse Antónov, "membros do governo provisório, que vocês estão presos."

Antes da revolução, em outros tempos políticos, um dos ministros ali presentes, Maliantóvitch, havia abrigado Antónov em sua casa. Os dois homens se entreolharam, mas não disseram nada.

Os guardas vermelhos ficaram furiosos ao perceber que Keriénski havia desaparecido. O sangue fervia. Alguém gritou: "Enfiem a baioneta nesses filhos da puta!".

"Não permitirei nenhuma violência contra eles", respondeu calmamente Antónov.

Dito isso, conduziu os ministros para fora, deixando para trás seus rascunhos de proclamações riscados, aqueles rabiscos sinuosos como os sonhos de ditadura em planos fantásticos. Um telefone começou a tocar.

Sinegub observou pelo corredor. Quando tudo terminou, quando o governo acabou e seu dever foi cumprido, ele se virou em silêncio e se afastou, sob a luz dos refletores.

Saqueadores investigaram o labirinto de salas. Ignoraram as obras de arte e levaram roupas e quinquilharias. Pisotearam papéis. Ao sair, os soldados revolucionários os revistaram e confiscaram os *souvenirs*. "Este é o palácio do povo", disse um tenente bolchevique. "Este é o nosso palácio. Não roube o povo."

Uma alça de espada quebrada, uma vela de cera. Os ladrões entregaram o butim. Um cobertor, uma almofada de sofá.

Antónov conduziu os ex-ministros para fora, onde encontraram uma multidão furiosa e exaltada. Ele se colocou na frente dos prisioneiros para protegê-los. "Não toquem neles", insistiram ele e outros experientes – e orgulhosos – bolcheviques. "Isso *não é civilizado*."

Mas a raiva das ruas não seria apaziguada tão facilmente. Depois de um momento de apreensão, por sorte o ruído de tiros de metralhadora na vizinhança dispersou as pessoas, alarmadas, e Antónov aproveitou para atravessar a ponte, empurrando e arrastando os detidos para a Fortaleza de Pedro e Paulo.

Quando a porta de sua cela estava prestes a se fechar, o ministro dos Negócios Interiores, o menchevique Nikítin, encontrou um telegrama da Rada ucraniana em seu bolso.

"Recebi isso ontem", disse. E o entregou a Antónov. "Agora o problema é seu."

No Smolni, foi o obstinado antagonista Kámeniev que deu a notícia aos delegados: "Os líderes da contrarrevolução abrigados no Palácio de Inverno foram detidos pela guarnição revolucionária". Houve um alegre pandemônio.

Passava das três da madrugada, mas ainda havia negócios a fazer. Durante mais duas horas, o congresso ouviu relatos de tropas que haviam mudado para o seu lado, de generais que haviam reconhecido a autoridade do CMR. Também havia dissidências. Alguém pediu a libertação dos ministros do SR: Trótski os criticou duramente, chamando-os de falsos camaradas.

Por volta das quatro da madrugada, em um epílogo indigno para sua saída, uma delegação do grupo de Martov entrou timidamente no salão para tentar reapresentar o apelo em favor de um governo socialista colaborativo. Kámeniev lembrou que aqueles com quem Martov defendia um compromisso viraram as costas para a sua proposta. Sempre moderado, ignorou as críticas de Trótski aos SRs e mencheviques, deixando que caíssem discretamente no limbo processual para poupar embaraços, caso as negociações continuassem.

Lênin não retornaria à reunião naquela noite. Ele estava fazendo planos. Mas havia escrito um documento, que Lunatchárski deveria apresentar.

Dirigindo-se a "todos os trabalhadores, soldados e camponeses", Lênin proclamava o poder do Soviete e se encarregava de propor imediatamente a paz democrática. A terra seria transferida aos camponeses. As cidades receberiam pão, as nações do império teriam autodeterminação. Mas Lênin também advertiu de que a revolução permanecia sob ameaça – de fora e de dentro.

> Os kornilovistas [...] estão se esforçando para conduzir as tropas contra Petrogrado [...]. Soldados! Resistam a Keriénski, que é kornilovista! [...] Ferroviários! Parem todos os escalões enviados por Keriénski contra Petrogrado! Soldados, trabalhadores, funcionários! O destino da revolução e da paz democrática está em suas mãos!

A leitura em voz alta do documento demorou, interrompida como foi pelos gritos de aprovação. Um pequeno ajuste no texto assegurou a aprovação da esquerda SR. Uma minúscula facção menchevique se absteve, preparando o caminho para a reconciliação entre o martovismo de esquerda e os bolcheviques. Não importa. Às cinco horas da madrugada do dia 26 de outubro, o manifesto de Lênin foi aprovado por expressiva maioria.

Um urro. Seu eco se esvaiu quando a magnitude da resolução ovacionada se tornou lentamente nítida. Homens e mulheres olhavam uns para os outros. Estava aprovado. Estava feito.

O governo revolucionário fora proclamado.

O governo revolucionário fora proclamado, e isso era o suficiente para uma noite. Era mais do que o suficiente para uma primeira reunião, com certeza.

Exaustos, ébrios de história, com os nervos ainda tensos como fios de arame, os delegados do II Congresso dos Sovietes tropeçavam ao sair do Smolni. Eles saíram da escola de boas maneiras direto para um novo momento da história, um novo primeiro dia: o de um governo dos trabalhadores, que amanhecia em uma nova cidade, a capital de um Estado dos trabalhadores. Eles entravam no inverno sob um céu de luz tênue, mas radiante.

EPÍLOGO: DEPOIS DE OUTUBRO

"Oh, meu amor, agora conheço toda a sua liberdade;
Sei que ela virá; mas como será?"
Nikolai Tchernichévski,
Que fazer?

I

Esse estranho livro intitulado *Que fazer?* projeta uma longa sombra. Em 1902, Lênin deu ao tratado fundamental que escreveu sobre a organização da esquerda o título desse romance de quarenta anos antes.

A história de Tchernichévski é entremeada de sequências oníricas, das quais a mais famosa é a quarta. Em onze seções, a protagonista Vera Pavlovna viaja do passado antigo para um futuro estranho, comovente e utópico. O ponto de inflexão do livro, o fulcro da história para a possibilidade, é a seção 7 do quarto sonho: essa seção, na sua totalidade, constitui a epígrafe deste livro.

Duas linhas de pontos. Algo ostensivamente não dito. A transição da injustiça para a emancipação. Leitores informados entenderiam que, por trás das longas reticências, residia a revolução.

Com tamanha discrição, o autor escapou da censura. Mas há algo quase religioso, também, no não dito desse ateu filho de um padre. Uma *via negativa* política, um revolucionarismo apofático.

Para aqueles que se apegam a isso, um paradoxo da revolução realmente existente é que, em seu potencial de reconfiguração total, ela está, precisamente, além das palavras, é uma interrupção messiânica – que emerge do cotidiano. Indizível, e ainda assim o ponto culminante das exortações diárias. Além da linguagem e feita dela, além da representação e não.

As reticências de Tchernichévski são, portanto, a versão de uma estranha história. Este livro é a tentativa de outra.

E o suspiro urgente, citado aqui, com que Tchernichévski conclui as reticências? "Como será?" Essa pergunta, da perspectiva estratégica atual da história, só pode doer.

II

Fim da noite de 26 de outubro de 1917. Lênin está de pé diante do II Congresso dos Sovietes. Ele agarra o púlpito. Havia feito a plateia esperar – são quase nove horas da noite – e agora é ele mesmo que espera, silencioso, enquanto os aplausos o recobrem. Por fim, inclina-se e, com a voz rouca, profere as primeiras e famosas palavras para a assembleia.

"Vamos proceder agora à construção da ordem socialista."

Isso provoca uma nova euforia. Um urro.

Lênin segue os SRs de esquerda, propondo a abolição da propriedade privada da terra. Com relação à guerra, o Congresso emite uma "proclamação aos povos e governos de todas as nações beligerantes" para a negociação imediata da paz democrática.

A aprovação é unânime. "A guerra acabou!", ouve-se uma exclamação abafada. "A guerra acabou!"

Os delegados choram. Começam a cantar – não canções comemorativas, mas canções fúnebres, celebrando aqueles que morreram na luta para que aquele momento chegasse.

Mas a guerra ainda *não* havia terminado, e a ordem que seria construída foi tudo, menos socialista.

Ao contrário, os meses e os anos seguintes viram a revolução ser atacada, agredida, isolada, fossilizada, quebrada. Sabemos onde deu: expurgos, *gulags*, fome, assassinatos em massa.

Outubro ainda é o grau zero das discussões sobre mudanças sociais fundamentais e radicais. A degradação que sofreu não era um dado, não estava escrita nas estrelas.

A história das esperanças, lutas, tensões e derrotas que se seguiram a 1917 já foi contada antes e será contada novamente. Essa história e, acima de tudo, as questões que derivam dela – a urgência da mudança, a possibilidade da mudança, os perigos que a ameaçarão – vão muito além de nós. Estas últimas páginas propõem apenas um relance fugaz.

Logo após a insurgência, Keriénski se encontra com o general da extrema direita Krasnov e juntos eles planejam a resistência. Sob o seu comando, mil cossacos se deslocam para a capital. Em Petrogrado, forças heterogêneas em torno da direita menchevique e SR constituem um grupo dentro da Duma Municipal, o Comitê de Salvação, criado para se opor ao novo Conselho dos Comissários do Povo. A motivação dos oposicionistas cobre todo o espectro: desde a mais profunda antipatia até a democracia e a sincera preocupação dos socialistas com o que consideram uma iniciativa fadada ao fracasso. Eles podem ser parceiros de cama desconhecidos e temporários, mas decidem dividi-la, inclusive com as preferências do Purichkevitch: o comitê planeja uma insurgência em Petrogrado para coincidir com a chegada das tropas de Krasnov.

Mas o Milrevcom toma conhecimento dos planos. Na capital, o dia 29 de outubro assiste a um breve e desorganizado "motim *Junker*", quando cadetes do Exército tentam assumir o controle. Mais uma vez, as granadas sacodem a cidade e a resistência é esmagada. Mais uma vez, Antónov faz jus à honra revolucionária, à cultura civilizada do militante, protegendo os detidos de uma multidão vingativa. Seus prisioneiros são poupados, os outros não são tão afortunados.

No dia seguinte, nas colinas de Pulkovo, a dezenove quilômetros de Petrogrado, as forças de Krasnov enfrentam um confuso exército de trabalhadores, marinheiros e soldados, sem treinamento nem disciplina, mas dez vezes maior. A luta é feia e sangrenta. As forças de Krasnov retornam à cidade de Gátchina, onde Keriénski estabeleceu sua base. Dois dias depois, em troca de uma travessia segura, elas concordam em entregar Keriénski.

O antigo convencedor planeja uma última escapada. Ele realiza uma fuga bem-sucedida usando um uniforme de marinheiro e improváveis óculos. Termina seus dias no exílio, escrevendo tratados e mais tratados em que se exime de toda culpa.

O Comitê Executivo da União dos Ferroviários de Toda a Rússia é favorável à coalizão e exige um governo com todos os grupos socialistas. Nem Lênin nem Trótski, ambos inflexíveis quanto a essa questão, participam da conferência: os bolcheviques presentes – Kámeniev, Zinóviev e Milyutin – concordam que uma coalizão socialista é a melhor chance de sobrevivência. Mas, naquele momento, quando a sobrevivência do novo regime está ameaçada pela aproximação de Krasnov, muitos SRs e mencheviques estão tão preocupados com a resistência militar ao governo quanto com a negociação. Com a derrota de Krasnov, eles se convertem à coalizão – justamente quando o CC bolchevique adota uma linha mais dura.

Essa linha não é livre de controvérsias. Em 3 de novembro, cinco dissidentes renunciam ao CC, inclusive os Gêmeos Celestiais Zinóviev e Kámeniev. Mas eles vão revogar sua oposição em dezembro, quando, com alarde, a ala esquerda do SR se junta ao governo. Por um breve período, acontece a coalizão.

A consolidação da revolução pelo país é desigual. Em Moscou, a luta é longa e amarga. Os oponentes do novo regime, no entanto, estão desorientados e divididos, e os bolcheviques ampliam seu controle.

No início de janeiro de 1918, o governo exige da Assembleia Constituinte – longamente adiada e recém-convocada – o reconhecimento da soberania dos sovietes. Quando os representantes da Assembleia Constituinte se recusam a reconhecê-la, os bolcheviques e os esquerdistas a declaram antidemocrática e não representativa nesse novo contexto: afinal, sua composição (dominada pela direita SR) fora escolhida antes de outubro. Os radicais viram as costas para a assembleia, deixando-a esmorecer de forma vergonhosa. Então, ela é anulada.

O pior vem depois. Em 3 de março de 1918, após semanas de negociações tensas e estranhas, o tratado de Brest-Litovski entre o governo soviético e a Alemanha e seus aliados põe fim à participação da Rússia na guerra – mas sob termos escandalosamente punitivos.

Lênin lutou uma batalha solitária para as odiosas exigências serem aceitas, pois para ele a prioridade – a praticamente qualquer custo – é acabar com a guerra, consolidar o novo regime e aguardar a revolução internacional. Muitos da oposição de esquerda no partido têm certeza de que as potências centrais estão maduras para a revolução e de que a guerra deve continuar justamente até essa insurgência. Mas, diante do devastador avanço alemão, Lênin ameaça novamente renunciar e enfim vence a discussão.

A Rússia conquista a paz, mas perde território e população, algumas de suas regiões mais férteis e vastos recursos industriais e financeiros. Nos territórios cedidos pela Rússia, as potências centrais instalam regimes títeres contrarrevolucionários.

Em protesto contra o tratado, a esquerda SR renuncia ao governo. As tensões aumentam quando os bolcheviques respondem ao agravamento da fome com medidas brutais de requisição de alimentos, contrariando o campesinato, como Maria Spiridónova detalha em uma mordaz carta aberta.

Em junho, militantes da esquerda SR assassinam o embaixador alemão, na esperança de provocar um retorno à guerra – agora "revolucionária". Em julho, desencadeiam uma insurgência contra os bolcheviques – e são reprimidos. Quando a resistência dos camponeses à requisição de grãos endurece e ativistas bolcheviques são assassinados – Volodárski, Urítski –, o governo responde com medidas repressivas, muitas vezes sanguinárias. Assim, o Estado único começa a se consolidar.

Os dias são marcados por improváveis eventos políticos. Em outubro de 1918, os mencheviques, que em muitos aspectos ainda são contrários à Revolução de Outubro, reconhecem que ela foi "historicamente necessária". No mesmo ano, quando o governo apoia desesperadamente a economia em colapso, o bolchevique de esquerda Chliápnikov dá voz à estranha indignação de muitos do partido com o fato de que "a classe capitalista renunciou ao papel de organizar a produção que lhe fora atribuído".

Por algum tempo, Lênin permanece otimista em relação à perspectiva de uma revolução internacional, tida há muito tempo como o único contexto em que a revolução russa conseguiria sobreviver.

Mesmo quando Lênin se recupera de uma tentativa de assassinato fracassada, em agosto de 1918, mesmo após o terrível assassinato dos marxistas Rosa Luxemburgo e Karl Liebknecht na Alemanha e o colapso da rebelião espartaquista, o otimismo bolchevique não é abalado a princípio. Após a guerra, a Alemanha está no auge de uma intensa polarização social, que refulgirá repetidamente entre 1918 e 1923. Um governo de sovietes surge na Hungria; a luta de classes irrompe na Áustria em 1918 e 1919; a Itália experimenta a revolta dos "dois anos vermelhos" em 1919 e 1920. Até mesmo a Inglaterra é abalada por greves.

Mas, ao longo e depois de 1919, por exemplo, essa onda é sufocada caso a caso, e a reação se instala. Os bolcheviques despertam para seu grau de isolamento quando a situação no interior de suas fronteiras também se torna desesperadora.

Em maio de 1918, 50 mil soldados da Legião Tchecoslovaca se revoltam. Isso, após o falso início de Gátchina, é o impulso para a Guerra Civil.

De 1918 a 1921, os bolcheviques precisam lutar contra várias forças contrarrevolucionárias, ou "brancas", apoiadas, assistidas e armadas por potências estrangeiras. À medida que os brancos invadem os territórios da revolução, as revoltas camponesas "verdes" – a mais memorável é a do lendário anarquista Makhno, na Ucrânia –, animadas por violentas nostalgias, abalam o regime bolchevique. Em 1919, o território russo é ocupado por tropas estadunidenses, francesas, britânicas, japonesas, alemãs, sérvias e polonesas. O socialismo, o bacilo vermelho, é mais incômodo para estadunidenses, britânicos e franceses do que seus inimigos de guerra. David Francis, embaixador dos Estados Unidos na Rússia, escreve sobre sua preocupação: "Se esses malditos bolcheviques tiverem permissão para permanecer no controle, o país não só estará perdido para seu devotado povo, como também o governo bolchevique minará todos os governos e será uma ameaça para a própria sociedade".

Churchill, em especial, está obcecado pela "besta sem nome", o "sórdido babuíno do bolchevismo", e mostra claramente que é seu maior inimigo. "De todas as tiranias da história, a tirania bolchevique é a pior, a mais destrutiva e a mais degradante", declara em 1919. "É pura farsa fingir que não é pior do que o militarismo alemão." Quando a guerra acaba, ele declara sua intenção de "matar os bolcheviques, beijar os alemães"*.

Os Aliados despejam tropas na Rússia, impõem embargos, impedem que os alimentos cheguem à população faminta da Rússia soviética. E canalizam fundos para os brancos, por mais repulsivos que sejam – apoiando uma ditadura sob Aleksandr Kolchak e de olho em Gueórgui Semenov, cujas forças cossacas desencadeiam um reinado de terror na Sibéria, por considerá-lo, nas palavras de um observador estadunidense, "toleravelmente severo".

No entanto, os intratáveis e irascíveis brancos, mesmo com todo o financiamento e todo o apoio dos Aliados, são incapazes de vencer militarmente ou conquistar o apoio popular devido à sua oposição a qualquer concessão ao campesinato ou às minorias rebeldes – e ao seu barbarismo. Suas tropas se envolvem em um massacre indiscriminado, queimam aldeias e matam cerca de 150 mil judeus em *pogroms* entusiasmados, realizam torturas exemplares – flagelando populações inteiras, mutilando, enterrando pessoas vivas, arrastando

* No original, "*Kill the bolshie, kiss the hun*", algo como "Matar os bolches, beijar os hunos". Durante a Primeira Guerra Mundial, os termos *bolshie* e *hun* começaram a ser usados no inglês coloquial como referências pejorativas aos povos russo e alemão. (N. T.)

prisioneiros atrás de cavalos – e execuções sumárias. Suas instruções para não fazer prisioneiros são muitas vezes graficamente explícitas.

Esse terror está a serviço do sonho de um novo autoritarismo. Se o bolchevismo se render aos brancos, escreve a testemunha ocular Chamberlin, ele será substituído por "um ditador militar [...] que entrará em Moscou montado em um cavalo branco". Como diria Trótski, não foi o italiano que deu ao mundo a palavra fascismo, mas o russo.

Sob pressão implacável, esses meses e anos são de barbaridade e sofrimento indescritíveis, fome, morte em massa, colapso quase total da indústria e da cultura, banditismo, *pogroms*, tortura e canibalismo. Sitiado, o regime promove o seu próprio Terror Vermelho.

E não há dúvida de que o alcance e a profundidade do terror vão além de todo o controle; de que alguns agentes da Tcheká, a polícia política russa, se deixam seduzir pelo poder pessoal, pelo sadismo ou pela degradação e agem como bandidos, assassinos, que não se constrangem por convicções políticas e exercem um novo tipo de autoridade. Não faltam depoimentos sobre os terríveis atos que cometeram.

Outros cumprem suas obrigações com angústia. É possível se sentir cético, ou mesmo enojado, diante da ideia de um terror "ético" ditado por uma necessidade desesperada, um terror tão limitado quanto possível, mas o depoimento de agentes atormentados por terem feito algo que acreditavam ser sua única escolha é poderoso. "Derramei tanto sangue que não tenho mais o direito de viver", diz um certo Dzherzhinsky, bêbado e perturbado no final de 1918. "Atire em mim", ele implora.

Uma improvável fonte, o major-general William Graves, que comandou as forças dos Estados Unidos na Sibéria, considera-se "comedido ao dizer que, para cada pessoa morta pelos bolcheviques, os antibolcheviques mataram cem pessoas na Sibéria oriental". Muitos dos líderes do regime soviético tentam conter as tendências degradantes de seu próprio Terror, do qual estão horrivelmente conscientes. Em 1918, um jornal da Tcheká faz um apelo vergonhoso a favor da tortura: o CC condena os editores e fecha o jornal, e o Soviete renova sua condenação a tal prática. Mas não há dúvida de que uma podridão política e moral está se instalando.

Em 1921, diante do colapso generalizado e da fome contínua e devastadora, o regime reverte as medidas emergenciais de requisição e controle militarizados, conhecidas como "comunismo de guerra", e as substitui pela Nova Política Econômica, ou NEP. De 1921 a 1927, o regime estimula certo grau de iniciativa privada, permitindo que pequenas empresas tenham lucro. A política salarial é liberada, a contratação de especialistas e assessores técnicos estrangeiros é autorizada. Apesar de criar várias fazendas coletivas, o governo entrega muitas terras aos camponeses mais ricos. Os "NEPs", os ladrões de galinha e os trambiqueiros começam a lucrar com a especulação e com os emergentes mercados paralelos.

O país trabalha em meio a um rescaldo catastrófico, aos escombros da indústria, da agricultura e da própria classe trabalhadora. O comunismo de guerra foi uma exigência desesperada, e a NEP é um refúgio necessário, que permite certa estabilidade e o aumento da produção. Uma expressão de fraqueza que tem um custo. Agora o aparelho burocrático está suspenso acima dos escombros da classe que ele alega representar.

Entre os bolcheviques há pequenos grupos de dissidentes, oficiais e não oficiais. Kollontai e Chliápnikov lideram a "Oposição dos Trabalhadores", que deseja entregar o poder a uma classe trabalhadora que quase não existe mais. Os intelectuais da velha guarda bolchevique, os "Centralistas Democráticos", opõem-se à centralização. O X Congresso de 1921 proíbe facções. Os defensores dessa medida, entre os quais Lênin, apresentam-na como uma exigência temporária para unir o partido. As facções que, inevitavelmente, aparecerão mais tarde – a Oposição de Esquerda, a Oposição Unida – não serão oficiais.

A saúde de Lênin é frágil. Ele sofre derrames em 1922 e 1923 e, naquilo que foi chamado de seu "combate final", luta contra as tendências burocráticas, a fossilização e a corrupção que vê crescerem. Ele suspeita da personalidade de Stálin e do lugar que ele ocupa dentro da máquina. Em seus últimos escritos, insiste que Stálin seja removido do cargo de secretário-geral.

Seu conselho não é seguido.

Lênin morre em janeiro de 1924.

O regime rapidamente inicia um grotesco culto ao morto, cuja maior ostentação perdura até hoje: seu cadáver. Uma relíquia feia e deformada que recebe homenagens em seu catafalco.

No XIV Congresso do Partido, em 1924, sob os protestos de Trótski e outros, o partido executa uma reviravolta vertiginosa. Concorda agora, oficialmente, com a afirmação de Stálin de que, "em geral, a vitória do socialismo (não no sentido da vitória final) é incondicionalmente possível em um só país".

Não obstante a ressalva entre parênteses, o endosso ao "socialismo em um só país" é uma inversão aguda de uma tese fundamental dos bolcheviques – e de outros.

Essa mudança nasce do desespero, à medida que qualquer possibilidade de revolução internacional desaparece. Mas, se é utópico esperar apoio internacional logo ali na esquina, que dirá apostar no impossível – o socialismo autárquico? Um pessimismo obstinado, por mais difícil de metabolizar que seja, seria menos prejudicial do que falsa esperança.

Os efeitos da nova posição são devastadores. À medida que desaparece qualquer vestígio de democracia e cultura de debate, os burocratas se tornam guardiões do desenvolvimento de cima para baixo em direção a uma monstruosidade que eles chamam de "socialismo". E Stálin, o "borrão cinza" no coração da máquina, constrói a base de seu poder, sua própria condição como mais igual do que todos.

Entre 1924 e 1928, o clima na Rússia se torna cada vez mais tóxico, a luta interna no partido mais amarga, a mudança nas alianças e facções mais urgente e perigosa. Aliados se tornam oponentes e oponentes se tornam novamente aliados. Os Gêmeos Celestiais fazem as pazes com o regime. Trótski não: ele é expulso do CC e do partido; seus apoiadores são perseguidos, insultados, espancados, levados ao suicídio. Em 1928, a Oposição de Esquerda é esmagada e separada.

As ameaças contra o regime se multiplicam, e Stálin consolida seu governo. Quando a crise atinge a economia mundial, ele inicia a "grande mudança". "O ritmo não pode diminuir!", anuncia em 1931. É o primeiro Plano Quinquenal. "Estamos cinquenta ou cem anos atrás dos países avançados. Devemos superar essa distância em dez anos. Ou fazemos isso, ou eles nos esmagam."

Assim é justificada a brutalidade da industrialização e da coletivização, o controle e o domínio implacáveis e centralizados da economia e da cultura política. Os ativistas do partido são perseguidos em grande número, forçados a trair os demais, a confessar crimes absurdos com declarações retumbantes. Eles são executados por essa contrarrevolução contra sua tradição, em nome dessa mesma tradição. A lealdade anterior a Stálin não é defesa: a longa lista de bolcheviques mortos a partir da década de 1930 inclui não apenas Trótski e Bukharin, mas Zinóviev, Kámeniev e muitos outros.

Com essa degradação despótica ressurgem o estatismo, o antissemitismo, o nacionalismo e as sombrias normas reacionárias na cultura, na sexualidade e na vida familiar. Stalinismo: um estado policial de paranoia, crueldade, assassinato e *kitsch*.

Depois de um *súmerki* prolongado, um longo feitiço da "tênue luz da liberdade", o que poderia ter sido uma alvorada torna-se um crepúsculo. Esse não é um novo dia. É o que Victor Serge, da Oposição de Esquerda, chama de a "meia-noite do século".

III

Foram cem anos de ataques brutais, a-históricos, irracionais, mal-intencionados e oportunistas contra a Revolução de Outubro. No entanto, sem fazer coro a tal escárnio, devemos interrogar a revolução.

O antigo regime era vil e violento, e o liberalismo russo era fraco e rapidamente se associava ao reacionarismo. Mas a Revolução de Outubro levaria inexoravelmente a Stálin? Essa é uma pergunta antiga, mas ainda bastante viva. Será o *gulag* o *télos* de 1917?

As tensões objetivas que o novo regime enfrentou são claras. Há fatores subjetivos também, perguntas que devemos fazer sobre as decisões que foram tomadas.

A esquerda menchevique, os comprometidos internacionalistas antibélicos, eles nos devem respostas acerca do abandono das discussões em outubro de 1917. Essa decisão, logo depois de o congresso ter votado a favor da coalizão, chocou e abalou até mesmo aqueles que a acompanharam. "Fiquei atordoado", disse Sukhánov sobre uma ação da qual sempre se arrependeu. "Ninguém contestou a legalidade do congresso [...]. [Essa ação] significava uma ruptura formal com as massas e com a revolução."

Nada está dado. Mas, se os internacionalistas de outros grupos tivessem permanecido no congresso, a intransigência de Lênin e Trótski e o ceticismo em relação à coalizão poderiam ter sido reduzidos, já que muitos outros bolcheviques, em todos os níveis do partido, eram a favor da cooperação. O resultado poderia ter sido um governo menos monolítico e controvertido.

Não se trata de negar os constrangimentos e o impacto do isolamento – nem de eximir os bolcheviques de seus erros, ou coisa pior.

Na curta peça *Nossa revolução*, escrita em janeiro de 1923 em resposta à publicação das memórias de Sukhánov, Lênin, de forma bastante assustadora, admite como "incontestável" o fato de que a Rússia não estava "pronta" para a revolução. Belicosamente, no entanto, ele pergunta se um povo "influenciado pela desesperança da situação" poderia ser culpado por se lançar em uma luta que lhe oferecia ao menos alguma chance de garantir as condições para o avanço posterior da civilização, o que era bastante incomum".

Não é absurdo argumentar que o povo oprimido da Rússia não tinha outra escolha a não ser agir, movido pela esperança de que, ao fazê-lo, pudesse alterar os próprios parâmetros da situação. De que assim as coisas pudessem melhorar. A mudança de posição do partido após a morte de Lênin – daquela percepção melancólica e conflituosa de que não havia alternativa senão lutar, mesmo que em condições imperfeitas, até a falsa esperança do socialismo em um só país – é uma consequência perversa de dar à necessidade a aparência de virtude.

Vemos uma tendência análoga de deterioração quando vários bolcheviques, em vários momentos, descrevem as terríveis necessidades do "comunismo de guerra" como aspirações, princípios comunistas ou censura mesmo depois da Guerra Civil, ou seja, como expressão de qualquer coisa, menos de fraqueza. Vemos isso na apresentação do controle de uma só pessoa como parte integrante da transformação socialista. E na calúnia e difamação dos opositores; por exemplo, em Serge chamar de calúnia justificada (embora não por ele) "necessária para o benefício do povo" a "mentira atroz" segundo a qual a insurgência dos marinheiros de Kronstadt em 1921 foi um ataque branco. Nem podemos atenuar, considerando as consequências dessa revolta, o que Mike Haynes – um historiador simpático aos bolcheviques – chama friamente de sua "incapacidade de resistir às execuções".

Aqueles que se colocam do lado da revolução devem se ocupar dessas falhas e crimes. Fazer o contrário é cair na apologia, na alegação de que são casos extraordinários da hagiografia – e correr o risco de repetir os mesmos erros.

Não é por nostalgia que a estranha história da primeira revolução socialista da história merece celebração. O padrão da Revolução de Outubro diz que as coisas mudaram uma vez e podem fazê-lo de novo.

A Revolução de Outubro traz, por um instante, um novo tipo de poder. Transitoriamente, há uma mudança para o controle da produção pelos trabalhadores e para os direitos dos camponeses à terra. Igualdade de direitos para homens e mulheres no trabalho e no casamento, direito ao divórcio, apoio à maternidade. Descriminalização da homossexualidade, cem anos atrás. Movimentos no sentido da autodeterminação nacional. Educação gratuita e universal, expansão da alfabetização. E, com a alfabetização, vem a explosão cultural, a sede de aprender, o desenvolvimento de universidades, séries de palestras e escolas para adultos. Uma mudança tanto na alma como na fábrica, como diria Lunatchárski. E, ainda que esses momentos tenham sido extintos, revertidos, se transformado cedo demais em recordações e piadas, poderia ter sido de outra forma.

Poderia ter sido diferente, porque esses foram apenas os primeiros passos, os mais vacilantes.

Os revolucionários querem um novo país em um mundo novo, que não conseguem enxergar, mas acreditam poder construir. E acreditam que, assim, os construtores também se construirão de novo.

Em 1924, mesmo quando a perversão fecha o cerco em torno da experiência, Trótski escreve que – numa crítica prévia ao horrível regime dos ossos que está por vir – "as formas de vida se tornam dinamicamente radicais. O tipo humano médio subirá às alturas de um Aristóteles, um Goethe ou um Marx. E, acima dessa crista, novos picos se erguerão".

As especificidades da Rússia de 1917 são marcantes e cruciais. Seria absurdo, uma miopia ridícula, sustentar que a Revolução de Outubro é uma simples lente através da qual se podem ver as lutas atuais. Mas foi um longo século, um longo crepúsculo de rancor e crueldade, a excrescência e a essência de seu tempo. O crepúsculo, ou mesmo a lembrança de um crepúsculo, é melhor do que a ausência de luz. Seria igualmente absurdo dizer que não há nada que possamos aprender com a revolução, negar que o *súmerki* de outubro pode ser nosso e que nem sempre é seguido pela noite.

John Reed interrompe sua própria narrativa do discurso de Prokopovitch aos deputados da Duma, impedido por marinheiros exasperados de se martirizar. "Está abaixo de nossa dignidade sermos mortos abatidos aqui no meio da rua por guarda-chaves", ele teria dito. E: "Nunca descobri o que ele quis dizer com 'guarda-chaves". Louise Bryant, que também estava lá, também notou a palavra estranha. "O que exatamente ele quis dizer com isso era demais para meu simples cérebro estadunidense."

Há uma resposta provável em um lugar improvável.

Em 1917, Chaim Grade era uma criança pequena em Vilna, na Lituânia. Muito tempo depois, quando ele se tornou um dos principais escritores em iídiche do mundo, no glossário da tradução em inglês de suas memórias (*Der mames shabosim – Os sabás de minha mãe*), ele registra o seguinte: "Barraca de floresta: termo para as cabanas dos guarda-chaves ao longo das vias férreas na vizinhança de Vilna. Antes da Revolução de 1917, a área em torno das cabanas na floresta era o ponto de encontro clandestino dos revolucionários locais [...]".

O apelido de um local de reunião. Parece provável que a palavra que Prokopovitch usou como epíteto fosse um termo pejorativo para "revolucionários".

Prokopovitch tinha sido marxista um dia. Sua mudança para o liberalismo era paralela à de muitos outros hereges infectados pelo chamado "economicismo", assim como à dos "marxistas legais". Havia uma espécie de sombrio rigor em seus dogmas estagistas, nos quais os estágios devem forçosamente se suceder uns aos outros como estações ao longo de uma ferrovia.

Não admira que chamasse os bolcheviques de *guarda-chaves*. O que poderia ser mais hostil a qualquer vestígio de teleologia do que aqueles que levam em conta os deslocamentos da história? Ou que os provocam?

A Revolução de 1917 é a revolução dos trens. História que avança chiando no metal frio. O palácio sobre rodas do tsar se desviou para sempre para trilhos laterais; o vagão blindado e sem nacionalidade de Lênin; o expresso da sinuosa abdicação de Gutchkov e Chulguin; os trens ziguezagueantes da Rússia, cheios de desertores desesperados; a locomotiva alimentada por "Konstantin Ivánov", Lênin de peruca cavoucando o carvão. E houve muitos outros: o trem blindado de Trótski, os trens de propaganda do Exército Vermelho, os transportadores de tropas da Guerra Civil. Trens se aproximam, trens passam rapidamente pelas árvores, pela escuridão.

As revoluções, disse Marx, são as locomotivas da história. "Ponha a locomotiva em velocidade máxima", Lênin disse a si mesmo em uma anotação pessoal, poucas semanas depois de outubro, "e a mantenha nos trilhos." Mas como mantê-la nos trilhos se houvesse apenas uma maneira verdadeira, uma linha, e ela estivesse bloqueada?

"Fui para onde você não queria que eu fosse."

Em 1937, Bruno Schulz iniciou seu conto "A era dos gênios" com uma ruminação vertiginosa sobre "eventos que não têm lugar em seu próprio tempo", a possibilidade de que "todos os assentos dentro do tempo podem ter sido vendidos".

Condutor, onde você está?
Não vamos ficar nervosos...
Você já ouviu falar de fluxos de tempo paralelos dentro de um tempo com duas pistas?
Sim, dentro do tempo existem ramificações, de certa forma ilegais e suspeitas, mas, quando alguém, como nós, carrega o contrabando de eventos supernumerários que não podem ser registrados, não se pode ser muito exigente. Procuremos encontrar em algum ponto da história uma dessas ramificações, uma trilha cega para desviar tais eventos ilegais. Não há nada a temer.

Nas cabanas de floresta existem pontos, as chaves para os trilhos escondidos através do deserto da história.

A questão da história não é apenas quem deve conduzir a locomotiva, mas por onde. Os Prokopovitches têm o que temer, e eles vigiam essas ramificações suspeitas, ilegais, insistindo em que não existem.

Nesses trilhos, os revolucionários desviam o trem com a carga contrabandeada, não registrável, supernumerária, apontando para um horizonte, para uma fronteira tão distante como sempre e que, no entanto, está cada vez mais perto. Ao menos é o que parece, quando vista do trem libertado, sob a tênue luz da liberdade.

BREVE BIOGRAFIA DE ALGUNS DOS PERSONAGENS

Alekséiev, Mikhail (1857-1918). General. Chefe do Estado-Maior tsarista até fevereiro de 1917, comandante em chefe até maio de 1917. Morreu combatendo os bolcheviques na Guerra Civil.

Antónov, Vladímir Aleksandróvitch (1883-1938). Ativista bolchevique. Marxista desde 1903, bolchevique desde 1914. Foi executado no governo de Stálin.

Balabanoff, Angelica (1878-1965) Ativista marxista russo-italiana.

Bochkareva, Maria (1889-1920). Soldada. Fundadora do Batalhão Feminino da Morte. Executada pela Tcheká, órgão de segurança do Estado soviético criado em dezembro de 1917.

Bontch-Bruiévitch, Vladímir (1873-1955). Ativista bolchevique. "Velho bolchevique", pesquisador de seitas religiosas e secretário pessoal de Lênin.

Brechko-Brechkóvskaia, Catarina (1844-1934). Ativista SR. Da ala direita do partido, era próxima de Keriénski. Fugiu da Rússia depois de outubro.

Búbnov, Andrei (1883-1938). Ativista bolchevique. Ativo em Moscou e no Comitê Militar Revolucionário. Foi executado no governo de Stálin.

Chliápnikov, Aleksandr (1885-1937). Ativista bolchevique, "Velho bolchevique", sindicalista, intelectual, trabalhador. Foi um dos líderes em Petrogrado em fevereiro de 1917. Tornou-se comissário do Trabalho após outubro. Líder da Oposição dos Trabalhadores com Kollontai em 1920. Executado no governo de Stálin.

Chulguin, Vassíli (1878-1976). Político conservador. Antirrevolucionário linha-dura, foi persuadido por Nicolau II a abdicar quando sua posição se tornou insustentável.

Teve o apoio de Kornílov em agosto de 1917 e participou do Movimento Branco após outubro de 1917. Fugiu da Rússia em 1920.

Dan, Fiódor (1871-1947). Ativista menchevique. Médico e líder fundador dos mencheviques, ocupou o *presidium* do Soviete em 1917. Foi preso e exilado em 1921.

Dyusimeter, L. P. (1883-?). Coronel. Chefe da Seção Militar do Centro Republicano; conspirador antibolchevique de direita em agosto de 1917. Foi exilado em Xangai em 1920, onde morreu.

Filonienko, Maksimilian (1885-1960). SR de direita e comissário do Exército. Foi colaborador de Keriénski. Após 1917, liderou o grupo antibolchevique clandestino que assassinou o chefe da Tcheká, Moisei Urítski, em 1918, provocando o Terror Vermelho. Fugiu da Rússia em 1920.

Finíssov, P. N. (?-?). Conspirador de direita. Vice-presidente do Centro Republicano, conspirou contra os bolcheviques em agosto de 1917.

Fiodorovna, Aleksandra (1872-1918). Tsarina. Esposa do último tsar, Nicolau II. Foi presa e enviada com a família para Ekaterimburgo. Executada pelos bolcheviques em 16 de julho de 1918.

Gapon, Gueórgui (1870-1906). Padre. Líder da marcha dos trabalhadores no Domingo Sangrento, em janeiro de 1905. Contato da polícia, foi assassinado por ativistas do SR.

Górki, Maksim (1868-1936). Escritor. Ativista socialista, editor do *Nóvaia Jizn* e colaborador de líderes de esquerda. Sentiu-se cada vez mais descontente com os bolcheviques após 1917.

Gots, Avram (1882-1937). Líder SR. Um dos principais membros do Soviete de Petrogrado. Em 1922, foi preso e julgado com outros líderes da ala direita do SR. Foi preso novamente e assassinado a tiros no Cazaquistão.

Gutchkov, Aleksandr (1868-1936). Político. Outubrista conservador até fevereiro de 1917. Ministro da Guerra do governo provisório até abril. Apoiou Kornílov. Deixou a Rússia após a revolução.

Kámeniev, Liev (1883-1936). Político e ativista bolchevique. "Velho bolchevique", foi por longo tempo colaborador de Lênin. Em meados dos anos 1920, opôs-se por um curto período a Stálin. Foi executado após um julgamento teatral sob o governo de Stálin.

Kamkov, Boris (1885-1938). Ativista da ala esquerda do SR. Internacionalista de longa data, zimmerwaldiano da esquerda SR. Após 1918, migrou progressivamente para a oposição. Foi preso várias vezes e, por fim, executado sob o governo de Stálin.

Keriénski, Aleksandr (1881-1970). Político trudovique e SR. Figura importante do governo provisório após abril de 1917. Ocupou diversas posições até ser nomeado primeiro-ministro depois das Jornadas de Julho. Tentou em vão retomar Petrogrado com as tropas legalistas depois de outubro de 1917. Fugiu da Rússia e morreu no exílio.

Kishkin, Nikolai Mikháilovitch (1864-1930). Político do Kadet. Foi ministro do Bem--Estar do governo provisório em 1917. Em outubro, recebeu "poderes especiais" do que restou do governo; foi preso na mesma noite. Mais tarde, trabalhou sob o governo do Soviete como comissário da Saúde.

Kollontai, Aleksandra (1872-1952). Ativista bolchevique. Inicialmente menchevique, juntou-se aos bolcheviques em 1914. Comissária do Povo para a Assistência Social depois de outubro de 1917. Mais tarde, formou a "Oposição dos Trabalhadores" com Aleksandr Chliápnikov.

Kornílov, Lavr (1870-1918). General. Autoritário e linha-dura; foi comandante em chefe por um breve período em julho de 1917, antes do "caso Kornílov", em agosto. Escapou do confinamento em novembro; lutou contra os bolcheviques na Guerra Civil. Morreu em batalha.

Krúpskaia, Nadiéjda (1869-1939). Ativista bolchevique. Militante de longa data. Casou-se com Lênin em 1898. Atuou como ministra-adjunta da Educação no governo soviético de 1929 até sua morte.

Látsis, Martin (1888-1938). Ativista bolchevique e político. "Velho bolchevique", ativo desde 1905 até 1917. Membro do Comitê Militar Revolucionário e, em seguida, da Tcheká. Foi executado no governo de Stálin.

Lênin, Vladímir Ilitch Uliánov (1870-1924). Ativista bolchevique e político. Teórico e escritor prolífico. Inaugurou a cisão entre mencheviques e bolcheviques em 1903. Foi líder dos bolcheviques em 1917 e chefe do governo russo depois de outubro. Morreu após uma série de derrames cerebrais.

Lunatchárski, Anatóli (1875-1933). Ativista bolchevique e político. Escritor prolífico, teórico marxista não ortodoxo. Por um breve período de 1917 foi membro do Mejraióntsy e depois se juntou aos bolcheviques. Primeiro Comissário do Povo para a Educação do governo soviético. Perdeu influência sob Stálin. Morreu de causas naturais.

Lvov, príncipe Gueórgui (1861-1925). Político liberal. De família nobre, juntou-se ao Kadet em 1905. Primeiro a ocupar o cargo de primeiro-ministro da Rússia após fevereiro de 1917, renunciou em favor de Keriénski em julho. Fugiu da Rússia depois de outubro.

Lvov, Vladímir Nikoláevitch (1865-1940). Político liberal. Ex-membro da Duma pelo Partido Progressista, em coalizão com os kadets. Procurador laico no Sínodo da Igreja Ortodoxa entre março e julho de 1917. Envolveu-se diretamente no caso Kornílov em agosto e foi preso. Apoiou as Forças Brancas entre 1918 e 1920. Escapou da Rússia após outubro.

Martov, Julius (1873-1923). Ativista menchevique. Líder popular da facção menchevique do POSDR depois de 1903. À extrema esquerda dos mencheviques, fez oposição à direita menchevique no comando do partido depois de fevereiro de 1917. Não se aliou aos bolcheviques, mas os apoiou contra os brancos na Guerra Civil. Deixou a Rússia e foi para a Alemanha em 1920. Morreu de causas naturais.

Miguel (1878-1918). Grão-duque. Irmão mais novo do tsar Nicolau II. Recusou o trono quando Nicolau abdicou. Assassinado por ativistas bolcheviques em 1918.

Miliúkov, Pável (1859-1943). Político. Historiador proeminente e membro de destaque do partido Kadet. Ministro de Relações Internacionais do governo provisório após fevereiro de 1917. Patriota convicto e empenhado em vencer a guerra, renunciou após a perturbadora crise de abril. Deixou a Rússia em 1918.

Nicolau II (1868-1918) Último tsar da Rússia. Abdicou em março de 1917 e, a partir de então, viveu em prisão domiciliar com a família, com a qual foi executado pelos bolcheviques em 16 de julho de 1918.

Noguin, Víktor (1878-1924). Ativista bolchevique. Em 1910, tentou "conciliar" mencheviques e bolcheviques. Ativo até 1917, inclusive como presidente do Soviete de Moscou. Morreu de causas naturais.

Plekhánov, Gueórgui (1856-1918). Teórico marxista. Fundou o grupo Emancipação do Trabalho em 1883. Foi o mais importante teórico marxista russo entre 1880 e 1900. Tomou o partido de Lênin na cisão com os mencheviques em 1903, mas transferiu-se para a direita. Sincero apoiador do esforço de guerra russo na Primeira Guerra Mundial, era extremamente crítico aos bolcheviques. Deixou a Rússia após outubro de 1917 e morreu de causas naturais.

Radek, Karl (1885-1939). Ativista marxista. De origem polonesa, russa e alemã, era um ativista excêntrico e de longa data. Juntou-se aos bolcheviques em 1917 e à Oposição de Esquerda em 1923. Foi expulso do grupo bolchevique em 1927, rendeu-se a Stálin e retornou em 1930. Detido depois de um julgamento teatral em 1937. Morreu em um campo de trabalho forçado.

Raspútin, Grigori (1869-1916). Curandeiro e sacerdote de origem camponesa, próximo do último tsar e da tsarina. Foi assassinado por desafetos da direita.

Rodzianko, Mikhail (1859-1924). Político conservador. Fundou o partido conservador Outubrista em 1905 e foi presidente da Quarta Duma, de 1912 a outubro de 1917. Apoiou os brancos na Guerra Civil. Morreu de causas naturais.

Rovio, Kustaa (1887-1938). Ativista marxista. Social-democrata finlandês e chefe da polícia de Helsingfors (Helsinque). Mudou-se para a Rússia em 1918. Foi executado no governo de Stálin.

Sávinkov, Boris (1879-1925). Político SR. Membro da terrorista Organização de Combate do SR em 1904-1905, uniu-se ao Exército francês na Primeira Guerra Mundial; foi próximo de Keriénski no governo provisório em 1917. Organizou grupos contrarrevolucionários antibolcheviques depois de outubro de 1917, antes de fugir da Rússia. Tornou-se escritor de subliteratura de suspense político sensacionalista. Retornou à Rússia em 1921. Morreu na prisão, em Moscou.

Semáchko, A. I. (1889-1937). Ativista bolchevique. Militante marxista, serviu no 1º Regimento de Metralhadoras de Petrogrado. Ativo na Organização Militar bolchevique. Fez parte do governo após outubro de 1917. Insatisfeito, emigrou para o Brasil em 1924 e retornou à Rússia em 1927, mas foi detido. Executado no governo de Stálin.

Smilga, Ívar (1892-1938). Ativista bolchevique. Foi eleito para o CC bolchevique em abril de 1917 e presidiu o Comitê Central da Frota do Báltico em 1917-1918. Era da Oposição de Esquerda dos bolcheviques em 1920. Executado no governo de Stálin.

Spiridónova, Maria (1884-1941). Ativista da ala esquerda do SR. Assassinou Luzhenovsky, notório chefe de segurança de Borisoglebsk, e passou sete anos presa na Sibéria. Retornou a Petrogrado em maio de 1917, marginalizada pelos moderados do partido. Após outubro, participou do governo com os bolcheviques. Rompeu com eles em 1918 e apoiou uma revolta da esquerda SR. Permaneceu crítica aos bolcheviques e foi detida em uma prisão psiquiátrica em 1919. Foi solta em 1921 e executada no governo de Stálin.

Stal, Liudmila (1872-1939). Ativista bolchevique. Fugiu da Rússia para a França em 1907, voltando em fevereiro de 1917, quando se tornou ativa na organização em Petrogrado.

Sukhánov, Nikolai (1882-1940). Escritor socialista. Originalmente membro do SR, participou da revolução de 1905 e passou anos como radical não alinhado. Retornou a Petersburgo em 1913, onde editava jornais socialistas. Uniu-se aos mencheviques internacionalistas de Martov naquele ano, deixando-os em 1920. Escreveu um diário fascinante em 1917. Foi executado no governo de Stálin.

Tchernov, Víktor (1873-1952). Político SR. Líder do partido SR, ministro do governo Keriénski. Foi presidente da Assembleia Constituinte por um curto período, em 1918, antes de fugir da Rússia.

Tchkheidze, Nikolai Semenovitch (1864-1926). Político menchevique. Primeiro presidente do Soviete de Petrogrado. Depois de outubro, mudou-se para a Geórgia e, em seguida, para a Europa.

Trótski, Leon (1879-1940). Ativista marxista. Importante teórico e ativista marxista de longa data. Originalmente próximo da esquerda menchevique, uniu-se ao Mejraióntsy em 1917 e, em seguida, aos bolcheviques. Envolveu-se profundamente na revolução de 1917. Primeiro Comissário do Povo para assuntos militares e navais após a revolução, liderou o Exército Vermelho em 1918. Liderou a Oposição de Esquerda dos bolcheviques no período de 1923 a 1927. Exilado da União Soviética em 1929, mudou-se para o México em 1936, onde fez uma intensa campanha contra Stálin. Inaugurou a Quarta Internacional (de grupos antistalinistas "trotskistas") em 1938. Foi assassinado por um agente stalinista.

Tseretiéli, Irakli (1881-1959). Político menchevique. Ativista georgiano e deputado da Duma, foi exilado na Sibéria em 1913. Retornou a Petrogrado em março de 1917. Tornou-se líder socialista moderado do Soviete. Atuou no governo provisório em 1917 como ministro dos Correios e Telégrafos e depois ministro do Interior. Deixou a Rússia e foi para a Geórgia após 1917. Mudou-se para Paris em 1921.

Voitínski, Vladímir (1885-1960). Ativista menchevique e intelectual. Juntou-se aos bolcheviques em 1905. Foi exilado na Sibéria. Aderiu aos mencheviques moderados durante a Primeira Guerra Mundial. Atuou no Soviete de Petrogrado em 1917. Depois de 1917 fugiu para a Geórgia e, em 1921, para a Alemanha.

Volodárski, V. (1891-1918). Ativista marxista. Membro do Bund judaico em 1905. Mudou-se para os Estados Unidos em 1913, alinhando-se aos mencheviques internacionalistas durante a Primeira Guerra Mundial. Voltou à Rússia em maio de 1917, uniu-se aos Mejraióntsy e aos bolcheviques pouco depois. Foi assassinado por ativistas do SR em 1918.

Zassúlitch, Vera (1849-1919). Ativista marxista. Sob influência do anarquismo, tentou assassinar o governador de Petersburgo, Triépov, em 1878. Foi absolvida pelo júri. Tornou-se marxista e, em 1883, fundou com Plekhánov o grupo Emancipação do Trabalho. Uniu-se aos mencheviques em 1903. Seu ativismo político diminuiu depois de 1905. Apoiou o esforço de guerra russo na Primeira Guerra Mundial. Morreu de causas naturais.

Zavoiko, Vassíli (1875-1947). Ativista de direita. Conspirador abastado, amanuense e conselheiro do general Kornílov. Aparentemente deixou a Rússia e foi para os Estados Unidos após a revolução.

Zinóviev, Grigóri (1883-1936). Ativista bolchevique e político. "Velho bolchevique" e colaborador de Lênin desde 1903. Participou diretamente do movimento revolucionário de 1917; depois disso, envolveu-se em várias lutas de poder dentro do regime. Rendeu-se a Stálin em 1928, mas foi executado por ele.

РСДРП

LEITURAS RECOMENDADAS

A literatura sobre a Revolução Russa, mesmo para aqueles que só se sentem seguros para ler em inglês, é vasta – há muito mais livros do que uma pessoa normal é capaz de ler. Tendo em mente o interesse do leitor comum, o que se segue é uma lista breve, selecionada, de títulos que considerei particularmente úteis e/ou interessantes durante a longa pesquisa que fiz para este livro, acompanhada de comentários curtos e, é claro, subjetivos.

Não incluí na lista muitas obras excelentes que acredito serem de interesse mais especializado. Excluí as que não focam especificamente os meses de fevereiro a outubro e, exceto quando foi irresistível, evitei o prazer de me aventurar na toca do coelho das obras ficcionais e artísticas do ou sobre o período. Com poucas exceções, me concentrei em livros e não em ensaios acadêmicos.

Também me abstive de incluir na lista textos não apenas sobre, mas também daquele momento – por exemplo, algum dos muitos ensaios escritos por Lênin naqueles meses, mesmo os mencionados nas páginas deste livro. Esses textos, e outras obras relevantes, estão disponíveis em marxists.org.

Inevitavelmente, haverá quem discorde de minhas inclusões ou exclusões. Meu raciocínio e minha esperança são simplesmente que esta lista possa ser um ponto de partida para os leitores dispostos a se aprofundar no assunto.

História geral

Edward Hallett Carr, *The Bolshevik Revolution, 1917-1923*, 3 v. (1950-1953) (Nova York, W. W. Norton, 1985) [ed. port.: *A revolução bolchevique, 1917-1923*, Porto, Afrontamento, 1977-1984, 3 v.]. Esta é apenas a primeira parte da monumental obra de Carr sobre a Rússia. Não se trata de uma narrativa, mas de uma análise dos sistemas e das estruturas da revolução e de como evoluíram. É longo, denso e idiossincraticamente organizado, ainda que rigoroso. Não é uma leitura fácil, mas é magistral e brilhante.

William Henry Chamberlin, *The Russian Revolution 1917-1921* [A Revolução Russa 1917–1921] (1935) (Princeton, Princeton University Press, 1987). Descrito desdenhosamente por Norman Stone como um "robusto burro de carga", este livro continua sendo uma excelente introdução.

Orlando Figes, *A People's Tragedy* (Londres, Jonathan Cape, 1996) [ed. bras.: *Tragédia de um povo*, Rio de Janeiro, Record, 1999]. Exaustivo em termos de escopo e pesquisa, foi escrito com élan e é recheado de casos que o tornam uma leitura irresistível. Entretanto, não é necessariamente o ponto de partida mais fácil para um iniciante – sua dimensão e seu detalhismo podem ser opressivos para alguém que não tenha familiaridade com o conteúdo. A obra também é caracterizada por uma tragicidade pouco convincente em relação a certas alternativas liberais perdidas, elitismo desagradável ("quando as pessoas aprendem na vida adulta o que as crianças aprendem normalmente na escola, elas têm dificuldade para ir além de ideias abstratas simples e resistem à absorção de conhecimento em níveis mais sofisticados"), calúnias chocantes ("ódio e indiferença ao sofrimento humano estavam arraigados, em diversos graus, na mente de todos os líderes bolcheviques") e uma estranha obsessão desaprovadora com as jaquetas de couro dos bolcheviques – elas são mencionadas cinco vezes.

Sheila Fitzpatrick, *The Russian Revolution* [A Revolução Russa] (2. ed., Oxford, Oxford University Press, 2008). Uma introdução útil e sucinta, embora se incline para a inevitabilidade de "Lênin leva a Stálin".

Tsuyoshi Hasegawa, *The February Revolution, Petrograd: 1917* [A Revolução de Fevereiro, Petrogrado: 1917] (Seattle, University of Washington Press, 1981). Excelente. O relato definitivo dos primeiros dias de 1917.

David Mandel, *The Petrograd Workers and the Fall of the Old Regime* [Os trabalhadores de Petrogrado e a queda do velho regime] (Nova York, St. Martin's Press, 1983), e *The Petrograd Workers and the Soviet Seizure of Power* [Os trabalhadores de Petrogrado e a tomada do poder pelo Soviete] (Nova York, St. Martin's Press, 1984). Marxistas, partidários e impressionantes.

Richard Pipes, *The Russian Revolution* [A Revolução Russa] (New York, Knopf, 1990). Assim como o livro de Fige, o longo livro de Pipe é muitas vezes fascinante pelos detalhes e pelas histórias – e também fascinante, embora talvez nem sempre do modo que o autor pretende, pela absoluta virulência de sua animosidade contra a esquerda. Analiticamente, a fobia de Pipe aos bolcheviques o leva a adotar posições pouco convincentes, como a de que tanto as Jornadas de Abril como as Jornadas de Julho foram tentativas de golpe por parte dos bolcheviques.

Alexander Rabinowitch, *Prelude to Revolution: The Petrograd Bolsheviks and the July 1917 Uprising* [Prelúdio da revolução: os bolcheviques de Petrogrado e a insurgência de julho de 1917] (Bloomington, Indiana University Press, 1991), e *The Bolsheviks Come to Power* [Os bolcheviques chegam ao poder] (Chicago, Haymarket Books, 2004). Magnífico, meticuloso, detalhado, empolgante, indispensável.

Victor Serge, *Year One of the Russian Revolution* (1930) (Londres, Pluto, 1992) [ed. bras.: *O ano 1 da Revolução Russa*, São Paulo, Boitempo, 2007]. Diferentemente de (grande) parte dos observadores, o anarquista e bolchevique libertário Serge não permite que sua análise da revolução seja ofuscada por seu envolvimento nos acontecimentos – daí a melancolia por trás dessa narrativa incrivelmente perspicaz, escrita pouco depois daquele ano impetuoso. A perspectiva de Serge pode ser confirmada por uma carta que ele publicou no jornal estadunidense *New International*, em 1939: "Diz-se muitas vezes que 'o germe de todo stalinismo foi o bolchevismo em seu início. Não faço objeções. Mas o bolchevismo continha outros germes, uma grande quantidade de outros germes, e quem vivenciou o entusiasmo dos primeiros anos da primeira revolução socialista bem-sucedida não pode esquecê-la. Julgar o homem vivo pelos germes mortos que a autópsia revela em seu corpo – e que pode ter carregado dentro dele desde o nascimento – é sensato?". Essa resposta maravilhosa à calúnia se tornou merecidamente célebre – tanto que hoje é uma espécie de clichê de certo socialismo anti-stalinista. O que quase sempre os admiradores, em especial os trotskistas, deixam escapar é que, bem como a defesa da tradição bolchevique, essa passagem admite que o bolchevismo continha tendências autoritárias – que Serge não hesita em criticar.

Leon Trotsky, *History of the Russian Revolution* (1930) (Chicago, Haymarket, 2008) [ed. bras.: *A história da Revolução Russa*, São Paulo, Sundermann, 2007, 2 v.]. Merecidamente reconhecida como uma obra grandiosa, intensa e historicamente necessária.

Discussões teóricas e textos reunidos

Edward Acton, Vladimir Cherniaev e William G. Rosenberg (orgs.), *Critical Companion to the Russian Revolution* [Guia crítico da Revolução Russa] (Bloomington, Indiana University Press, 1997). Coletânea absolutamente inestimável de ensaios sobre pessoas, organizações, questões polêmicas e eventos ligados à revolução, escritos por um grupo impressionante de autores. Grande parte dos ensaios mereciam ser citados separadamente, sobretudo o de Aleksandr Rabinowitch sobre Maria Spiridónova; o de Ziva Balili e Albert Nenarokov sobre Tseretiéli e os mencheviques; o de Mikhail Melancon sobre o SR e a esquerda SR; e outros sobre as regiões russas.

Edith Rogovin Frankel, Jonathan Frankel e Baruch Knei-Paz (orgs.), ***Revolution in Russia: Reassessments of 1917*** **[Revolução na Rússia: nova análise de 1917] (Cambridge, Cambridge University Press, 1992).** Inclui trabalhos valiosos sobre várias regiões, o campesinato, os trabalhadores e a Guarda Vermelha.

Mike Haynes, ***Russia: Class and Power 1917-2000*** **[Rússia: classe e poder] (Londres, Bookmarks, 2002).** Uma história breve e provocativa. A abordagem de Haynes, simpática à revolução, constitui o centro de sua análise sobre a trajetória posterior da Rússia.

Stephen Anthony Smith, ***Red Petrograd: revolution in the factories, 1917-1918*** **[Petrogrado vermelha: revolução nas fábricas, 1917-1918] (Cambridge, Cambridge University Press, 1983).** Não é um livro fácil para o leitor comum, mas é uma investigação crucial sobre a classe trabalhadora de Petrogrado, incluindo comitês de fábrica, sindicatos e formas específicas de "controle dos trabalhadores".

Eric Lohr et al., ***Russia's Great War and Revolution Series*** **[Série Grande Guerra e Revolução da Rússia], cinco volumes até o momento (Bloomington, Slavica, 2014-).** A editora Slavica está envolvida nesse projeto de vários volumes. Cada livro é uma coletânea de ensaios em torno de um tema compartilhado por especialistas: no momento da redação deste livro, havia cinco volumes, todos excepcionalmente úteis e mencionados separadamente aqui, nas seções pertinentes.

Rex A. Wade (org.), ***Revolutionary Russia: New Approaches*** **[Rússia Revolucionária: novas abordagens] (Nova York, Routledge, 2004).** Este livro contém vários artigos úteis, em particular de história social e cultural, como o de Boris Kolonitskii sobre a especificidade do termo "democracia", o de Tesuyoshi Hasegawa, que dá uma visão fascinante sobre o crime e o policiamento em Petrogrado, e o de Mikhail Melancon, sobre os SRs.

Anarquistas, bolcheviques, mencheviques e SRs

Barbara Carol Allen, ***Alexander Shlyapnikov, 1885-1937: Life of an Old Bolshevik*** **[Aleksandr Shlyapnikov, 1885–1937: a vida de um velho bolchevique] (Leiden, Brill, 2015).** Essa biografia de um trabalhador e intelectual bolchevique oferece uma alternativa realista ao foco comumente dado aos líderes mais conhecidos do partido e uma compreensão da cultura política bolchevique, das discussões internas etc.

Abraham Ascher (org.), *The Mensheviks in the Russian Revolution* [Os mencheviques na Revolução Russa] (Londres, Thames and Hudson, 1976). Coleção de documentos mencheviques que ilustram a variedade e as mudanças nas análises mencheviques antes, durante e depois da revolução.

Paul Avrich, *The Anarchists in the Russian Revolution* [Os anarquistas na Revolução Russa] (Ithaca, Cornell University Press, 1973), e *The Russian Anarchists* [Os anarquistas russos] (Oakland, AK Press, 2005). Ousado, simpático, envolvente.

Tony Cliff, *Lenin* (Londres, Pluto Press, 1975-1979), 4 v. O segundo volume dessa tetralogia é o mais pertinente para esta seleção. Trata-se de uma valiosa biografia política e de uma articulação de certo "leninismo". Embora não seja uma hagiografia, o entusiasmo de Cliff às vezes o leva a retroativamente dotar Lênin de sensatez e/ou "leninificar" a sensatez, por exemplo quando diz que os bolcheviques, durante o caso Kornílov, "seguiram a abordagem estabelecida de forma tão clara por Lênin", quando, na verdade, a abordagem foi definida antes que Lênin dissesse qualquer coisa – posteriormente, ele a aprovou.

Isaac Deutscher, *The Prophet: The Life of Leon Trotsky* (Londres/ Nova York, Verso, 2015) [ed. bras.: *Trótski: o profeta armado (1879-1921)*; *Trótski: o profeta desarmado (1921-1929)*; *Trótski: o profeta banido (1929-1940)*, Rio de Janeiro, Civilização Brasileira, 2005). Essa é a edição completa da biografia magistral escrita por Deutscher nos anos 1950-1960.

Israel Getzler, *Martov: A Political Biography of a Russian Social Democrat* [Martov: uma biografia política de um social-democrata russo] (Melbourne, Melbourne University Press, 1967). Retrato seminal, crítico e abrangente do homem que, para Trótski, seria relegado à "lata de lixo da história", escrito por um autor melancolicamente comprometido com os "perdedores" da revolução – o termo é dele. Seu livro posterior, *Kronstadt 1917-1921* (1983) também é de grande interesse.

Lars T. Lih, *Lenin* (Londres, Reaktion Books, 2011). Esse livro muito curto é mencionado aqui como uma introdução ao trabalho pioneiro de Lih. Ao longo de anos, Lih revolucionou e desmitificou em livros e artigos nossa compreensão a respeito das posições políticas dos revolucionários russos, sobretudo em *Lenin Rediscovered: "What Is to Be Done?" in Context* (Leiden, Brill, 2006). A discussão acima sobre as respostas dos bolcheviques às "Cartas de Longe" é devedora do trabalho de pesquisa de Lih em "Letters from Afar, Corrections from Up Close" (2015), publicado em *Kritika: Explorations in Russian and Eurasian History*, v. 16, n. 4.

Jane McDermid e Anna Hillyar, *Midwives of the Revolution: Female Bolsheviks and Women Workers in 1917* [Parteiras da revolução: mulheres bolcheviques e traba-

lhadoras em 1917] (Athens, Ohio University Press, 1999). Um texto crucial que traz à tona o papel central das mulheres na revolução, focando as ativistas bolcheviques, as massas e os quadros do partido.

Oliver Radkey, *The Agrarian Foes of Bolshevism: Promise and Default of the Russian Socialist Revolutionaries February-October 1917* [Os antagonistas rurais do bolchevismo: a promessa e a falha dos socialistas revolucionários russos, fevereiro-outubro de 1917] (Nova York, Columbia University Press, 1958). Uma visão formidável e realista desse partido estranho e fragmentado.

Liliana Riga, *The Bolsheviks and the Russian Empire* [Os bolcheviques e o Império Russo] (Cambridge, Cambridge University Press, 2012). Fascinante trabalho sobre o cosmopolitismo do movimento revolucionário.

Além de Petrogrado

Sarah Badcock, *Politics and the People in Revolutionary Russia* [Política e povo na Rússia revolucionária] (Cambridge, Cambridge University Press, 2007). A revolução como foi vivenciada em duas províncias do Volga, a partir de perspectivas diferentes, com um foco esclarecedor na dinâmica entre líderes políticos e base popular.

Sarah Badcock, Liudmila G. Novikova e Aaron B. Retish (orgs.), *Russia's Home Front in War and Revolution, 1914-1922,* Book 1: *Russia's Revolution in Regional Perspective* [*Front* interno russo na Guerra e na revolução, Livro 1: A Revolução Russa de uma perspectiva regional] (Bloomington, Slavica, 2015). Um dos excelentes volumes da série publicada pela editora Slavica, com ensaios de um grande número de acadêmicos sobre várias questões e regiões.

Andrew Ezergailis, *The 1917 Revolution in Latvia* [A revolução de 1917 na Letônia] (Nova York, Columbia University Press, 1974). Investigação detalhada sobre uma das mais intrigantes e empolgantes regiões revolucionárias do Império Russo em 1917.

Orlando Figes, *Peasant Russia, Civil War:* The Volga Countryside in Revolution, 1917-1921 [Rússia camponesa, guerra civil: a região rural do Volga durante a revolução] (Nova York, Oxford University Press, 1989). Mais especializado e específico do que o livro pelo qual o autor ficou conhecido, é uma exposição clara e útil sobre as trajetórias da insurgência rural.

Diane Koenker, *Moscow Workers and the 1917 Revolution* [Trabalhadores de Moscou e a revolução de 1917] (Princeton, Princeton University Press, 1981). Obra clássica focada na segunda maior cidade da Rússia, na política e na atuação de sua classe trabalhadora.

Eric Lohr, Vera Tolz, Alexander Semyonov e Mark von Hagen (orgs.), *The Empire and Nationalism at War* [Império e nacionalismo na guerra] (Bloomington, Slavica, 2014). Um dos muitos volumes da série publicada pela Slavica, trata da guerra, do Império e da Revolução na Rússia e em seus territórios.

Kevin Murphy, *Revolution and Counterrevolution: Class Struggle in a Moscow Metal Factory* [Revolução e contrarrevolução: luta de classes em uma metalúrgica de Moscou] (Nova York, Berghahn Books, 2005). Investigação excelente e detalhada sobre a revolução a partir de baixo, essa obra recebeu merecidamente o Deutscher Memorial Prize.

Ronald Grigor Suny, *The Baku Commune, 1917-1918: Class and Nationality in the Russian Revolution* [A Comuna de Bacu, 1917-1918: classe e nacionalidade na Revolução Russa] (Princeton, Princeton University Press, 1972). Uma investigação indispensável sobre as complexidades de classe e as políticas nacionais entrecruzadas.

Testemunhos, memórias e relatos em primeira pessoa

Walentin Astrov, Aleksandr Slepkov e J. Thomas (orgs.), *An Illustrated History of the Russian Revolution* [Uma história ilustrada da Revolução Russa] (Nova York, International, 1928), 2 v. Datado e bastante obscuro, mas repleto de fotografias e reportagens maravilhosas – entre elas um relato cativante das perambulações do tenente Sinegub pelo Palácio de Inverno, do qual apenas um trecho pôde ser reproduzido aqui.

Bessie Beatty, *The Red Heart of Russia* [O coração vermelho da Rússia] (Nova York, The Century, 1918). Tão floreado, em certos momentos, a ponto de se tornar cômico (nos dois primeiros e breves parágrafos do livro, Petrogrado é uma floresta no crepúsculo prateado, estranha, misteriosa, inescrutável, sedutora, uma candeia – que atrai mariposas, é claro), mas apesar, ou por causa, disso é extraordinariamente envolvente.

Louise Bryant, *Six Red Months in Russia* [Seis meses vermelhos na Rússia] (Nova York, George H. Doran, 1918). Relato incisivo e emocionante escrito por uma jornalista radical.

Jonathan Daly e Leonid Trofimov (orgs.), *Russia in War and Revolution, 1914-1922:* A Documentary History [Rússia durante a guerra e a revolução: uma história documental] (Indianapolis, Hackett, 2009). Maravilhoso compêndio de textos originais que abrange desde declarações oficiais e semioficiais a cartas e recordações anônimas.

Eduard Dune, *Notes of a Red Guard* [Anotações de um integrante da Guarda Vermelha] (Urbana, University of Illinois Press, 1993). Reminiscências da adolescência de Dune, ativista em aperfeiçoamento político entre os bolcheviques e membro da milícia armada. O livro inclui nítidas memórias do combate urbano de outubro em Moscou.

Sheila Fitzpatrick e Yuri Slezkine (orgs.), *In the Shadow of Revolution: Life Stories of Russian Women from 1917 to the Second World War* [À sombra da revolução: histórias de vida de mulheres russas de 1917 à Segunda Guerra Mundial] (Princeton, Princeton University Press, 2000). Histórias de vida de um grande número de mulheres que nos aproximam vivamente da realidade daqueles dias.

Michael Hickey (org.), *Competing Voices from the Russian Revolution*: Fighting Words [Vozes conflitantes da Revolução Russa: combate em palavras] (Santa Barbara, Greenwood, 2010). Coletânea extensa e muito útil de textos originais, organizada por temas.

A. F. Ilyin-Genevsky, *From the February Revolution to the October Revolution 1917* [Da Revolução de Fevereiro à Revolução de Outubro de 1917] (Nova York, International, 1931). Memórias emocionantes e encantadoras de um homem que posteriormente se tornou tão ou mais conhecido como enxadrista do que como revolucionário bolchevique.

Mark Jones (org.), *Storming the Heavens: Voices of October* [Céus trovejantes: vozes de outubro] (Londres, Atlantic Highlands, 1987). Mais conciso e específico do que os textos de Hickey, Pitcher ou Steinberg, mas não menos valioso pelos artigos que contém.

Dimitri Von Mohrenschildt (org.), *The Russian Revolution of 1917: Contemporary Accounts* [A Revolução Russa de 1917: considerações contemporâneas] (Nova York, Oxford University Press, 1971). Memórias valiosas e originais do incrível e posteriormente espião e combatente antissoviético sob a Guerra Fria, falecido em 2002 aos cem anos.

Harvey Pitcher (org.), *Witnesses of the Russian Revolution* [Testemunhas da Revolução Russa] (2. ed., Londres, Pimlico, 2001). Os testemunhos reunidos nesse livro, diferentemente da maioria das compilações, não são de russos, mas de estrangeiros que visitaram o país durante o ano revolucionário: estadunidenses e britânicos. Compreendem, entre outros, Arthur Ransome e Morgan Philips Price, dois autores cujos escritos inestimáveis sobre o tema estão reunidos em volumes específicos.

F. F. Raskolnikov, *Kronstadt and Petrograd in 1917* [Kronstadt e Petrogrado em 1917] (1925) (Londres, New Park, 1982). Recordações vívidas de uma figura revolucionária crucial de Kronstadt.

John Reed, *Ten Days That Shook the World* (1919) (Nova York, St. Martin's Press, 1997) [ed. bras.: *Dez dias que abalaram o mundo*, Porto Alegre, L&PM, 2010]. Relato merecidamente renomado do dedicado jornalista.

Mark D. Steinberg (org.), *Voices of Revolution, 1917* [Vozes da revolução, 1917] (New Haven, Yale University Press, 2001). Compêndio poderoso de fontes primários divididas cronologicamente em três seções, cada uma introduzida por um ensaio útil. Foi desse livro que a carta do soldado Kuchalavok foi extraída. Trata-se de um extraordinário trabalho de escrita que merece ser lido integralmente – assim como muitas das cartas dolorosamente fortes dos soldados.

Nikolai Sukhanov, *The Russian Revolution, 1917:* A Personal Record [A Revolução Russa de 1917: um registro pessoal] (Princeton, Princeton University Press, 1984). É impossível não ser arrebatado pelas memórias vivas, profundas, honestas e meticulosamente comentadas de Sukhánov, um dos grandes observadores da história.

Outros

Boris Dralyuk (org.), *1917* (Londres, Pushkin Press, 2016). Uma coletânea fascinante de poemas e textos em prosa do ano revolucionário.

Orlando Figes e Boris Kolonitskii (orgs.), *Interpreting the Russian Revolution* [Interpretando a Revolução Russa] (New Haven, Yale University Press, 1999). Essa coleção apresenta ensaios excelentes sobre a cultura política da revolução.

Murray Frame et al. (orgs.), *Russian Culture in War and Revolution, 1914-1922*, Book 1: *Popular Culture, the Arts, and Institutions*; Book 2: *Political Culture, Identities, Mentalities, and Memory* [Cultura russa na guerra e na revolução, 1914-1922, Livro 1: Cultura popular, artes e instituições; Livro 2: Cultura política, identidades, mentalidades e memória] (Bloomington, Slavica, 2014). Dois dos vários volumes da série da Slavica, contêm ensaios de um grande número de estudiosos sobre representação política, memória e patrimônio, além de uma enorme variedade de questões culturais.

Mary Hamilton-Dann, *Vladimir and Nadya*: *The Lenin Story* (Nova York, International, 1998). Relato curioso e intrigante sobre a vida do casal revolucionário, com detalhes que a maioria das outras obras menciona apenas de passagem. Assim como o obscuro mas apaixonante *Lenin in the Recollection of Finns* (1979), da mesma autora.

Marianne Kamp, "Debating Sharia: The 1917 Muslim Women's Congress in Russia" [Discutindo a sharia: o Congresso de Mulheres Muçulmanas de 1917 na Rússia], *Journal of Women's History*, v. 27, n. 4, 2015. Uma fonte rara sobre esse evento importante e fascinante.

David C. King, *Red Star over Russia: A Visual History of the Soviet Union from 1917 to the Death of Stalin* [Estrela vermelha sobre a Rússia: uma história visual da União Soviética de 1917 à morte de Stálin] (Londres, Tate Publishing, 2009). Apesar do tom monocromático envelhecido da maioria das fotografias, o visual da revolução é absolutamente envolvente, tanto na iconografia deliberada como nas junções do acaso – como mostram as imagens desse livro.

Adele Lindenmeyr, Christopher Read e Peter Waldron (orgs.), *Russia's Home Front in War and Revolution, 1914-1922*, Book 2: *The Experience of War and Revolution* [*Front* interno da Rússia na guerra e na revolução, 1914-1922, Livro 2: A experiência da guerra e da revolução] (Bloomington, Slavica, 2016). Esse volume da série da Slavica contém ensaios sobre uma extraordinária variedade de tópicos relativos à Revolução Russa, incluindo filantropia, alcoolismo, drogas, jardinagem, monasticismo e representação dos judeus.

Anatoly Lunacharsky, *Revolutionary Silhouettes* [Silhuetas revolucionárias] (Londres, Penguin, 1967). Uma série cativante de reminiscências de Lunatchárski e de vários revolucionários que ele conheceu.

Richard Stites, *Revolutionary Dreams*: *Utopian Vision and Experimental Life in the Russian Revolution* [Sonhos revolucionários: visão utópica e experiências de vida na Revolução Russa] (Nova York, Oxford University Press, 1989). O texto clássico de Stites se concentra, em grande parte, nos primeiros anos do regime revolucionário em si, mas sua inclusão aqui é justificada pelo utopismo precursor, porque faz uma exposição assustadora, emocionante e às vezes hilária do dia a dia da vanguarda da época.

Ian D. Thatcher, "The St Petersburg/Petrograd Mezhraionka,1913-1917: The Rise and Fall of a Russian Social DemocraticWorkers' Party Unity Faction"["O Mejraióntsy de São Petersburgo/ Petrogrado, 1913-1917: ascensão e queda de uma facção da unidade partidária dos trabalhadores social-democratas], *Slavonic and East European Review* [Revista Eslava e do Leste Europeu], v. 87, n. 2, 2009. Uma das raras fontes sobre esse grupo pequeno, intelectual e politicamente brilhante, associado a Trótski. Entre os vários livros ainda não escritos sobre a Revolução Russa, clama ruidosamente por existir um volume sobre esse "grupo interdistrital", com traduções selecionadas de sua produção.

AGRADECIMENTOS

Este livro, mais do que qualquer outro que escrevi, não apenas se beneficiou como dependeu do comprometimento e das percepções de leitores e interlocutores. Sou mais grato do que consigo expressar pela paciência, generosidade e sugestões que me deram, pela ajuda, pelas opiniões e críticas incisivas e intelectualmente instigantes.

Tenho uma dívida enorme com o imenso número de autores que descobri durante minha pesquisa. Também fui privilegiado por ter recebido respostas atenciosas e detalhadas de importantes pesquisadores – que em muitos casos compartilharam trabalhos ainda inéditos comigo – a respeito de questões abordadas nos meus manuscritos. Estendo minha profunda gratidão a Gleb Albert, Barbara Allen, Clayton Black, Eric Blanc, Lars Lih, Kevin Murphy e Ronald Suny. *Outubro* ficou incomensuravelmente melhor com sua ajuda generosa.

Também sou profundamente grato a muitos outros leitores. Suas ideias e respostas minuciosas são totalmente inestimáveis. Meus agradecimentos a Mic Cheetham, Maria Headley, Frank Hemmes, Susan Powell, Jord Rosenberg e Rosie Warren.

Na Rússia, tive a sorte de me beneficiar da hospitalidade e das conversas com Boris Kolonitskii, Artemy Magun, Yoel Regev, Alexander Reznik, Alexander Skidan e Elizaveta Zhdankova.

Sou profundamente grato ao Rockfeller Bellagio Center, da Itália, por ter me concedido uma bolsa-residência para escrever este livro. Também sou grato pelo apoio e pela ajuda inestimáveis de David Broder, Valeria Costa-Kostritsky,

José "Gurru" Corominas, Cassia Corominas-Miéville, Indigo Corominas--Miéville, Boris Dralyuk, Brian Evenson, Tsuyoshi Hasegawa, Stuart Kelly, Jemima Miéville e Paul Robbins.

Pela solidariedade e amizade, e por serem fonte constante de inspiração política e intelectual, agradeço aos meus companheiros editores da *Salvage*: Jamie Allinson, Richard Seymour e Rosie Warren.

Meu obrigado também a todo o pessoal da Verso, especialmente a Mark Martin, Anne Rumberger, Sarah Shin e Lorna Scott-Fox, pelo copidesque acima e além de qualquer dever. Por fim, sou grato em especial a Sebastian Budgen, meu editor e amigo. Este livro surgiu de uma sugestão sua, e tenho com ele uma imensa dívida intelectual e política.

ÍNDICE ONOMÁSTICO

SOBRE O AUTOR

Foto de Emma Bircham

CHINA MIÉVILLE, nascido na Inglaterra em 1972, é formado em antropologia social pela Universidade de Cambridge, com mestrado e doutorado em filosofia do direito internacional pela London School of Economics. Professor de escrita criativa na Universidade de Warwick, foi um dos fundadores do Left Unity e é membro da International Socialist Organization. Um dos nomes mais importantes da literatura *new weird*, foi duplamente contemplado pelo British Fantasy Award e recebeu três vezes o Arthur C. Clarke Award (o prêmio mais importante dedicado aos livros de ficção científica). Seus trabalhos de não ficção incluem o ensaio ilustrado *London's Overthrow* [A queda de Londres] e *Between Equal Rights: A Marxist Theory of International Law* [Entre direitos iguais: uma teoria marxista do direito internacional]. Miéville costuma escrever para diversos periódicos, entre eles *New York Times*, *Guardian*, *Conjunctions* e *Granta*. É editor fundador da revista *Salvage*. Dele, a Boitempo publicou *A cidade & a cidade* (2014) e *Estação Perdido* (2016), além do artigo "Marxismo e fantasia", incluído no número 23 da revista *Margem Esquerda*.

Aleksandra Mikháilovna Kollontai, em data desconhecida.

Publicado em 2017, quando se completaram 145 anos do nascimento e 65 anos da morte da feminista, líder revolucionária e teórica do marxismo russa Aleksandra Kollontai, este livro foi composto em Minion Pro 11/14,3 e Myriad Pro 10/12 e reimpresso em papel Pólen Natural 80 g/m², pela Lis Gráfica, para a Boitempo, em janeiro de 2023, com tiragem de 1.000 exemplares.

OURO